VA
Vascular Access

혈관통로 초음파

대표저자

히로아키 하루구치
Hiroaki Haruguchi

감수

김성균

역자

이형석 · 최선령

군자출판사

혈관통로 초음파

첫째판 1쇄 인쇄 | 2019년 3월 18일
첫째판 1쇄 발행 | 2019년 3월 25일

대 표 저 자   히로아키 하루구치
역   자   이형석 · 최선령
발 행 인   장주연
출 판 기 획   김도성
책 임 편 집   배혜주
편집디자인   주은미
표지디자인   김재욱
발 행 처   군자출판사 (주)
                등록 제 4-139 호 (1991. 6. 24)
                본사 (10881) **파주출판단지** 경기도 파주시 회동길 338(서패동 474-1)
                전화 (031) 943-1888 팩스 (031) 955-9545
                홈페이지 | www.koonja.co.kr

バスキュラーアクセス超音波テキスト
春口 洋昭 編著
医歯薬出版株式会社 (東京)，2011.

Title of the original Japanese language edition:
Textbook of Ultrasound for Vascular Access
Hiroaki Haruguchi ed.
© Ishiyaku Publishers, Inc.
TOKYO, JAPAN, 2011.

ISBN   979-11-5955-418-6
정가   70,000원

혈관통로 초음파

저자 약력

【編者所属】
春口洋昭
　　飯田橋春口クリニック院長

【著者所属】
春口洋昭
　　上記
小川智也
　　埼玉医科大学総合医療センター　腎高血圧内科 /
　　血液浄化センター講師
小谷敦志
　　近畿大学医学部附属病院　中央臨床検査部
小林大樹
　　独立行政法人　労働者健康安全機構　関西労災病院　中央検査部
山本裕也
　　大川バスキュラーアクセス・腎クリニック
小野塚温子
　　東京医科大学病院　血管外科 Vascular Laboratory
渡邉麻奈夫
　　葵　美合クリニック　放射線科 /
　　（株）アフェレーシス　サポート　代表取締役
河村知史
　　蒼龍会井上病院臨床検査科
壷井匡浩
　　大崎市民病院診療部副部長 /
　　第一放射線科科長
高瀬圭
　　東北大学病院　放射線診断科准教授
廣谷紗千子
　　東京女子医科大学　腎臓病総合医療センター外科准講師
赤松眞
　　あかまつ透析クリニック院長

尾上篤志
　　高橋計行クリニック　超音波室長
深澤瑞也
　　山梨大学医学部附属病院　泌尿器科病院准教授 /
　　血液浄化療法部部長
村上康一
　　誠仁会みはま成田クリニック院長
中村順一
　　大阪バスキュラーアクセス　天満中村クリニック院長
佐藤純彦
　　クレドさとうクリニック院長
内野敬
　　松圓会東葛クリニック病院副院長
中山祐治
　　大阪バスキュラーアクセス　天満中村クリニック副院長
下池英明
　　高橋内科クリニック内科
大谷正彦
　　社会保険直方病院　検査科
真崎優樹
　　高橋内科クリニック　血管診療部
室谷典義
　　千葉社会保険病院副院長 / 臨床工学部長
若林正則
　　駿東育愛会望星第一クリニック院長

역자 약력

| 감수 **김 성 균 Kim Sung Gyun**
　　한림대학교성심병원 신장내과 교수
　　대한중재신장학연구회 회장
　　대한신장학회, 미국중재신장학회 정회원

| 역자 **이 형 석 Lee Hyung-seok**
　　한림대학교성심병원 신장내과 임상부교수
　　대한신장학회, 대한중재신장학연구회, 미국중재신장학회 정회원
　　RVT (Registered Vascular Technologist)
　　FASDIN (Fellow of American Society of Diagnostic and Interventional Nephrology)

| 역자 **최 선 령 Choi Sun-ryoung**
　　한림대학교동탄성심병원 신장내과 임상조교수
　　대한신장학회, 대한중재신장학연구회, 미국중재신장학회 정회원

저자 서문

현재 일본에서는 30만 명에 가까운 환자가 혈액 투석을 받고 있지만, 당뇨병이나 노인 장기 투석 환자의 증가에 따라 Vascular access (혈관통로)가 큰 문제가 되고 있다.

그 동안 혈관통로 문제에 대해서는 주로 수술이 이루어져 왔지만, 최근 들어서는 중재술 치료가 비약적으로 보급되고 있다. 인터벤션 치료를 하려면 혈관통로의 형태와 기능을 정확히 파악하여 치료시기를 결정할 필요가 있다. 혈관통로 합병증의 진단에는 혈관조영술이 주로 이루어지고 있지만, 다른 분야와 같이 혈관통로의 영역에서도 초음파검사가 점차 많이 이루어지고 있다.

비침습적이고 실시간으로 형태와 기능을 관찰할 수 있는 초음파검사는 혈관통로 검사법으로서 이상적이며, 혈관통로 조성술 · 유지 관리 · 합병증의 진단에서도 매우 유용하다고 생각된다. 그러나 혈관통로 영역에서 초음파검사를 어떻게 적용할 것인지에 관한 텍스트가 없어서 의사와 초음파기사가 각자의 배경 지식을 활용하여 검사를 실시하고 있는 현실이다.

일반적인 초음파검사는 정상 해부 및 기능에서 얼마나 벗어나 있는지를 진단하지만, 혈관통로는 원래 신체에는 없는 비생리적인 혈액순환동태를 가지고 있다. 따라서 비교할 수 있는 정상인 대상이 없으므로 혈관 초음파를 많이 다루고 있는 의료진이라도 당황하는 경우가 많다. 현재로서는 각 시설에서 서로 다른 방법으로 정기 검사를 실시하고 있으며, 혈관통로에 대한 기능 평가법도 정해져 있지 않다.

그 동안 혈관통로 진료와 관련된 의사와 초음파기사로부터 "혈관통로 초음파 텍스트는 없는가"라는 요구가 많았다. 혈관초음파에 대한 데이터가 축적되어, 지금이 텍스트를 발간해야 할 시기라고 생각해 본 텍스트의 편집을 결정했다.

이 텍스트는 의사뿐만 아니라, 임상병리사, 간호사, 임상공학기사도 읽고 활용해 주었으면 한다. 독자층으로는 (1) 말초혈관 초음파를 실시하고 있으나, 혈관통로 지식이 부족한 분들, (2) 혈액투석이나 혈관통로 지식은 있지만, 혈관초음파검사 경험이 많지 않은 분으로 양쪽 모두를 상정했다. 따라서 혈관통로에 대한 초음파검사의 기술적인 측면뿐만 아니라, 혈관통로 및 혈관초음파 각각에 대한 기초 지식을 담은 내용이 되었다. 또한, 다른 검사법과의 비교, 초음파검사 전에 실시해야 할 이학적 검사, 여러 가지 합병증의 병태 등 초음파 검사를 실시하는데 필요한 최소한의 지식을 망라하여 기획했으며, 최근 조금씩 퍼져 온 초음파 유도 PTA 치료의 실제에 대해서도 언급했다. 따라서 꽤 욕심을 낸 텍스트가 되었지만, 혈관통로 초음파에 조금이라도 관심이 있는 사람은 자신의 기량과 지식에 따라 필요한 항목을 읽고 숙지할 수 있길 희망한다.

혈관통로 전문 초음파 텍스트는 국내외를 포함해도 처음이며, 앞으로 이 텍스트가 표준이 되어 많은 투석 환자에게 도움이 되기를 바란다.

2011년 2월

저자 **Hiroaki Haruguchi**

역자 서문

　밤하늘의 별은 누구나 볼 수 있지만 별자리를 읽고 길을 찾기 위해서는 지식과 경험이 필요한 것처럼, 비침습적이고 안전한 초음파검사도 초음파를 통해 본 것으로부터 혈관통로를 형태적, 기능적으로 이해하려면 지식과 경험을 갖추어야 합니다. 혈관통로 초음파검사는 혈액투석, 혈관통로, 그리고 초음파검사에 대한 이해가 필요하며, 셋 중 어느 하나라도 잘 알지 못하고 혈관통로 초음파검사를 하는 것은 별자리를 읽지 못하는 사람이 밤길을 안내하는 것과 같습니다. 이 책을 소개받은 것이 7년 전이고, 최선령 교수와 함께 한글 번역본을 만든 것은 3년 전이지만, 개인적으로 공부할 목적이었을 뿐이지 감히 책으로 엮어낼 생각은 하지 못했습니다. 하지만 매년 연수강좌와 학회에서 혈관통로 초음파검사에 대해 강의와 실습을 진행하여도, 여전히 참고할 만한 혈관통로 초음파 전문서적을 추천해달라는 주변의 요구가 지속적으로 있었고, 국내에는 아직 혈관통로를 전문으로 다룬 초음파 책이 없기 때문에 마침내 번역본을 다듬어서 소개하게 되었습니다. 이 책은 초음파검사법뿐 아니라 혈액투석과 혈관통로에 대해서도 친절하게 소개하고 있으며, 기본적인 내용부터 임상적 증례까지 다루고 있으므로 혈관통로 초음파검사를 하는 모든 의료인들에게 좋은 길잡이가 될 것입니다. 역자가 일본어 번역을 전공한 사람이 아니어서 일본식 표현을 한글로 옮길 때 어려움을 겪기는 했지만, 가능하면 공식 용어를 선택하고 영문 용어를 병기하여 이해를 돕고자 노력하였습니다. 다만, 해부학 새 용어보다 구 용어가 더 흔히 사용되고 있는 점을 고려하여 본문에서는 구 용어를 사용하였고, 해부학 용어일람표를 책의 첫 부분에 실어 비교할 수 있도록 하였습니다. 일본에서는 상완동맥 표재화 수술도 드물지 않게 시행하고 있으며, 대부분 금속 바늘 대신 플라스틱 캐뉼라를 이용하여 천자를 하고 있고, 한국보다 다소 낮은 혈류속도로 혈액투석을 하는 등 국내의 혈액투석 치료현황과 다른 점이 있기 때문에 독자들은 그러한 차이를 고려하여 읽어주시기 바랍니다. 비록 역자들의 게으름으로 인해 원저가 출판된 지 8년 만에 한글 번역본을 국내에 소개하게 되었지만, 여전히 저희들은 혈관통로 초음파검사를 전문적으로 다룬 책 중에서 이보다 더 추천하고 싶은 책을 찾지 못하였습니다. 또한, 지난 10년 동안 초음파검사 시행 후 외과의와 함께 수술 중 육안소견을 직접 확인하였고, 인터벤션 치료를 통해 시술 전의 초음파 소견을 혈관조영 영상과 비교하였으며, 혈관통로 합병증의 치료가 혈액투석과 환자에게 주는 영향을 살펴보았으므로, 이제 비로소 부끄럽지 않은 책을 드릴 수 있는 준비가 되었다고 생각합니다. 이 책을 통해 제가 많은 도움을 받았던 것처럼 혈관통로 초음파검사를 시작하면서 막막함을 느끼셨던 선생님들에게 도움이 되길 바라며, 한글 번역을 허락해주신 Dr. Haruguchi, 이 책을 소개해주신 Dr. Sato, 그리고 일본어를 가르쳐주신 Tanaka 선생님께 깊이 감사드립니다.

2019년 3월 안양에서

이 형 석

혈관통로(Vascular access) 초음파

목차 Contents

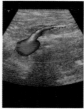
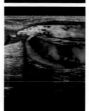

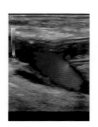

약어 일람표(약어, 정식 명칭, 한글 명칭 순서로 기재)

A	artery	동맥
ABF	arteria branchialis blood flow	상완동맥 혈류량
ACT	activated whole blood clotting time	전혈 응고 시간
AcT	acceleration time	수축기 상승 시간
ADF	Advanced Dynamic Flow	혈관초음파 혈류 묘출 기술 중 하나
AVF	arteriovenous fistula	자가정맥 동정맥루
AVG	arteriovenous graft	인조혈관 이식편
CAS	cephalic arch stenosis	두정맥 궁 협착
CDI	color Doppler imaging	컬러 도플러
Cr	creatinine	크레아티닌
CSA	cross sectional area	혈관 단면적
CSN	Canadian Society of Nephrology	캐나다 신장학회
CTO	chronic total occlusion	만성 완전 폐색
DcT	deceleration time	수축기 혈류의 감속시간
DRIL	distal revascularization-interval ligation	
DSA	digital subtraction angiography	디지털 감산 혈관조영술
EDV	end diastolic velocity	확장기 최소유속, 확장말기 혈류속도
EF	ejection fraction	구출률
EOG	ethylene oxide gas	에틸렌 옥사이드 소독용 가스
ePTFE	expanded polytetrafluoroethylene	인조혈관 재질의 한 종류
FV	flow volume	혈류량
GL	guideline	가이드라인
GPI	graft pressure index	정적 정맥내압 측정법의 하나
K/DOQI	Kidney Disease Outcomes Quality Initiative	
MDCT	multi detector-row commputed tomography	다중 검출 컴퓨터 단층촬영
MR	mitral regurgitation	승모판 폐쇄 부전증
MRSA	methicillin-resistant *Staphylococcus aureus*	메티실린 내성 황색 포도상 구균
M-VEL	mean-velocity	평균혈류속도
NASCET	North American Symptomatic Carotid Endarterectomy Trial	
PWD	pulsed wave Doppler	펄스 도플러
PI	pulsatility index	박동 계수
PSV	peak systolic velocity	수축기 최대유속, 수축기 최고혈류속도
PTA	percutaneous transluminal angioplasty	경피적 혈관성형술
QB	quantity of blood flow = blood flow rate	혈류 유속
RCAVF	radiocephalic AVF	요골동맥-요측피정맥 사이의 AVF
RI	resistive index or resistance index	저항계수
SIRS	systemic inflammatory response syndrome	전신성 염증반응 증후군
SLE	systemic lupus erythematosus	전신성 홍반성 루푸스
SPP	skin perfusion pressure	피부 조직관류압
STC	sensitive time control	
TGC	time gain control	
THE	tissue harmonic echo	
THI	tissue harmonic imaging	
UN	urea nitrogen	요소질소
V	vein	정맥
VA	vascular access	혈관통로
VAIVT	vascular access intervention therapy	혈관통로 중재적 치료

해부학 용어 일람표

본문 용어	대한해부학회 새용어	영문
경동맥	목동맥	Carotid artery
골간동맥	뼈사이동맥	Interosseous artery
골간정맥	뼈사이정맥	Interosseous vein
관통정맥	관통정맥	Perforating vein
깊은수장동맥궁	깊은손바닥동맥활	Deep palmar arch
내경정맥	속목정맥	Internal jugular vein
대원근	큰원근	Teres major muscle
대퇴동맥	넙다리동맥	Femoral artery
대퇴정맥	넙다리정맥	Femoral vein
동반정맥	동반정맥	Accompanying vein
반회골간동맥	되돌이뼈사이동맥	Interosseous recurrent artery
배측수근동맥궁	등쪽손목동맥궁	Dorsal carpal arch
부정맥	덧정맥	accessory vein
상대정맥	위대정맥	Superior vena cava
상완동맥	위팔동맥	Brachial artery
상완심동맥	깊은위팔동맥	Deep brachial artery
상완정맥	위팔정맥	Brachial vein
상완회선동맥	위팔휘돌이동맥	Circumflex humeral artery
상척측측부동맥	위자쪽곁동맥	Superior ulnar collateral artery
상행대동맥	오름대동맥	Ascending aorta
쇄골	빗장뼈	Clavicle
쇄골하동맥	빗장밑동맥	Subclavian artery
쇄골하정맥	빗장밑정맥	Subclavian vein
수장동맥궁	손바닥동맥활	Palmar arch
슬와동맥	오금동맥	Popliteal artery
신동맥	콩팥동맥	Renal artery
심부정맥	깊은정맥	Deep vein
액와동맥	겨드랑동맥	Axillary artery
액와정맥	겨드랑정맥	Axillary vein
얕은수장동맥궁	얕은손바닥동맥활	Superficial palmar arch
완두정맥	팔머리정맥	Brachiocephalic vein
요골	노뼈	Radius
요골동맥	노동맥	Radial artery
요골신경	노신경	Radial nerve
요측반회동맥	노쪽되돌이동맥	Radial collateral artery
요측측부동맥	노쪽곁동맥	Radial collateral artery
요측피정맥	노쪽피부정맥	Cephalic vein
요측피정맥궁	노쪽피부정맥활	Cephalic arch
전골간동맥	앞뼈사이동맥	Anterior interosseous artery
정중신경	정중신경	Median nerve
족배동맥	발등동맥	Dorsal plantar artery
주관절	팔꿉관절, 팔꿈치관절	Elbow joint
주와	팔오금	Cubital fossa
주정중피정맥	팔오금중간정맥	Median cubital vein
중측부동맥	중간곁동맥	Middle collateral artery
척골	자뼈	Ulna

해부학 용어 일람표

본문 용어	대한해부학회 새용어	영문
척골동맥	자동맥	Ulnar artery
척측반회동맥	자쪽되돌이동맥	Ulnar recurrent artery
척측피정맥	자쪽피부정맥	Basilic vein
천대퇴동맥	얕은넙다리동맥	Superficial femoral artery
총경동맥	온목동맥	Common carotid artery
총골간동맥	온뼈사이동맥	Common interosseous artery
측부정맥	곁가지정맥	collateral vein
표재정맥	얕은정맥	Superficial vein
피정맥	피부정맥	Cutaneous vein
하척측측부동맥	아래자쪽곁동맥	Inferior ulnar collateral artery
후경골동맥	뒤정강동맥	Posterior tibial artery
후골간동맥	뒤뼈사이동맥	Posterior interosseous artery

1

혈관통로(Vascular access)에서
초음파검사의 역할

개요

혈액투석 요법을 시행할 때에는 일정량의 혈액을 빼내어, 여과한 뒤, 체내로 다시 되돌려주어야 한다. 만성콩팥병으로 혈액투석을 할 때에는 최소한 200~300 ml/min 이상의 혈류량이 요구되며, 이 정도의 혈류량을 유지하기 위해서는 피하정맥으로는 불충분하기 때문에 혈관통로(vascular access)가 필요하다. 혈관통로(vascular access)란, 혈액투석을 시행하기 위해 필요한 혈액의 출입구라고 할 수 있다. 혈액투석 도입 초창기에는 혈액투석을 할 때마다 대퇴동맥과 정맥을 천자하여 시행하였지만 1960년에 Quinton과 Scribner가 '외동정맥 단락(external shunt)'을 발명한 후에는 지속적인 혈액투석이 가능하게 되었다. 하지만, '외동정맥 단락(external shunt)'은 혈전증과 감염의 위험성이 높아 다른 형태의 혈관통로가 요구되었다. 1966년에 Brescia와 Cimino가 피하에 동맥과 정맥을 문합하여 소위 '내동정맥 단락(internal shunt)'을 발명했다. 이후 안정적인 혈액투석이 가능하게 되어 현재에 이르고 있다. 혈관통로를 만드는 방법에는 일반적으로 상지의 동맥과 자가정맥을 직접 연결하거나(자가혈관 동정맥루, arteriovenous fistula), 동맥과 정맥 사이에 인조혈관을 이식하는 방법(인조혈관, arteriovenous graft)이 있다. 혈관통로는 혈액투석 치료를 위해 필수적이므로, 혈액투석 환자의 생명선(lifeline)이라 불린다. 하지만, 혈관통로는 원래 생체에는 존재하지 않는 것이어서 단락(shunt) 생성, 혈관 표재화, 그리고 잦은 천자로 인해 혈관의 협착이나 폐색, 동맥류 발생 등의 합병증이 생길 위험이 있다. 따라서, 혈액투석 치료에서는 적절한 혈관통로를 조성하여 관리하는 것이 중요한 과제이다.

최근 혈관통로에 대한 초음파검사가 점차 많이 시행되고 있다. 보통, 초음파검사는 형태나 기능상의 이상 유무를 확인하는 것이 목적이다. 여기에서 이상의 유무는 이미 알고 있

는 '정상해부'와 '정상기능'을 검사소견과 비교하여 판별한다. 하지만, 단락(shunt)은 원래 체내에 있는 것이 아니므로 비교해야 할 '정상'이 없다. 초음파검사를 시행하는 검사자는 처음에는 당황하지만, 지속적인 검사를 통해 몇 가지의 패턴이 있는 것을 깨닫는다. 협착이나 폐색을 일으키기 쉬운 특정 부위가 있어서, 협착부와 천자부의 관계에 따라 혈액유입의 불량이나 정맥압 상승과 같은 특이 증상이 출현한다. 혈관통로를 혈액투석 치료에 이용할 수 있으려면 투석이 가능한 혈류량이 필요하고, 협착의 정도와 혈류량은 어느 정도의 상관 관계가 있다. 지금부터 혈관통로에 있어서 초음파검사의 역할에 대하여 설명한다.

1 혈관통로(Vascular access)에서 초음파 검사의 역할

혈관통로에서 초음파검사는 아래 3가지 단계로 나누어 생각할 수 있다.

첫 번째는, 혈관통로 조성 시 혈관평가이다. 기능적인 혈관통로를 조성하는 데에는 적절한 크기의 동맥과 정맥이 필요하며 연속성이 중요하다. 상완동맥 표재화(brachial artery superficialization)에서는 동맥의 천자가 가능할 지 확인한다. 또한, 도관(catheter) 삽입술에 있어서는 천자가능한 정맥의 크기와 주행을 시술 전에 확인하는 것이 필요하다.

두 번째는, 일상적 관리(surveillance)이다. 혈액투석 치료 시에는 필요한 혈액을 원활하게 유입하고 반환해야하는 데, 혈관통로의 기능 저하에 따라 혈액유입이나 반환에 지장이 생긴다. 혈관통로에 이학적인 이상소견이 있는 경우에는 초음파검사로 협착병변이나 단락(shunt)의 주행, 분지 등을 확인하는 것이 원활한 투석에 도움이 된다. 또한, 여러 차례 혈관통로 문제가 있었던 환자에서는 혈액유입불량이 생기기 전에 초음파검사로 기능을 평가하는 것이 유용하다.

세 번째는, 합병증의 진단이다. 적절한 치료를 시행하려면 병태를 정확하게 파악할 필요가 있고 병태파악에는 초음파검사가 특히 유용하다.

1 | 혈관통로 조성 전 초음파검사

혈관통로(vascular access)를 동정맥루(arteriovenous fistula; AVF), 인조혈관(arteriovenous graft; AVG), 상완동맥 표재화(brachial artery superficialization)로 나누어 수술 전 초음파검사의 역할에 대하여 설명한다.

① 동정맥루(AVF) 조성 전 초음파검사

일본에서는 혈액투석 환자의 약 90%가 동정맥루(AVF)로 투석을 받고 있다(2008년 당시). 다른 국가들에 비해 동정맥루의 비중이 높은 것이 특징이다. 동정맥루는 피하의 동맥과 정맥을 직접 문합하여, 단락(shunt)화 된 정맥에 천자하는 것이며, 천자부위는 수술부위와 환자의 혈관주행에 따라 결정된다. 혈관통로(vascular access) 중에는 동정맥루가 가장 개존율이 높고 합병증도 적다. 관리도 비교적 쉬우므로 가능한 동정맥루 조성을 우선적으로 선택한다. 처음 만든 동정맥루의 성패는 그 후의 투석생활에 큰 영향을 주므로 신중히 조성부위를 결정할 필요가 있다.

초음파검사 시, 문합 예정부위에 동맥과 정맥의 혈관직경을 측정한다. 좋은 기능을 장기간 유지할 수 있는 동정맥루를 조성하려면 적당한 혈관직경이 필요하다. 여러 가지의 권고가 있지만, 대체로 동맥직경이 1.5 mm 이상, 근위부에 있는 정맥을 압박했을 때(tourniquet을 감았을 때) 정맥직경이 2.0 mm 이상이어야 한다. 물론, 문합부의 혈관직경뿐 아니라 그 연속성도 중요한 요소이다.

동정맥루는 보통 전완의 요골동맥(radial artery)과 요측피정맥(cephalic vein)을 문합하기 때문에 특히 이 혈관들에 대한 정밀조사가 필요하다. 다만, 증례에 따라서는 척골동맥(ulnar artery)이나 상완동맥(brachial artery)을 사용하는 일이 있다. 정맥으로는 전완의 척측피정맥(basilic vein), 팔오금 부위의 주정중피정맥(median cubital vein), 상완부의 요측피정맥(cephalic vein)에 문합하는 일도 있으며, 위의 동맥과 정맥을 가능한 모두 mapping하여 두는 것이 좋다.

② 인조혈관(AVG) 조성 전 초음파검사

동정맥루(AVF)를 조성할 수 없는 경우에 인조혈관(AVG)을 조성한다. 인조혈관은 동정맥루에 비해 개존율이 낮고 감염 등의 합병증 비율이 높기 때문에, 가능한 인조혈관보다 동

정맥루를 우선 조성하도록 노력한다. 인조혈관 조성술에서는 요측피정맥(cephalic vein) 외에도 척측피정맥(basilic vein)이나 상완정맥(brachial vein)에 정맥문합을 하는 경우가 많으므로 초음파검사를 통해 팔오금 부위와 상완의 정맥을 검사한다. 동정맥루 조성술에 비해서 더 굵은 정맥이 필요하며, 근위부에 있는 정맥을 압박했을 때(tourniquet를 감았을 때) 3 mm 이상이 바람직하다.

③ 상완동맥 표재화(Brachial artery superficialization) 수술 전 초음파검사

팔오금보다 상부의 상완동맥(brachial artery)을 표재화하는 일이 많다. 표재화한 동맥에 직접 천자하기 위해서는 천자가 가능한 직경의 동맥이 필요하다. 대체로 3.5 mm 이상이면 천자는 가능하다. 혈관벽의 석회화가 뚜렷한 경우에는 천자가 곤란하기 때문에 혈관벽의 성상을 확인해야 한다. 또한, 매우 깊은 위치를 주행하고 있는 경우에는 표재화할 수 있는 동맥의 길이가 짧아서 동맥의 깊이도 중요한 요소가 된다.

④ 초음파 유도 투석도관(catheter) 삽입

동정맥루(AVF), 인조혈관(AVG), 상완동맥 표재화(brachial artery superficialization)의 조성이 곤란한 경우에는 중심정맥에 직접 도관(catheter)을 삽입하여 투석을 시행한다. 투석도관을 유치하는 정맥으로는 주로 내경정맥(internal jugular vein), 대퇴정맥(femoral vein)이 사용된다. 정맥의 주행이 증례마다 다르므로 천자하기 전에 반드시 초음파검사를 시행해서 혈관주행을 확인할 필요가 있다. 또한 천자 시에도 가능한 초음파 유도 하에서 시행하는 것이 권장된다.

2 | 초음파를 이용한 혈관통로의 일상적 관리 (surveillance)

혈관통로의 일상적 관리(surveillance)에 있어서 초음파의 역할은 현재 확정된 것이 없다. 시설마다 필요에 따라 시행하고 있는 것이 현재 상황이다. 물론, 모든 투석환자에서 초음파검사를 통한 일상적 감시가 필요하지는 않지만, 잦은 경피적 혈관성형술(percutaneous transluminal angioplasty; PTA)을 요하는 환자에서는 혈관통로 혈류량(상완동맥 혈류량), 혈관저항지수(RI), 그리고 협착 직경을 정기적으로 확인하는 것이 좋다. 또, 동맥류를 추적 관찰하고 있는 환자에서는 동맥류 크기나 벽재혈전(parietal thrombus)의 상태, 피부부터 동맥류 벽까지의 깊이 등을 확인한다. 이후에 다시 설명하겠지만, 혈관통로는 혈액투석 치료에 이용하는 기간에 따라 여러가지

표 1-1　혈관통로에 생기는 문제의 종류

투석에 생기는 문제	• 혈액유입불량 • 정맥압상승 • 재순환 • 천자곤란
환자에 생기는 문제	• 동맥류 • 감염 • 정맥고혈압 • 스틸증후군 • 과잉혈류

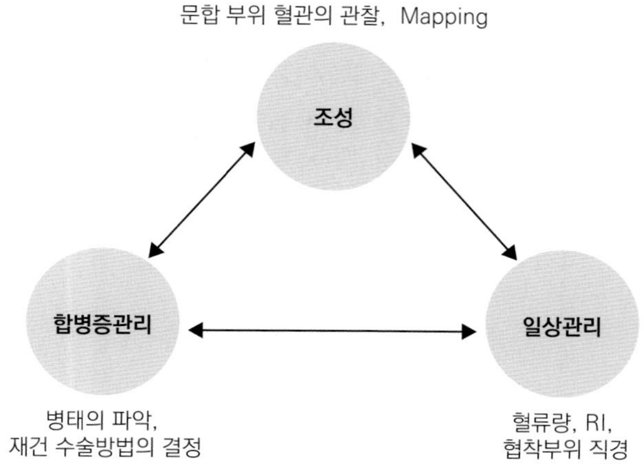

문합 부위 혈관의 관찰, Mapping

조성

합병증관리

일상관리

병태의 파악,
재건 수술방법의 결정

혈류량, RI,
협착부위 직경

그림 1-1　혈관통로에서 초음파검사의 역할

문제가 발생하는 것을 피할 수 없다. 어떤 문제가 생기더라도 원래의 혈관통로의 상태를 알고 있으면 대처법이 정해지기 쉽다. 이를 위해 모든 투석환자에 있어서 혈관통로의 주행경로를 나타낸 도표를 만들어 관리하는 것이 바람직하다. 혈액투석 시행을 위해서는 적어도 200~300 ml/min 이상의 혈액유입이 필요하므로, 최소한 300~350 ml/min정도의 혈류량이 혈관통로에 필요하게 된다. 혈액의 유입불량이 없는 경우에도 혈관통로의 청진음(bruit), 진동(thrill)이 약한 경우 초음파를 통해 상완동맥(brachial artery)의 혈류량을 측정하여, 혈류량이 일정량 이하가 된 경우에는 협착 병변에 대해 선제적인 경피적 혈관성형술(PTA)을 시행할 수 있다.

　경우에 따라, 혈관통로 기능이 저하되어 있거나 고도 협착이 있어서 혈류량이 저하되어 있는 데도 불구하고 협착부의 앞(upstream)에 천자하면 혈액유입과 반환이 가능한 경우가 있는 데, 이러한 경우에는 청진·촉진이 협착 병변과 기능 저하의 진단에 유용하다. 혈관통로에 대해 청진과 촉진으로 이상소견을 인지하면, 초음파검사를 통해 확인할 필요가 있다.

3　혈관통로 질환에 대한 초음파검사

　혈관통로에는 다양한 합병증이 있지만, 크게 '투석에 생기는 문제'와 '환자에 생기는 문제'로 분류할 수 있다(표 1-1). 혈액유입불량, 정맥압상승, 재순환, 천자곤란 등이 투석을 할 때에 발생되는 문제이고, 그것 자체가 있어도 환자에는 대부분 증상이 생기지 않는다.

　한편, 동맥류, 감염, 정맥고혈압증, 과잉혈류, 스틸증후군은 환자에게 생기는 문제이며, 이러한 증상이 있어도 대개

는 문제없이 투석을 시행할 수 있다. 환자에 생기는 문제 중에서도 정맥고혈압증, 과잉혈류, 스틸증후군은 혈관통로의 비생리적 혈류가 원인이며, 상완동맥 표재화에서는 생기지 않는다.

　혈관통로 합병증의 병태와 초음파검사에 관해서는 제8장에서 상세하게 기술하겠지만, 초음파검사가 병태 파악, 수술법과 재건부위 결정에 매우 유용하다. 그림 1-1에 조성, 일상적 관리, 합병증 발생 시 초음파검사의 역할에 대해 정리했다.

2　검사자와 혈액투석 의료진과의 관계

　검사자가 혈액투석 의료진에게 의뢰를 받아 초음파검사를 시행하게 될 때, 의뢰 이유를 숙지하지 않으면 검사해야 할 요점을 놓치게 된다. 혈관통로에서는 혈액투석 시행방법에 따라서 같은 혈관통로에서도 증상이 다르게 나타날 수 있기 때문에, 검사자는 어느 부위를 천자했을 때 어떤 증상이 나타나는 지를 알고 있을 필요가 있다. 초음파검사에서 얻을 수 있는 정보로 임상증상(투석 시의 증상)을 설명할 수 없으면 어딘가 간과하거나 오해하고 있다고 생각하지 않으면 안된다.

　상황이 허락하면 초음파검사를 할 때에 투석스태프의 입회 하에 구체적인 증상에 대해서 설명을 듣는 것이 좋다. 그렇게 하면 방향이 어긋난 리포트를 작성하는 것을 피할 수 있다. 또한, 투석의사도 초음파검사자와 인공신장실 간호사를 만나 소통하는 것으로 혈관통로의 상태를 상세하게 알 수 있게 되며, 이것은 평소 혈액투석 치료 시의 천자에 있어서도

도움이 된다.

  혈관통로 초음파검사는 인공신장실에서 어떻게 혈관통로를 사용하고 있는 지를 알 때에 비로소 정확한 정보를 제공할 수 있다. 검사자는 투석방법이나 혈관통로의 사용법에 대한 지식을 얻는 것과 함께, 평소 혈액투석 의료진과 면밀한 관계를 취하는 것이 중요하다.

● 참고문헌

1) Quinton, W. et al. : Cannulation of blood vessels for prolonged hemodialysis. Trans Am Soc Artif Intern Organs, 6 : 104~113, 1960.

2) Brescia, M. J. et al. : Chronic hemodialysis using venipuncture and a surgically created arteriovenous fistula. N Engl J Med, 275 : 1089~1092, 1966.

3) Malovrh, M. : Native arteriovenous fistula : preoperative evaluation. Am J Kidney Dis, 39 : 1218~1225, 2002.

4) Mendes, R. R. et al. : Prediction of wrist arteriovenous fistula maturation with preoperative vein mapping with ultrasonography. J Vasc Surg, 36 : 460~463, 2002.

2

혈관통로(Vascular access)의 특징 및 종류와 혈행동태

1 투석과 투석접근

투석 환자 수는 지속적으로 증가하고 있으며, 개별 환자에게 맞는 만성신부전 치료가 요구되고 있다. 투석을 시행하기 위해서 신체와 투석장치를 접속하는 수단을 투석접근(dialysis access)이라고 부르며, 그 종류는 **그림 2-1**과 같다. 혈액투석(**그림 2-2**)에 관해서는 혈관통로(vascular access), 복막투석(**그림 2-3**)에 관해서는 복막도관(peritoneal catheter)이 있으며, 보다 좋은 투석을 시행하기 위해서는 투석접근을 양호하게 유지하는 것이 매우 중요하다.

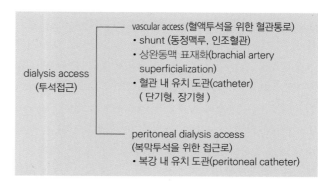

그림 2-1 투석치료에 필요한 투석접근의 종류

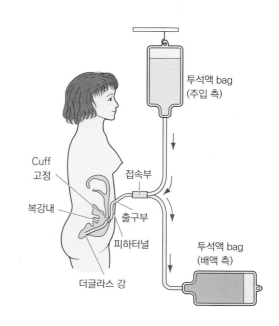

그림 2-2 혈액투석

혈액펌프 ②의 회전에 따라 환자의 혈관통로로부터 혈액이 나와서 투석기(dialyzer) ④를 통과한 후, 다시 환자 체내로 돌아간다. 혈액이 응고되지 않도록 헤파린 등의 항응고제를 주입하게 된다 ③. 공기의 진입을 막기 위해 안전장치 ⑤가 부착되어 있다. 충분한 혈류량이 유입되고 있는 지를 판단하기 위해 pillow ①가 부푼 정도를 관찰하면서, 원활하게 혈액이 다시 환자 혈관으로 잘 들어가고 있는 지 정맥압을 감시하게 된다 ⑥. (역자 주: 일본 투석기계 중에서는 모니터에 동맥압을 표시하는 대신 pillow를 동맥라인에 만들어서 부풀어 있는 정도를 관찰하여 혈액 유입이 잘 되고 있는 지를 판단하기도 한다.)

그림 2-3 복막투석

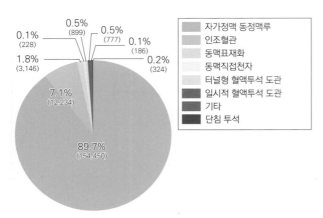

자가정맥 동정맥루
인조혈관
동맥표재화
동맥직접천자
터널형 혈액투석 도관
일시적 혈액투석 도관
기타
단침 투석

그림 2-4　일본에서 사용되고 있는 혈관통로의 종류

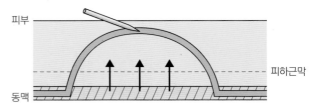

그림 2-5　**상완동맥 표재화(brachial artery superficialization)**
심부를 주행하고 있는 동맥을 표재에 전위함으로써 바늘 천자를 용이하게 한다.

2　혈액투석에 필요한 혈관통로

혈액투석을 하는 환자는 일반적으로 주 3회 4시간의 투석을 할 필요가 있으며, 근래에는 더 장시간 또는 더 자주 시행하는 경우도 드물지 않다. 혈액투석을 간단히 도해하면 **그림 2-2**와 같이 된다. 혈액이 흐르는 라인과 투석액이 흐르는 라인이 있고, 혈관통로와 관계 있는 것은 혈액이 흐르는 라인이다. 신체에서 혈액을 빼내는 것을 혈액유입이라고 하고, 신체로 혈액을 들여보내는 것을 혈액반환이라고 한다. 혈류량이 적으면 혈액응고를 일으키기 쉽지만, 혈류량이 많으면 혈액반환압이 올라가기 쉽다. 혈액유입의 평가는 pillow(그림 2-2)가 확실히 팽창하고 있는 지 또는 계기판의 동맥압을 관찰하여 판단하고, 정맥압으로 반환이 잘 이루어지는 지를 판단한다.

혈액투석 치료에 문제없이 사용할 수 있는 혈관통로의 조건은 다음과 같다.

① 혈관통로가 천자하기 쉽다.
② 필요한 혈류량을 확보할 수 있고, 원활한 혈액반환을 할 수 있다.
③ 장기간, 안정적으로 사용할 수 있다.

이러한 조건을 지속적으로 안정되게 유지하기 위해서는 다양한 노력이 필요하다.

3　혈관통로의 종류

위에서 언급한 혈관통로의 필요조건을 만족한다면 어떠한 혈관통로라도 좋지만, 개존율이나 감염 등의 경향은 혈관통로의 종류에 따라 차이가 있다. 일본투석의학회 통계조사위원회의 보고에 따르면 일본에서의 혈관통로 현황은, shunt에

서는 동정맥루(AVF)가 약 90%, 인조혈관(AVG)이 약 7%로서, 전체의 약 97%를 차지하고 있다. 한편, 비shunt (동맥과 정맥사이에 단락을 만들지 않는 경우)에서는 상완동맥 표재화(brachial artery superficialization)법, 유치도관(catheter), 동맥직접천자 등을 합하여도 5%에도 이르지 못한다(그림 2-4). 근래, shunt와 비shunt로 분류하고 있는데, shunt는 동정맥루(AVF), 인조혈관(AVG) 모두 심부하를 고려할 필요가 있지만, 장기사용의 관점에서는 비shunt보다 우수하다고 생각할 수 있으며 혈관통로의 주류로 되어 있다. 심기능 저하 증례에서는 상완동맥 표재화법이나 터널형 혈액투석 도관을 선택할 수 있다. 상완동맥 표재화법(그림 2-5)은, 심부에 있는 동맥을 표재까지 전위함으로써 혈액투석을 위한 바늘 천자가 가능하도록 하는 방법이다. 상완동맥 표재화 혈관통로는 다른 일반적 혈관통로에 준하여 관리하며, 투석실 현장에서 비교적 안정되게 사용될 수 있다. 다만, 혈액반환바늘 천자를 위한 말초정맥을 찾기 힘든 경우 장기적으로 사용하는 것이 어려울 수 있다. 혈액투석을 위한 도관(vascular catheter)은 피하터널의 유무에 따라 단기형과 장기형으로 분류되고 있다(그림 2-6,-7). 단기형은 장기적 혈관통로로는 적합하지 않지만, 응급투석이나 혈관통로 기능부전 등 긴급사태의 증례에 단기간(대략 1주 이내)에 한정하여 사용하는 것이 권장되고 있으며, 신속하게 항구적 혈관통로를 조성하도록 노력하여야 한다. 장기형은 중기부터 장기의 사용을 염두에 둔 항구적 혈관통로로 생각되어지기도 하지만, shunt보다는 개존율과 감염에 대해 불리하기 때문에 심기능 저하 증례, 혈관이 황폐화된 증례, 전신상태가 불량한 증례 등의 한정된 증례에서 활용되고 있다.

단기형: 피하에 터널을 만들지 않고 직접 삽입

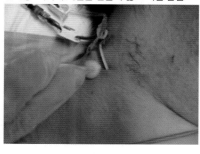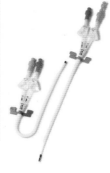

장기형: 피하에 터널을 만들어 혈관내에 삽입

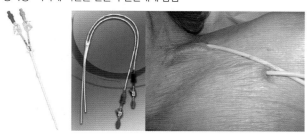

그림 2-6 혈관 내 유치 도관(catheter)

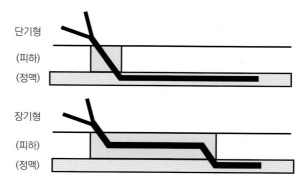

그림 2-7 도관(catheter) 유치의 차이

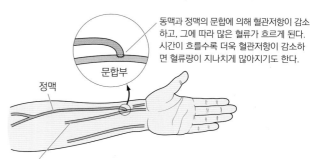

동맥과 정맥의 문합에 의해 혈관저항이 감소하고, 그에 따라 많은 혈류가 흐르게 된다. 시간이 흐를수록 더욱 혈관저항이 감소하면 혈류량이 지나치게 많아지기도 한다.

그림 2-8 내shunt의 기본원리(동정맥루 모식도)

4 Shunt란

혈액투석 혈관통로를 통칭해서 shunt라고 말하는 경우가 있지만, 정확히는 잘못된 사용법이다. 'shunt'는 '단락'을 의미하는데, 혈관통로에서는 동맥과 정맥의 단락을 가리키고 있다. 즉, shunt는 동맥과 정맥을 단락시킨 혈관통로의 통칭이다. 단락한 부위가 피하에 있다면 내동정맥 단락(internal shunt)이며, 피부 밖에 노출되어 있다면 외동정맥 단락(external shunt)이다. 현재는 피부 밑의 내shunt가 주류가 되어 있고 자가혈관에 단락이 형성된 것을 자가혈관 내동정맥 단락(arteriovenous fistula : AVF, 동정맥루), 인공혈관으로 단락된 것을 인조혈관 내동정맥 단락(arteriovenous graft : AVG, 인조혈관)으로 분류하고 있다.

일반적인 동정맥루(AVF)를 도해하면 **그림 2-8**과 같이 되며, 동맥과 정맥이 접속하고 있는 부분을 문합부라고 부른다. 투석 시에는 문합부에 천자하는 것이 아니라 조금 떨어진 정맥에서 천자를 한다. 혈액투석에 필요한 혈류량을 유입하기 위해서 문합부에 천자할 필요는 없고, 바늘에 의한 문합부 손상을 피할 수 있는 거리만큼 떨어진 곳에서 천자를 해야한다.

5 Shunt의 원리

Shunt 혈류가 순환 동태에 영향을 주는 것은 쉽게 짐작할 수 있다. Shunt가 없는 경우에는 심장에서 나온 혈액은 심장-동맥-모세혈관-정맥-심장의 순으로 흐른다. Shunt를 조성한다는 것은 동맥과 정맥의 단락에 의해 모세혈관을 통하지 않게 되는 것을 의미한다. 그 결과, 혈관저항이 감소하고 정맥에 혈류량이 증가된다. **그림 2-9-a**와 같이 회로도를 가상하면 심장(좌심)을 전지(배터리), 각각의 장기와 조직을 저항이라고 생각할 수 있다. 상지에 shunt를 조성하면 모세혈관을 통하지 않는 만큼 혈관저항이 낮아지고, 저항이 낮아져 혈액의 흐름이 쉬워지므로 shunt 혈류가 증가하고, 이에 따라 표재정맥에서 동맥과 동등한 혈류량을 얻을 수 있게 된다 (**그림 2-9-b**).

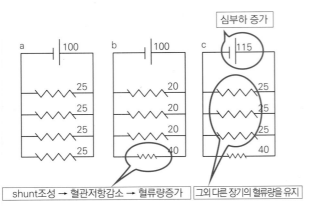

shunt조성 → 혈관저항감소 → 혈류량증가

그외 다른 장기의 혈류량을 유지

그림 2-9 shunt의 원리

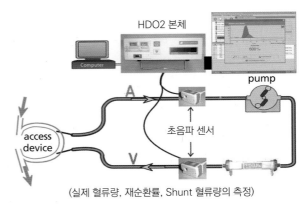

(실제 혈류량, 재순환률, Shunt 혈류량의 측정)

그림 2-10 혈류량 측정장치 HD02 (Transonic systems 사)의 계통배치도

6 Shunt와 심부하

Shunt 조성에 의해서 표재정맥의 혈류량이 증가함에 따라, 다른 말초조직으로의 혈류는 상대적으로 감소될 것이다. 감소된 혈류량을 보충하기 위해서는 그만큼 심장의 작업량을 늘리지 않으면 안된다. 그것을 나타낸 것이 **그림 2-9-c**이며, 단락(shunt)에 의해 혈관통로에 혈류량이 증가한 만큼 심장에서 보상되는 것을 나타낸다. 말기신부전 환자는 이미 심장질환을 갖고 있는 경우가 많으며, 그런 상태에서 shunt를 갖게 되면 상당히 심장에 부담을 주게 된다. shunt에 의해 정맥 내 혈류량이 증가되는 만큼 심부하가 증가되고 있다는 것을 인식해야한다.

7 Shunt의 기능평가

혈액투석 치료가 가능한 혈류량이 유입될 수 있다면 혈관통로의 기능은 아직 끝난 것이 아니라고 생각하곤 하지만, 혈관통로의 기능을 혈액유입의 정도만으로 평가하는 것은 곤란하며 더 상세한 평가 방법이 필요하다. '기능평가'와 '형태평가'로 나누어 shunt 평가를 생각하면 이해하기 쉽다. '형태평가'란 혈관의 모습을 평가하는 것으로, 협착, 동맥류 등의 유무나 그 정도를 평가하는 것이다. 한편 '기능평가'는 shunt 혈류량을 평가하는 것으로, 넓은 관점에서는 투석의 효율까지 포함하여 고려한다. 혈관통로 초음파검사는 형태평가와 기능평가를 함께 할 수 있다.

8 혈관통로의 문제로 인해 투석효율이 부족해지는 경우

일반적으로, 천자, 혈액유입, 그리고 혈액반환이 가능하면 혈액투석이 안정적으로 잘 되고 있다고 판단하는 경향이 있지만, 경우에 따라 혈액투석 시행에 문제가 없어도 투석효율이 부족해지는 경우가 있다. 예를 들어, 혈액반환바늘 전방(downstream)에 심한 협착이 있는 경우에는 반환압(정맥압)이 상승하게 되고, 혈관으로 반환된 혈액이 심장 방향으로 진행하는 것이 방해받기 때문에 혈액유입바늘 쪽으로 역류하기 쉬워진다. 이런 현상을 재순환(recirculation)이라고 하며, 혈액투석 치료 시 종종 간과되는 경우가 있다.

실제로, 투석 기계의 혈액 펌프 속도는 200 ml/min로 설정되어 있고 동맥압 저하의 경고를 보이지 않는 데도 불구하고, HD02 (그림 2-10)와 같은 혈류량 측정 장치를 이용하여 실제 혈류량을 측정하면 190 ml/min으로 저하되어 있는 경우도 있다. 실제 혈류량은 투석바늘의 종류나 천자 부위에 의해서도 변할 수 있지만 shunt 상태에 따라서도 크게 영향받을 수 있다. 혈액투석 의료진은 투석치료 현장에서 이러한 점을 염두에 두고 대처할 수 있어야 한다.

3 혈관초음파와 혈관통로(Vascular access)

1 혈관초음파의 기초
① 말초혈관 에코의 기초

1 혈관의 구조와 특징

혈관벽은 내막, 중막, 외막의 3층으로 되어 있다. 직접 혈액에 접촉하는 내막은 단층의 내피세포로 되어 있고, 중막은 내막의 외측에 탄성섬유망으로 된 내탄성막을 갖추고 있다. 정맥은 내탄성막이 없기 때문에 동맥에 비해 용이하게 압박되고 신전된다. 중막은 평활근과 탄성섬유망으로 되어 있으며 심장에 가까운 굵은 동맥에는 탄성섬유망이 많고, 심장에서 떨어진 중, 소동맥에서는 탄성섬유망이 점차 감소되어 평활근이 많은 부분을 차지한다. 중막은 정맥보다 동맥에 더 발달되어 있기 때문에 동맥에서는 내막과 중막을 초음파 상에서 명료하게 분리하여 묘출하기 쉽다. 외막은 결합조직세포와 섬유조직이 격자를 이루고 있고, 동맥에는 중막과 외막의 경계에 외탄성막이 존재한다.

동맥은 표피에서 압박하여도 내강의 변형이 근소한데 비해, 정맥은 낮은 압력으로도 외부에서의 압박에 의해 쉽게 허탈되는 게 특징이다(그림 3-1).

2 혈관초음파에서의 진단방법

혈관초음파에서 말초혈관의 평가는, 내강 내외의 혈관벽의 성상과 휘도(밝기), 그리고 도플러법에 의한 혈류정보로 판정한다. 초음파의 특성과 장치 및 탐촉자(probe)의 특징을 이해한 후에 복수의 탐촉자(probe)를 사용하여 검사한다. 혈관의 일부뿐만 아니라 혈관의 주행에 따라 관찰하고 촉진, 시진 및 청진 소견을 포함하여 종합적으로 진단한다.

3 혈관초음파 진행방법

검사대상 혈관과 함께 주변장기(뼈, 근육)가 동일단면에서 묘출된다. 또한, 측부혈관, 혈관의 확장과 단절 등, 보통과

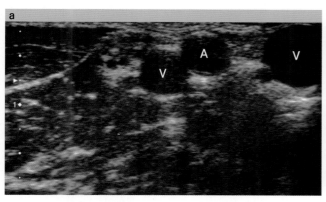
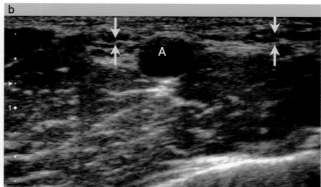

그림 3-1 동맥과 정맥의 혈관묘출의 차이: 횡단면(단축상) 정맥이 압박에 의해 눌리는 모습
a: 안정시, 정맥이 허탈되지 않는다.
b: probe에 의한 압박 시. 정맥이 낮은 압력에서도 외부로부터의 압박에 의해 쉽게 허탈된다. (↑)
A: 동맥, **V**: 정맥

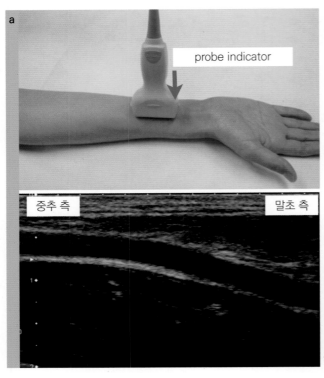
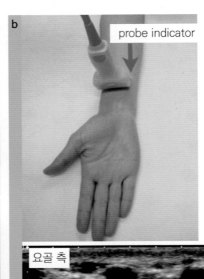
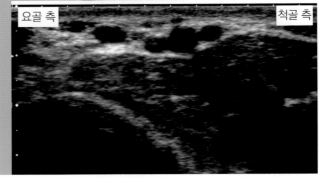

그림 3-2　초음파에 의한 영상표시: 요골동맥(radial artery)

a: 종단 approach와 종단면(장축상)

b: 횡단 approach와 횡단면 (단축상)

↑: 탐촉자 표지자(probe indicator). 피검자를 마주한 경우, 횡단면(단축상)에서는 probe indicator를 환자의 좌측을 향해서, 종단면(장축상)에서는 probe indicator를 말초 방향으로하여 탐촉자(probe)를 위치한다.

는 다른 혈관주행의 가능성도 염두에 두고 검사대상 혈관을 동정한다. 정상인 말초동맥에서는 박동이 있고 좌우 사지에 차이가 없는 혈류를 초음파검사에서 관찰할 수 있다. 컬러도플러의 혈류정보를 참고하여 동맥과 정맥을 구별한다. 횡단면(단축상)을 스캔하여 비교적 간단하게 동맥을 묘출할 수 있다. 횡단면(단축상)에서 목적혈관을 동정할 때, 혈관 내경과 혈관벽의 병변 및 그 범위, 협착의 유무와 정도를 관찰한다. 혈관병변의 범위를 장축방향으로 관찰하기에는 종단면(장축상)이 유리하다. 직경이 작은 동맥에서 주행을 알기 어려운 경우는 컬러도플러의 혈류정보를 참고한다. 협착부위에서는 혈류속도가 컬러 유속 range를 능가하면 적색표시가 청색으로 반전하거나(aliasing) 난류가 생기고, 적색과 청색이 혼재된 모자이크 시그널이 관찰된다. 완전히 폐색되어 혈류가 단절되면 컬러시그널이 소실된다.

4　초음파에 의한 영상표시

횡단면(단축상)의 묘출화면은 CT와 동일하게 다리 쪽에서 올려본 시각으로 한다. 이를테면, 화면의 왼쪽이 피검자의 우측, 화면의 오른쪽이 피검자의 좌측으로 된다. 종단면(장축상)에서는 화면의 좌측을 중추(심장측), 우측을 말초로 하는 묘출방법이 일반적이다. 이때, 탐촉자(probe)에 있는 표지자(indicator)에 주의한다. 피검자에 대해 정면으로 마주보고 검사하는 경우, 횡단면(단축상)에서는 탐촉자의 표지자를 환자의 좌측 방향으로, 종단면(장축상)에서는 표지자를 말초 방향으로 향하도록 탐촉자(probe)를 두면 앞서 서술한 화상표시가 된다(그림 3-2).

(역자 주: 환자의 왼팔에 대해 검사하는 경우에는 정면으로 마주보는 위치에서 검사하기가 곤란하므로, 이 경우 환자의 왼쪽 측면에서 환자와 같은 방향을 보면서 검사할 수 있다. 단, CT와 동일한 시각의 영상을 남기려면 초음파영상 기록

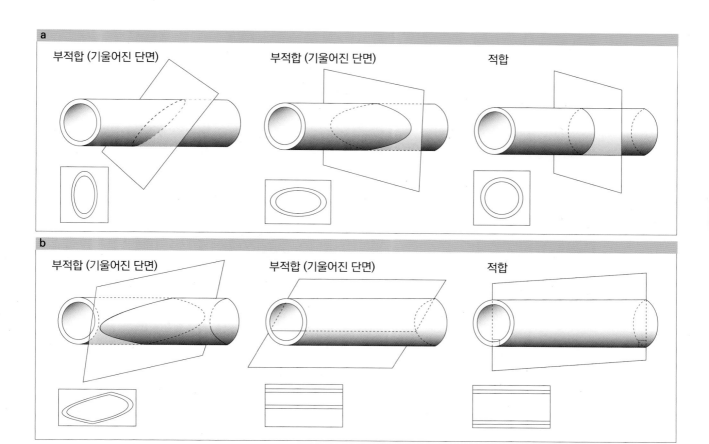

그림 3-3   Probe와 초음파 beam의 방향 차이에 따라 얻어지는 묘출상
a: 횡단면, transverse plane (단축상, short axis view)에서 초음파 beam의 방향과 묘출되는 초음파 영상
b: 종단면, longitudinal plane (장축상, long axis view)에서 초음파 beam의 방향과 묘출되는 초음파 영상

전에 좌우반전이 필요하다. 일반적으로 screen indicator는 좌측에 두고 probe indicator를 screen indicator의 방향과 같도록 한다. 또한, 검사부위 표시나 좌·우 및 중추·말초 표기를 이용하여 초음파사진만으로도 검사부위와 방향을 알 수 있도록 한다.)

5 혈관주행에 대한 탐촉자(Probe) 위치방법

탐촉자(probe)의 방향이 혈관주행과 평행(0도)한 종단면(장축상)의 경우 화면 상에서는 혈관경이 거의 균일한 단면으로 표시된다. 하지만, 좌우의 혈관경이 크게 차이나는 경우, 혈관주행과 탐촉자(probe)의 방향이 평행(0도)하지 않은지, 또는 혈관사행(tortuous course)이나 동맥류 형성을 의심한다. 한편, 혈관주행에 대하여 탐촉자(probe) 방향이 수직 교차(90도)하는 횡단면(단축상)의 경우, 혈관이 완전한 원모양으로 묘출된다. 횡단면(단축상)에서 혈관이 타원으로 표시되는 경

우에는, 혈관주행에 대하여 탐촉자(probe)의 방향이 직각(90도)이 아니거나, 구불구불한 혈관주행, 또는 동맥류를 의심한다(그림 3-3).

6 초음파 단층법(B mode)

초음파가 매질 속을 전파하면 매질 성질이 다른 부위를 통과할 때에 반사, 감쇠, 굴절 등이 생긴다. 초음파 탐촉자(probe)의 진동자에서부터 송신되어진 초음파가 밀도 및 성상(음속)이 다른 매질의 경계면에서 반사되고 그 반사파(echo)를 수신하여 전기신호로 변환한다. 다수의 진동자가 여러번 순서대로 주사하여(sequential scanning) 1매의 초음파 단층상을 얻는다. 초음파 단층상에 있어서 반사의 강도는 흑백의 gray scale (gradation)로 표현된다. 반사가 강하면 희게, 반사가 약하면 검게 묘출된다. 반사의 강약은 생체내 매질 고유의 밀도 및 음속에 의해 결정된다. 이것은 음향 임피던스(acoustic im-

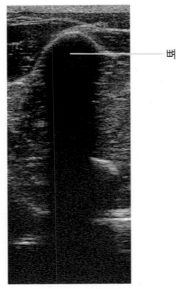

그림 3-4   반사: 생체 연부 조직과 뼈

생체연부조직과 뼈처럼 음향 임피던스가
크게 다른 경우는, 초음파 파장이 전파
(투과)하지 못하고, 반사체 후방은
무에코가 된다(음향 음영).

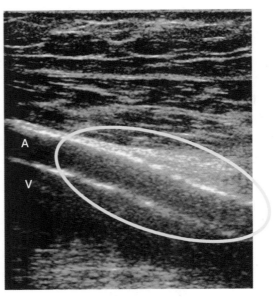

그림 3-5   얕은 대퇴동맥(superficial femoral artery) 예,
　　　　　 종단면(장축상)

말초혈관 영역에서는 혈관 주행이 비스듬하게 묘출된 경우에
side lobe artifact가 출현하기 쉽다. (A 동맥, V 정맥)

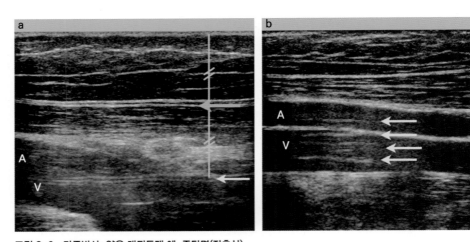

그림 3-6   다중반사: 얕은 대퇴동맥 예, 종단면(장축상)

근막과 혈관벽의 다중반사. 근막이나 혈관벽, 석회화 병변, 도관(catheter)삽입 등에서 출현하기 쉽다.

a: 근막의 다중반사(reverberation)

b: 혈관벽의 다중반사(reverberation)

A: 동맥 , V: 정맥 . ⇐: 다중반사 , ← : 근막

pedence)로 불리며, 반사의 강도는 매질 각각의 음향 임피던스의 차이가 큰 만큼 강해진다. 뼈가 생체 내에서 가장 음향 임피던스가 높아서 초음파를 거의 반사시켜버린다. 그 때문에 뼈의 후면에 위치하는 조직은 무에코, 이른바 음향 음영 (acoustic shadow)이 되어서 평가가 곤란해진다. (그림 3-4). 초음파에 의한 음향 음영(acoustic shadow)은 석회화 병변에서도 관찰된다.

7 초음파 단층법에서 보이는 허상 (Artifact)

초음파검사 시에는 artifact 발생이 불가피하여 실제 화상에 겹쳐서 혼동하기 쉬운 경우가 있다. 실상과 허상은 초음파 장치의 설정을 조정하고, 여러 방향에서 접근한 영상을 비교하여 감별한다. 한편으로는, 초음파 특성을 이해하고 있으면 artifact가 진단에 유용한 정보가 되는 일도 있다. 말초혈관 초

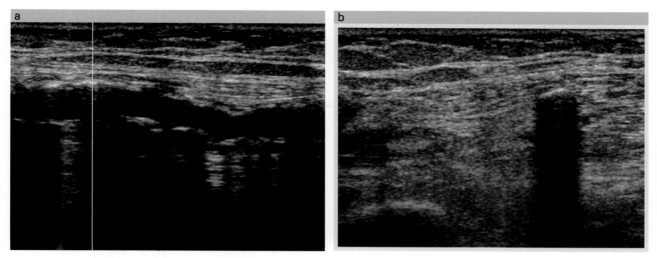

그림 3-7   음향 음영: 석회화 병변을 동반하는 얕은 대퇴동맥(superficial femoral artery)의 예

a: 종단면 (장축상)
b: 왼쪽 사진의 노란선 부위의 횡단면 (단축상)
석회화를 동반하는 혈관과 피하조직이 이웃하는 경우에는 음향 임피던스의 차이가 크고, 초음파 파장이 전파(투과)하지 못하여 음향 음영이 나타난다.
말초혈관 영역에서는 뼈나 석회화를 동반하는 혈관병변, 유치침 등의 후방에서 출현한다.

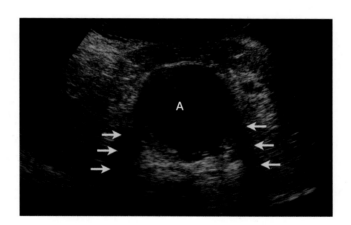

그림 3-8   측방 음영: 복부 대동맥 예, 횡단면(단축상)

횡단면 (단축상)으로 혈관을 묘출할 때에 나타난다.
A: 동맥 . ➡ : 측방 음영

음파 검사 시에 출현하는 artifact에 관하여 설명한다.

하기 쉽다.

1 │ side lobe(그림 3-5)

초음파 빔은 main lobe(주극)가 똑바로 0도 방향으로 방사되는 동시에, 비스듬한 방향으로 side lobe(부극)도 방사된다. 초음파 진단장치가 0도 방향의 main lobe의 반사를 기록하도록 설정되어 있지만 전자스캔의 경우에는 side lobe의 방향에 강한 반사체가 존재하면 그 반사 영상이 main lobe의 기록 위에 겹쳐서 묘출되는 경우가 있다. 말초혈관 초음파검사에서는 비스듬한 혈관주행을 묘출할 때에 side lobe artifact가 출현

2 │ Reverberation (다중반사, multiple reflection) (그림 3-6)

Reverberation artifact는 평행하게 마주한 강한 반사체(석회화된 동맥벽 등) 사이에서 초음파가 여러 번 반사를 반복하는 것에 의해 발생하는 artifact이다. Reverberation(다중반사)은 반사체에서의 초음파 빔이 탐촉자(probe)면과 반사체 사이를 여러 번 왕복하여 반사를 반복하는 현상으로 인해 같은 간격으로 비슷한 상이 겹쳐서 묘출된다. 석회화가 심한 혈관병변

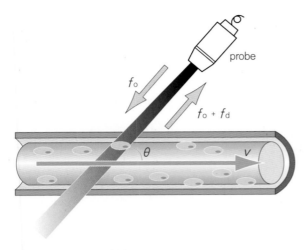

그림 3-9 Doppler법의 원리

v: 물체의 속도(혈류속도) , *θ*: 혈류에 대한 초음파 beam의 입사각
(Doppler 입사각), **fd**: Doppler shift (편위주파수 = 수신주파수 − 송신
주파수), f0: 송신주파수 (참조주파수, reference 주파수)

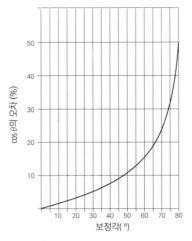

그림 3-10 Doppler 입사각(*θ*)의 각도보정오차

Doppler 입사각(*θ*)이 커질 수록 각도보정오차가 커지게 된다. 특히 60도
이상에서는 급속히 커지게 된다. 초음파 장치의 Doppler 각도보정은 0도
에 가까운 것(60도 이하)이 바람직하다.

에서는 강한 반사가 생기고, 그 결과로 반사체에 다중반사가
발생하는 경우가 있다. 다중반사는 원인이 되는 반사체의 후
방에 기록되어지는 경우가 많고, 점차 감쇠되는 영상으로 나
타난다. 말초혈관의 검사에서는 근막이나 혈관벽, 석회화 병
변, 카테터 삽입 시에 다중반사가 출현하기 쉽다. 주변조직과
유사한 형태로 나타나면서 주변조직의 움직임에 따라 연동되
는 상이 묘출되면 다중반사를 의심해본다.

3 | 음향 음영(acoustic shadow) (그림 3-7)

음향 음영은 강한 반사체에 초음파 빔의 대부분이 반사되
어 초음파 빔이 반사체를 통과하지 못하고, 반사체의 후방이
무에코 영역으로 되는 경우를 말한다. 서로 이웃하는 매질의
음향 임피던스가 크게 다른 경우에 음향 음영이 생긴다. 말
초혈관의 검사에서는 뼈, 석회화를 동반하는 혈관병변, 또
는 유치침 등을 묘출할 때 음향 음영이 나타난다.

4 | 측방 음영(lateral shadow) (그림3-8)

측방 음영은 변연(margin)이 평활한 구상조직과 그 주위
조직 사이에 음향 임피던스가 다른 경우에 발생한다. 구상조
직의 측방에 초음파 빔의 굴절이 크게 될수록, 초음파 빔의
입사각이 임계각(90도)을 넘기 때문에 대부분 반사되어 구상
조직의 측방부부터 후방이 무에코 영역이 된다. 측방 음영
은 혈관의 횡단면(단축상)을 묘출할 때에 출현하기 쉽다.

8 | 초음파 Doppler 법

초음파 도플러법은 생체 내를 이동하는 산란체(혈액에서
는 주로 적혈구)의 방향과 속도를 송신주파수와 편위주파수
(Doppler shift)를 이용하여 도플러 효과를 통해 파악하는 것이
다. 산란체의 이동속도는 다음 공식으로 표시된다(입사각(*θ*)
이 커질수록 *cosθ*는 작아지고 혈류속도 v는 커진다).

$$v = \frac{c}{2cos\theta} \times \frac{f_d}{f_0}$$

v : 산란체의 속도(혈류속도),

c : 생체 내 매질 고유음속,

θ : 혈류에 대한 초음파 빔의 입사각
　　(도플러입사각),

f_d : 도플러 편위주파수 (Δf; Doppler shift),

f_0 : 송신주파수(reference 주파수)

ONE POINT ADVICE

도플러 효과

파원(파동이 나오는 물체)에 관찰자가 접근할 때는, 파원에서 나온 빛과 소리의
주파수는 높아지고, 파원에서 관찰자가 멀어질 때는 주파수가 낮아지는 현상.

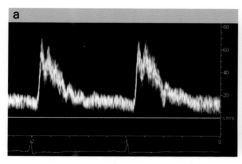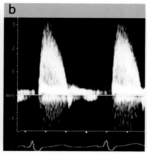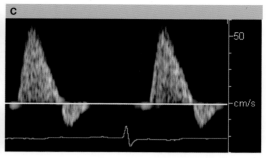

그림 3-11 FFT (fast Fourier transform) 파형의 spectrum 표시
a: Pulse Doppler법(층류) – 유속 성분의 혈류 속도가 균일하므로 혈류분포의 폭이 좁은 스펙트럼 표시가 된다. (층류에서 sample volume size가 작을 때)
b: 연속파 Doppler법 – 송수신 beam 상의 저유속에서 고유속까지 모든 혈류속도분포를 표시하는 것이므로 폭이 넓은 스펙트럼 표시가 된다.
c: Pulse Doppler법(난류) – 혈류속도분포가 저유속에서 고유속까지 넓게 존재하여, 연속파 도플러법과 같이 폭이 넓은 스펙트럼 표시가 된다.

생체내의 매질(피하조직) 고유의 음속(c)은 1,540 m/s 이고, c가 일정하다고 전제한다. 도플러 송신주파수(f0)는 탐촉자(probe)에서 송신되는 초음파의 주파수이고, 도플러 편위주파수(fd)는 수신주파수(received frequency)와 송신주파수(transmitted frequency)의 차이이다. 또한, 혈류속도(v)는 각도 의존성에 의해 도플러 입사각 θ에 의존하고, cos θ가 작아지는(도플러입사각이 커지는) 만큼 커지게 된다(그림3-9).

ONE POINT ADVICE

도플러법의 각도의존성
  도플러법은 앞서 설명한 것처럼 각도의존성이 있다. 도플러법은 도플러입사각 θ에 의존하여, cos θ가 작아지는(도플러입사각이 커지는) 만큼 혈류속도 v는 커진다. 이것을 보상하기 위해 초음파장치에는 혈류방향에 대해 입사각이 평행(0도)이 되도록 하는 각도보정기능이 있다. 다만, 입사각이 클수록 오차가 커져서 특히 60도 이상에서는 오차가 급속히 커진다.

---

9 │ 도플러법의 종류와 특징

1 │ Pulse Doppler 법(PW)

펄스 도플러법은 중심주파수로 정해지는 파장과 주파수의 곱으로 이루어진 펄스 길이(pulse length = λ × number of cycles per pulse)를 갖는 burst파를, 일정 간격으로 하나의 동일한 진동자에서 반복 송수신하여 대상 부위와의 거리의 인식을 가능하게 하는 방법이다.

일반적으로, 펄스 도플러법은 fast Fourier transform (FFT)법을 이용하여 도플러 편위주파수를 혈류속도로 전환한 후 시간 경과에 따라 trace한 스펙트럼 분석법을 이용한다. 펄스 도플러법은 컬러 도플러법과 비교해서 혈류의 방향과 시간에 따른 유속의 분포를 정량적으로 평가할 수 있는 장점이 있다.

2 │ 연속파 Doppler 법(CW)

연속파 도플러법은 주파수와 진폭이 일정한 중심주파수의 연속파를 별개의 송·수신 진동자로 연속적으로 송수신하는 방법이다. 연속파 도플러법은 깊이 방향의 분해능이 없는 대신 고속혈류를 계측할 수 있는 이점이 있다. 연속파 도플러법의 주파수 분석은 펄스 도플러법과 같이 FFT법을 사용하여 스펙트럼 파형으로 표시한다.

ONE POINT ADVICE

스펙트럼 표시의 의미(그림 3-11) (p.27 도플러 샘플 볼륨 부분도 참고) :
  Pulse Doppler법 및 연속파 Doppler법에서는, FFT법으로부터 얻어지는 FFT 파형을 스펙트럼으로 표시한다. 스펙트럼의 밝기는 속도성분의 강도를 의미하고, 스펙트럼의 폭은 혈류속도분포를 표시한다. 연속파 도플러법에서는 깊이 방향의 분해능이 없기 때문에 송수신 beam상의 낮은 유속부터 높은 유속까지의 모든 혈류속도분포를 나타내게 되고 폭이 넓은 스펙트럼으로 표시되게 된다. 한편, 특정부위에 있어서의 sample volume 내의 혈류정보를 얻을 수 있는 펄스 도플러법에서는 혈류속도분포가 균일한 경우 스펙트럼 표시폭이 좁게 나타난다. 하지만, sample volume 내의 혈류속도분포가 불균일한 경우에는 저유속부터 고유속까지 다양한 유속 성분이 존재하기 때문에 연속파 도플러법과 같이 폭이 넓은 스펙트럼(spectral broadening)으로 나타난다. 혈류가 층류인 경우, sample volume size를 작게 하면 혈류속도분포가 균일하게 되고, sample volume size를 크게 하면 혈류속도분포가 보다 불균일하게 된다. 한편, 난류의 경우에는 혈류속도분포는 항상 불균일하다.

---

3 │ Color Doppler 법(CF)

컬러 도플러법은 펄스 도플러법에서와 같이 하나의 동일 진동자로 송수신을 하며, 여러 방향으로 초음파 빔을 펄스 파로 송신하고, 수신된 신호는 다수의 점으로 나타내기 때문에 한번에 많은 송수신을 하게 된다. 물체(혈구)의 움직이는 방향에 따라 반사파의 위상이 변화하는 것을 이용하여 자기상관법(autocorrelation)으로 도플러 신호의 평균 주파수를 산출해서 평균유속과 혈류방향을 실시간으로 컬러표시한다. 또한,

표 3-1 Pulse Doppler 법 및 Color Doppler 법의 특징

	개선 방법	고려할 점
Aliasing 현상	• PW에서는 baseline을 조절한다. • PRF를 올린다. • 저주파 탐촉자(probe)로 바꾼다.	• 순행 혈류가 baseline의 위에 있게 된다. • 시야심도(depth of field)가 얕아진다. • resolution(분해능)이 저하된다.
최대계측가능속도	• PRF를 올린다. • 저주파 탐촉자(probe)로 바꾼다. • 도플러 입사각을 크게 한다.	• 시야심도(depth of field)가 얕아진다. • resolution(분해능)이 저하된다. • 60도 이상에서는 오차가 커진다.
최저검출가능속도	• PRF를 내린다. • 고주파 탐촉자(probe)로 바꾼다. • 동일방향에서의 수신회수를 늘린다. • 도플러 입사각을 작게한다.	• frame rate가 떨어진다. • 시야심도(depth of field)가 얕아진다. • resolution(분해능)이 저하된다.
최대계측가능거리 (최대 거리분해능)	• PRF를 내린다. • 고주파 탐촉자(probe)로 바꾼다.	• frame rate가 떨어진다. • 시야심도(depth of field)가 얕아진다.

PW: 펄스 도플러법, PRF: 펄스반복주파수(pulse repetition frequency)

컬러표시의 명암은 도플러 주파수 분포를 속도로 환산하여 혈류 속도가 빠를 수록 밝은 컬러 표시가 된다.

10 Pulse Doppler 법 및 Color Doppler법의 특징 (표 3-1)

1 | Aliasing

PRF(pulse repetition frequency)는 1초당 탐촉자로부터 송신되는 펄스의 수이며, 송신되는 펄스 간격(T)과 그 펄스반복주파수(PRF)는 다음의 관계로 표시된다.

$$PRF = \frac{1}{T}$$

PRF = 1/T (PRF : 펄스반복주파수,
T : 펄스 간격)

펄스 도플러법에서는 반사체의 움직임을 펄스 간격에 따라 관측하기 때문에 펄스반복주파수(PRF)당 수신신호를 얻게 되고, 이에 따라 송신주파수에 따라 최대검출속도가 제한된다. 이 최대검출속도의 주파수를 Nyquist 주파수라 부르며, 도플러 편위주파수가 Nyquist 주파수를 넘으면 aliasing 현상이 생긴다. Nyquist 주파수는 다음 식으로 표시된다.

$$F_{dmax} = \frac{PRF}{2}$$

F_{dmax} = 최대검출주파수(Nyquist 주파수),
PRF : 펄스반복주파수

펄스 도플러법에서는 PRF의 1/2까지의 속도까지만 계측할 수 있다. 그 때문에 최대계측가능속도를 올리기 위해서는 PRF를 올리는 것이 필요하다.

2 | 최대계측가능속도(Vmax)와 최저검출가능속도 (Vmin)

$$V_{max} = \frac{c \cdot PRF}{4f_0 cos\theta}$$

V_{max} : 최대계측가능속도 (aliasing없이 측정할 수 있는 최대 유속),
c : 매질 고유음속,
PRF : 펄스반복주파수,
θ : 혈류에 대한 초음파 빔의 입사각 (도플러 입사각),
f_0 : 참조주파수(송신주파수)

V_{max}를 높이기 위해서는 PRF를 올리고, 탐촉자의 송신주파수를 낮게 하고, 도플러 입사각 θ을 크게 하는 것으로 가능하다. 하지만, 도플러 입사각이 커질 수록 각도보정오차도 커지게 되므로 가능한 입사각이 60도를 넘지 않도록 한다.

> ONE POINT ADVICE
>
> **펄스 도플러법에서 aliasing을 피하기 위한 방법 (Vmax를 높이는 방법);**
> ① baseline을 조절한다.
> ② PRF를 올린다.
> ③ Depth를 줄인다.
> ④ Doppler 입사각 θ 을 크게 한다(단, 60도를 넘지 않도록 한다).
> ⑤ 도플러 주파수를 낮춘다.

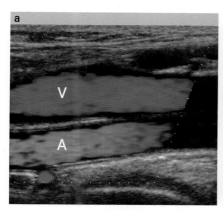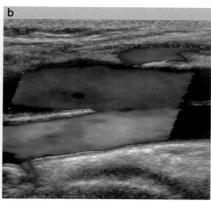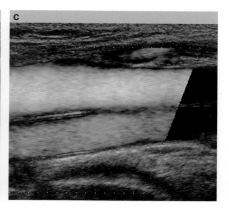

그림 3-12 Color Doppler법의 종류: 슬와동맥(popliteal artery) 예, 종단면(장축상)
a: 혈류방향 + 평균유속표시법. 탐촉자(probe)에 가까워지는 혈류를 적색, 멀어지는 혈류를 청색으로 표시하였다. (Color Doppler image)
b: 반사강도(파워) 표시. 혈류방향성을 갖지 않는 표시법. (Power Doppler image)
c: Color Doppler에 비해 공간분해능이 좋고 color noise가 감소되어 있으며, power Doppler에 비해 방향성이 있는 혈류표시 (초음파 업체에 따라 advanced dynamic flow, directional eFLOW 등 명칭이 다양함)
A: 동맥, **V**: 정맥

$$V_{min} = \frac{c \cdot PRF}{2nf_0\cos\theta}$$

V_{min} : 최저검출가능속도,

c : 매질 고유음속,

PRF : 펄스반복주파수,

n : 동일방향에의 수신회수,

θ : 혈류에 대한 초음파 빔의 입사각
　　(도플러 입사각),

f_0 : 도플러 참조주파수(송신주파수)

V_{min}을 낮추려면 V_{max}를 올리는 경우와 반대의 조작을 하고 동일방향에의 수신회수를 늘린다. 하지만, 이러한 조작은 frame rate를 저하시키므로 real time성이 낮아져, 시간분해능(temporal resolution)을 떨어뜨리는 단점이 있다.

3 │ 최대계측가능거리

펄스 도플러법에서는, 1회의 pulse파에 대해서 송수신이 끝날 때까지 다음 pulse의 송신을 할 수 없기 때문에 계측가능거리가 한정된다. 최대계측가능거리 D_{max}는 PRF에 의존하고, 다음 식으로 표시된다.

$$D_{max} = \frac{C}{2\,PRF}$$

D_{max} = 최대계측가능거리,

c : 매질 고유음속,

PRF : 펄스반복주파수

즉, PRF를 크게 설정하면 Dmax가 작아진다. 최근의 초음파장치에서는 혈류속도의 표시폭(컬러 유속 range)의 설정을 변경하면, PRF 및 수신회수가 자동으로 조정된다.

11 Color Doppler 법의 종류(그림 3-12)

컬러 도플러법은 단층법(B mode)과 함께 이용되어 혈류방향, 평균유속, 반사강도, 분산 등의 혈류정보를 제공한다. 적용된 혈류방향, 평균유속표시의 설정은 화면상에 color bar로 표시되며, 탐촉자(probe)에 가까워지는 혈류를 적색, 멀어지는 혈류를 청색으로 나타나도록 하는 것이 일반적이다. Color bar의 상하에는 검출가능한 혈류속도의 최대치와 최소치가 표시되어 있다.

도플러 신호의 강도를 color로 나타내는 반사강도(power)표시(Power Doppler 법)는, 혈류방향에 관한 정보를 지니지 못하는 반면, color Doppler image에 비해 감도가 우수하고, 노이즈가 저감된 혈류를 표시할 수 있다. 다만, power Doppler image는 고감도이기 때문에 혈관벽 밖에서도 혈류가 표시되는 경우가 자주 있으므로 특이도에 문제가 있다. 최근의 장치에는 그런 단점이 개선되어, 보다 고분해능인 고화질 혈류 imaging법이 등장했다. 말초혈관의 대부분은 초음파 빔에 대해 수직으로 주행하기 때문에 고화질 혈류 imaging법은 말초혈관 혈관초음파 검사에서 활용도가 높다. 제품에 따라 호칭은 여러 가지인데, Advanced Dynamic Flow나 Directional eFlow 등으로 명명되어 있다.

● 참고문헌

1) 甲子乃人：超音波の基礎．ベクトルコア，1994.
2) 佐藤　洋：血管超音波検査における装置設定と基本走査，アーチ
ファクト．月刊Medical Technology別冊／超音波エキスパート1，
19～42，2004.

3) 小谷敦志：超音波装置のセットアップ．月刊Medical Technology別冊
／超音波エキスパート9，53～70，2009.
4) 小谷敦志：下肢静脈エコー．重松宏，松尾汎編：下肢動静脈エコー
実戦テキスト，南江堂，131～192，2008.
5) 小谷敦志：超音波装置のセットアップ．月刊Medical Technology別冊
／超音波エキスパート6，57～64，2006.

3 혈관초음파와 혈관통로(Vascular access)

1 혈관초음파의 기초

② 초음파장비의 설정과 탐촉자(Probe)의 선택

1 탐촉자(Probe)의 선택(그림 3-13)

말초혈관 초음파검사에서 주로 사용하는 탐촉자(probe)에는 선형 탐촉자(linear probe), 볼록형 탐촉자(convex probe), 부채꼴 탐촉자(sector probe)가 있다. 탐촉자(probe)를 선택할 때에는 검사의 대상이 되는 혈관의 깊이를 고려한다. 혈관의 깊이가 체표에서 5~6 cm인 경우는 경동맥 초음파검사에 이용하는 고주파 선형 탐촉자(linear probe), 중심주파수 7~8 MHz 정도의 것이 적당하다. 한층 더 고주파수의 10 MHz 이

상의 선형 탐촉자는, 상완과 전완의 동맥, 족배동맥과 후경골동맥과 같이 체표에서 3 cm 정도까지의 표재혈관의 묘출에 사용한다. 골반내 혈관과 고도비만, 사지부종이 있는 피검자를 검사할 경우에는 convex형 탐촉자의 사용을 시도해 본다. 복부 영역의 초음파검사에 사용하는 중심주파수 3.5 MHz 전후의 convex형 탐촉자를 사용하는 것이 일반적이지만, 혈관용으로 사용하는 경우에는 보다 고주파의 6 MHz 전후의 탐촉자가 유리하다. 혈관협착과 shunt의 빠른 유속을 기록하려면 연속파 도플러법이 사용가능한 중심주파수 3~5 MHz의 sector형 탐촉자가 필요한 경우도 있다.

	Linear형	Convex형	Sector형
주된 주파수 대역	7~12 MHz	3.5~6.0 MHz	3.5~5.0 MHz
분해능	분해능이 우수하다.	linear형보다 낮다	convex형보다 낮다.
시야폭	근거리의 시야폭은 넓지만, 광역의 시야폭은 좁다.	넓다.	근거리의 시야폭은 좁으나, 광역의 시야폭은 넓다.
감쇠	감쇠가 강하게 일어난다.	감쇠가 잘 일어나지 않는다.	감쇠가 잘 일어나지 않는다.
펄스 도플러	사용 가능	사용 가능	사용 가능
연속파 도플러	사용 불가	사용 불가	사용 가능
도플러 입사각	beam steering 기능이 있다.	beam steering 기능이 없다.	beam steering 기능이 없다: 그러나 probe의 자유도가 크다.
조작성	probe의 길이 방향에서의 기울이기 (probe angulation)가 어렵다.	probe 접지면이 커서 관찰부위가 제한된다.	probe가 작아서 조작이 쉽다.

그림 3-13 말초혈관 초음파검사에서 사용되는 주된 탐촉자(probe)의 종류와 특징

2 초음파장비의 설정

초음파장비의 preset menu에 혈관용 설정이 있으면 그 설정을 사용한다. 혈관용 설정이 없는 경우는, 흑백 contrast가 선명하도록 단층상을 조절하여 혈관병변의 평가가 용이하게 한다. 초음파장비의 성능을 극대화하고, 말초혈관질환을 진단하는 데 최적의 이미지를 얻기 위한 장치설정에 대해서 소개한다.

1 단층상(B mode image)의 설정

① 에코 gain (그림 3-15)

에코 gain은 생체에서의 반사파(에코)신호를 증폭시키는 기능이며, 반사신호의 강도에 따른 B mode image의 밝기 변화에 맞추어 gain을 조절한다.

gain이 높으면 노이즈가 많게 되고 반대로 gain이 낮으면 혈관내막 등의 미세한 구조물을 묘출할 수 없다. 일반적으로 혈관내강이 무에코가 되도록 gain을 설정한다.

초음파장비의 TGC (time gain compensation) 기능을 이용하여 시야심도 방향의 근위부에서 원위부에 걸쳐 균일한 에코

ONE POINT ADVICE

표재 말초혈관의 묘출(그림 3-14) :

Linear형 탐촉자로 표재의 말초혈관을 관찰할 때에는, 공간분해능과 시야심도를 고려하여, 중심주파수 7~10 MHz 전후의 탐촉자가 적당하다. 하지만, 전완의 동맥과 족배동맥과 같이 체표에서 1 cm 이내를 주행하는 말초혈관에서는 electrical focus나 slice thickness의 영향으로 분해능이 저하되고 다중반사 등의 artifact 때문에 좋은 영상을 얻기 어려운 경우가 있다. 중심주파수가 10 MHz 이상인 탐촉자가 고가이기 때문에 초음파장비에 구비하지 않는 경우도 많다. 그런 경우, acoustic coupler (초음파 gel coupler)를 사용하여 혈관을 묘출한다. 초음파 gel coupler를 체표에 밀착시켜, 그 위에 탐촉자를 대는 것으로 탐촉자의 초점거리를 목적혈관의 깊이에 근접시켜 양호한 영상을 얻을 수 있다. acoustic coupler 대신에 물주머니를 사용하는 것도 가능하다.

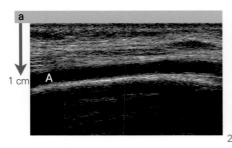
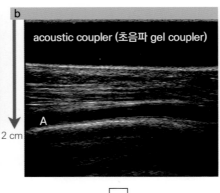
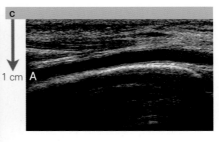

사용 예

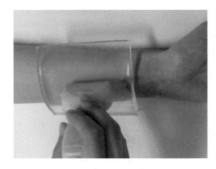

그림 3-14 표재부 말초혈관의 관찰: 종단면(장축상)

a: 7.5 MHz linear형 탐촉자(probe). 내중막의 묘출이 불명료

b: acoustic coupler (초음파 gel coupler)를 사용하여 7.5 MHz linear형 탐촉자를 사용한 예. 대상혈관이 slice thickness의 초점거리에 가깝기 때문에, 직접 탐촉자를 위치하는 경우(그림 a)보다 묘출이 명료해진다.

c: 12 MHz linear형 탐촉자. 고주파 탐촉자이므로 7.5 MHz linear형 탐촉자보다도 탐촉자와 가까운 곳에 slice thickness의 초점이 있기 때문에 명료하게 내중막을 묘출할 수 있다.

A: 동맥 , → : probe로부터의 거리

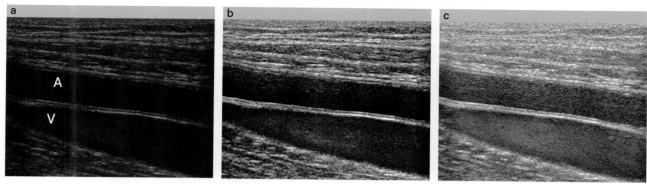

그림 3-15 에코 gain. 대퇴동맥과 정맥 예, 종단면(장축상)

a: gain이 낮다 , **b**: 적절 , **c**: gain이 높다
A: 동맥 , **V**: 정맥

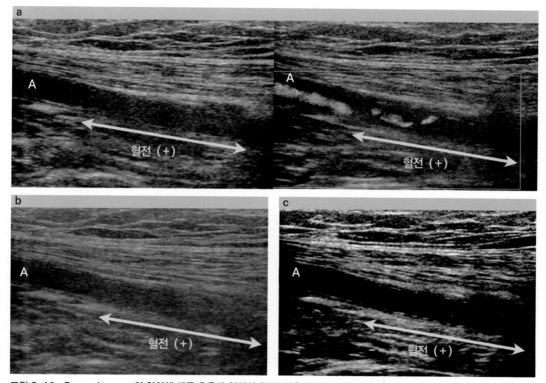

그림 3-16 Dynamic range의 차이에 따른 초음파 영상의 차이. 얕은 대퇴동맥 혈전 이미지, 종단면(장축상)

a: Dynamic range 60 dB로 동적 흐름을 표시. 단층상(B mode image)만으로도 혈전의 존재를 의심할 수 있다.
b: Dynamic range 90 dB. contrast가 너무 낮아서 혈전이 주위조직과 구별되지 않음
c: Dynamic range 30 dB. contrast가 너무 커서 혈전이 묘출되지 않는다.
　　a=적절 , **b,c**=부적절
　　A: 동맥

휘도(밝기)를 갖는 이미지를 묘출할 수 있다.

② Dynamic range (Contrast, 2D-DR 등) (그림3-16)

Dynamic range는 입력신호 강도의 표시폭이며, 초음파 영상의 contrast에 가장 강하게 영향을 미친다. Dynamic range가 커지면 휘도(밝기)의 계조(gradation)가 넓어지게 되어 섬세한

화상표시가 된다(그림 3-16-b) . 반대로 dynamic range가 작아지면 contrast가 향상되고 선명하게 나타나지만 미세한 신호가 소실되어 표시되지 않는다(그림 3-16-c) .

복부와 표재영역의 관찰에서는 섬세한 조직성상을 평가하므로 dynamic range를 70 dB 부근으로 하는 경우가 많다. 한편, 심장초음파검사에서는, 심근의 움직임과 심장 내강을 명

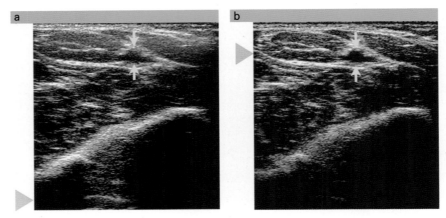

그림 3-17 Focus : 척골동맥(ulnar artery) 예, 횡단면(단축상). 12 MHz linear형 탐촉자(probe) 사용 예
a: focus point가 떨어져 있어, 피부와 가까운 척골동맥(ulnar artery)의 묘출이 불명료하다.
b: focus point가 목적 혈관 근방에 있어서 영상 묘출이 명료하게 되었다.
▶ : focus point , ↑: 대상 혈관 (척골동맥)

료하게 구별할 필요가 있기 때문에 dynamic range를 50 dB 부근에 설정한다. 말초혈관을 평가할 때에는, 고휘도의 석회화 plaque부터 저휘도의 혈전까지 묘출할 필요가 있다. 그러기 위해, 큰 dynamic range로 하는 것이 바람직하다. 하지만, dynamic range를 크게 설정하면 혈관벽의 성상이 불명료해질 수 있어서, dynamic range를 60 dB 부근(그림 3-16-a)에 설정하는 경우가 많다.

③ Focus (그림 3-17)

말초혈관 영역에서의 전자 주사(electrical scan) 탐촉자는, 진동자(transmitter)의 time-delay를 이용하여 전기적으로 깊이에 따라 초점(focus)을 맞춘다. 분해능(resolution)은 초점 영역(focal zone)에서 가장 좋다. 최근의 초음파장비는 시야심도의 변경에 따라서 focus point를 자동으로 조절하는 오토포커스 기능을 갖고 있지만, 표적혈관의 깊이가 부위에 따라서 변화하기 때문에 이 기능이 만능은 아니다. 표적혈관의 깊이에 맞추어 검사자 자신이 focus를 수시로 조절할 필요가 있다. 또한, 동일 방향에 복수의 focus point를 가능하게 하는 다단계 focus는 시간분해능이 저하되기 때문에 용도에 맞게 제한적으로 사용하는 것이 바람직하다.

④ Harmonic Imaging

생체 내 초음파가 반사되어 돌아올 때에 초음파의 비선형성에 의해 기본파보다 높은 주파수의 고조파(harmonic signal)가 발생한다. 고조파는 기본파보다 정수배의 주파수를 갖고 있어, 기본파의 2배의 주파수를 2차 고조파, 3배의 주파수를 3차 고조파라고 부르며, 대개 2차 고조파를 harmonic imaging

에 사용하는 경우가 많다. Harmonic signal은 초음파 장비에서 발생하는 acoustic pressure가 높고 매질에서의 전파거리가 길수록 발생하기 쉽다.

초음파 장비의 기본파보다 높은 주파수를 갖는 하모닉 신호를 이용하여 side lobe 등에 의한 artifact가 감소되고 signal-to-noise ratio가 향상된 harmonic image를 얻을 수 있다.

하지만, 고조파 성분의 신호는 감쇠가 크기 때문에 시야심도는 감소한다.

Filter 법(tissue harmonic imaging: THI, tissue harmonic echo: THE)

Filter법이란 filter에 따라 harmonic 성분을 묘출하여 영상을 재구축하는 것이다. THI을 적용하면 초음파의 방위분해능(lateral resolution)과 대조분해능(contrast resolution)이 향상되고 artifact가 감소되는 장점이 있는 반면, 거리분해능(axial resolution)이 저하되는 단점이 있다. 하지만, 아래에 설명하는 위상반전법에 비해 시간분해능(temporal resolution)의 저하가 없다.

위상반전법(differential THI: DTHI, extended pure harmonic detection: ExPHD, 펄스 반전 기법)

위상반전법(펄스 반전 기법)은 동일 주사선(scan line)에 대하여 pulse의 극성을 바꾸어 2회 송수신을 하는 방법이다. DTHI는 서로 위상이 반전된 한 쌍의 초음파 펄스를 관찰 대상에 송신하며, 각각에 대한 반사 신호를 결합하여 기본파 성분을 서로 상쇄시키고 고조파 신호 성분만 추출하는 방법이다. ExPHD는 수신 신호의 가운데 harmonic 성분 자체를 광

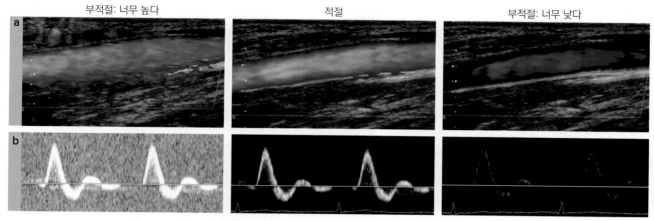

그림 3-18 Doppler gain: 상완동맥(brachial artery) 예, 종단면(장축상)

a: 컬러 도플러 법, **b**: 펄스 도플러 법
Doppler gain의 조절에 따라 Pulse Doppler 및 Color Doppler에서 혈류정보를 얻는 정도가 달라지는 사진
(왼쪽 사진: Over-saturation되어 있어 적절하지 않다. 오른쪽 사진: Under-saturation되어 있어 적절하지 않다.)

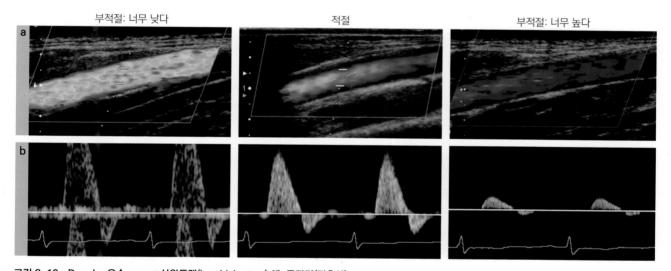

그림 3-19 Doppler 유속 range: 상완동맥(brachial artery) 예, 종단면(장축상)

a: 컬러 도플러 법, **b**: 펄스 도플러 법
Doppler 유속 range의 조절에 따라 Pulse Doppler 및 Color Doppler에서 혈류정보를 얻는 정도가 달라지는 사진
(왼쪽 사진: Aliasing 현상이 나타난다. 컬러 도플러 법에서 층류인지 난류인지를 구별할 수 없다. 펄스 도플러 법에서는 전체 파형이 표시되지 않아 계측이 불가하다. 오른쪽 사진: 컬러 도플러 법에서는 저유속 혈류가 표시되지 않아서 적절하지 않다. 펄스 도플러 법에서는 파형이 너무 작아서 계측이 어렵고 오차 발생의 원인이 된다.)

대역화시켜서 pulse를 송신한다. 어떤 방법이든 낮은 artifact에 높은 contrast 분해능을 갖는 harmonic 효과를 갖기 때문에, filter 법보다도 높은 거리분해능과 시야심도를 얻을 수 있다. 단, 위상반전법은 filter법과 비교하여 frame rate가 저하되는 단점이 있다.

2 │ 도플러법의 설정

① 도플러 gain (그림 3-18)

도플러법에서 혈류를 평가할 때에는 혈류속도에 따라서 도플러 gain을 조정할 필요가 있다. 도플러 gain의 설정이 낮으면 정확한 혈류의 평가를 할 수 없다. 컬러 도플러법에 있어서 color gain의 설정은, 우선 color noise가 나올 때까지 color gain을 올린 다음에 color gain을 서서히 내리면서 color noise가 소실되는 시점으로 gain을 설정하는 것이 적절하다. color

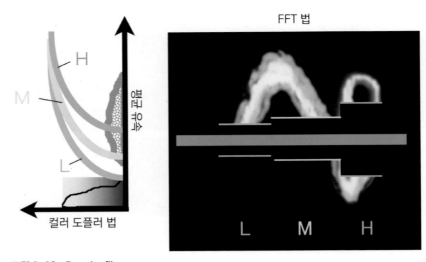

그림 3-20 Doppler filter
L: Filter cut 조금 낮음, M: Filter cut 중간, H: Filter cut 높음
Filter cut의 가감으로 Color Doppler법의 표시와 FFT법의 표시가 변화한다.

gain은 probe의 수신주파수에 따라 변화하기 때문에 probe를 변경할 때마다 매번 조절한다. 혈류를 스펙트럼으로 표시하는 펄스 도플러법과 연속파 도플러법에서는 Doppler gain의 설정이 부적절하면 계측치를 기록할 수 없다.

② 도플러 유속 range (velocity range, scale) (그림 3-19)
최적의 color Doppler 표시를 얻기 위해서는, 컬러 유속 range를 목적장기의 혈류속도에 따라서 설정한다.

혈류가 느린 장기를 평가할 때에 컬러 유속 range (scale)를 높게 설정하면, 느린 혈류가 어두운 color로 표시되고 color filter가 자동적으로 높게 설정되기 때문에, 느린 혈류의 color signal이 제거되어 기록되지 않을 수 있다. 반대로, 혈류가 빠른 장기의 경우는 컬러 유속 range (scale)를 낮게 설정하면 적색과 청색의 혈류표시가 반전되어(aliasing), 혈류방향의 판단이 곤란하게 된다. 혈류가 스펙트럼으로 표시되는 펄스 도플러법과 연속파 도플러법에 있어서도 설정한 유속 range를 초과하는 혈류속도에서는 aliasing이 발생되어 혈류의 방향을 알기 어려워진다. Aliasing 현상을 막으려면, 혈류속도에 따라 큰 유속 range로 설정하거나 baseline설정을 변경할 필요가 있다. 한편, 컬러 도플러법에서는 표시되지 않는 저유속 혈류를 펄스 도플러법을 이용하여 검출할 수 있는 경우가 있는 데, 이와 같이 펄스 도플러법의 설정을 조정하여도 혈류가 검출되지 않는 경우에는 '피의 흐름이 없다.'고 판정한다.

ONE POINT **ADVICE**
혈류 관찰 시의 도플러 유속 range
심장 영역에서는 50~80 cm/s로 높게 설정한다. 큰 혈관 영역에서는 40~60 cm/s, 말초동맥과 신동맥(기시부)의 평가는 20~50 cm/s의 도플러 유속 range로 설정한다. 신실질과 말초정맥의 혈류관찰 시에는 도플러 유속 range를 더욱 낮추어 10~20 cm/s로 설정한다.

③ 도플러 필터(filter, wall filter, wall motion reduction 등) (그림 3-20)
컬러 도플러법에서는 각각의 주사선(scan line)을 따라 복수의 샘플 볼륨에서 도플러 편위(Doppler shift)를 검출하여 평균유속으로 표시하며, color filter 설정이 부적절하면 정확한 혈류표시를 할 수 없다. 최근 초음파장비는 수신주파수와 컬러 유속 range가 정해지면 컬러 필터가 자동적으로 설정된다. 말초정맥과 같은 느린 혈류속도를 표시하려면 컬러 필터 값을 낮게 설정한다. 그때, 조직의 움직임(motion artifact) 등의 저주파 성분도 자동 필터 설정의 연산에 포함될 수 있어서, 컬러 시그널 전체의 평균치가 낮아지게 되면 표시되어야 할 느린 혈류가 어두운 컬러 시그널이 되거나 제거되기 때문에 적절하게 조정할 필요가 있다. 주파수가 다른 탐촉자를 사용하는 경우, 각각의 탐촉자의 수신주파수가 다르기 때문에 컬러 도플러 감도와 컬러 필터 값 등의 컬러 도플러 설정이 달라지게 되므로, 탐촉자를 변경하면 그때마다 초음파 장치의 컬러 도플러 설정을 조절한다. 펄스 도플러법 및 연속파 도플러법의 혈류관찰에서 도플러 필터 사용의 목적은 혈류 신호 이외의 낮은 주파수의, 신호강도가 큰 motion artifact를 제거하는

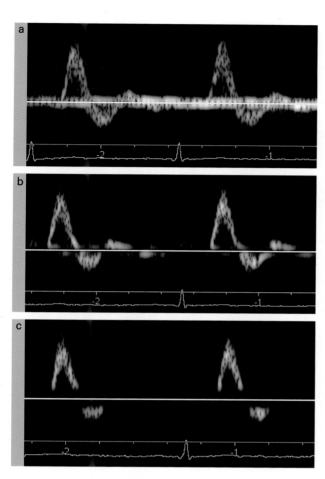

그림 3-21 Doppler filter (Pulse Doppler 법)

a: 낮다. 낮은 주파수의 noise가 baseline 부근에 표시되어, 실제의 저유속 성분을 식별할 수 없다. **b**: 적절, **c**: 높다. 실제의 저유속 성분이 표시되지 않아서 적절하지 않다.

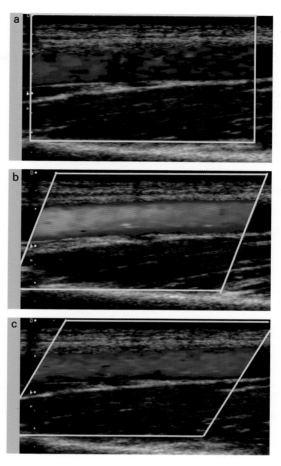

그림 3-22 Color Doppler box의 각도 조정 (Beam steering 기능): 상완동맥 예, 종단면(장축상)

a: steering없음 – 부적절, 혈류 방향과 초음파 beam이 수직(90도)에 가까워서 충분한 혈류 신호가 표시되지 않는다. **b**: 적절한 steering, 혈류 방향에 대한 초음파 beam 입사각이 작고 충분한 혈류 신호가 표시되어 있다. **c**: 지나친 steering, 부적절, 혈류 방향에 대한 초음파 beam의 입사 각도는 작지만, 도플러 신호의 송수신 면적이 좁아져서 충분한 혈류 신호가 표시되지 않는다(probe 자체를 기울여서 도플러 입사각을 줄이는 작업을 함께 하여 지나친 beam steering을 피한다. 그림 3-24 참고).

것이다. 혈류를 시간 축 상에 스펙트럼 파형으로 표시하기 때문에, 과도한 필터 설정은 낮은 유속 성분의 도플러 신호를 제거해버린다. 그러므로, 도플러 필터로 노이즈를 제거하면서, 동시에 baseline 근처에 표시되는 느린 혈류 파형은 묘출되도록 조절할 필요가 있다. (그림 3-21).

④ Color frame correlation (CDI-time smooth, persistence 등)

컬러 도플러 표시에 사용되는 persistence 기능은 단층상 (B mode image)에서의 frame correlation과 마찬가지로, 현재 화면상에 연속하는 몇 개의 과거의 이미지를 보간가산(interpolation) 하여(중간값을 추정하고 보강하여) 이미지를 구축하는

기능이다. 이미지를 보간(interpolation)하여 컬러 이미지의 잔상 느낌이 증가하고 혈류표시의 연계가 향상된다. 심장 영역에서 판막에서의 역류나 단락에서의 빠른 혈류의 평가에서는, 보간이 강하면 시간분해능이 저하되고 잔상 느낌이 강해져서 보기 힘든 이미지가 된다. 한편, 말초정맥과 같은 느린 혈류의 평가는 시간분해능이 저하되어도 보간을 증강하고 잔상 느낌을 증가시켜주면 컬러 도플러 표시가 명료해지기 때문에 혈류의 평가가 쉬워진다.

혈관주행 및 초음파 빔 입사각(그림 3-23) :

말초혈관은 탐촉자(probe) 초음파 빔에 대해 거의 수직으로 주행하는 경우가 많다. 이것은 단층법(B mode)을 이용한 초음파 진단에서는 적합한데, 혈관벽에서의 초음파 반사가 강해져서 분해능이 좋은 이미지를 얻을 수 있기 때문이다. 그러나 도플러 법에서의 혈류 평가 시에는 도플러 입사 각도에 따라 도플러 편위주파수도 변하기 때문에 측정치의 오차를 고려할 필요가 있다. 초음파 빔과 혈류가 이루는 각도가 수직(도플러 입사각도가 90도)인 경우, 도플러 법의 원리상 혈류가 표시되지 않는다. 초음파 빔과 혈류가 평행(도플러 입사각도가 0도)에 가까울수록 도플러 혈류 신호의 정확한 표시가 가능해진다. 보통, 생체 내에는 초음파 빔과 혈류가 이루는 각도가 수직(도플러 입사각이 90도)인 경우가 대부분이지만, 조금이라도 도플러 입사각을 작게 할수록 도플러 감도는 향상된다.

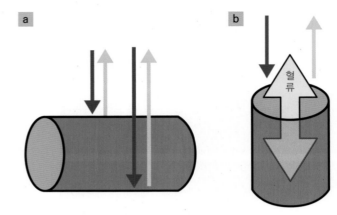

그림 3-23 혈관주행과 초음파 beam 입사각도

a: 혈관주행과 초음파 빔 입사각도가 수직(90도)인 경우, 단층상(B mode)에서는 가장 혈관벽의 반사가 강하게 되어 감도가 높은 이미지를 얻을 수 있지만, 도플러 법에서는 이론적으로 혈류가 검출되지 않는다. 컬러 표시에 있어서도 혈류는 적절히 표시되기 어렵다.

b: 혈관주행과 초음파 빔 입사각도가 평행(0도)에 가까운 경우, 도플러 법에서는 가장 혈류신호가 강해진다. 그러나, 단층상(B mode)에서는 반사강도가 낮아지기 때문에 이미지 감도가 저하된다.

(화살표 (↓↑) : 송수신 빔 방향)

도플러 입사각도를 작게하는 수기(그림 3-24):

초음파 빔과 혈류가 이루는 각도가 수직(도플러 입사각이 90도)인 경우에, 탐촉자(probe) 자체를 기울여서 목적하는 혈관에 대해서 도플러 입사각도를 작게 하는 방법이 통상적으로 흔히 행해진다. 즉, 혈관을 압박하지 않을 정도로 탐촉자를 기울여서, 초음파 빔을 혈류의 방향에 대해서 가능한 평행에 가깝게 되도록 기울이면 도플러 감도는 향상된다.

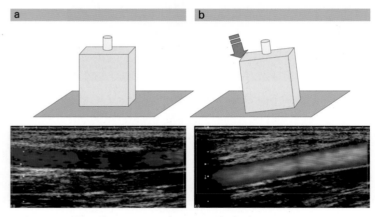

그림 3-24 상완동맥(brachial artery) 예, 종단면(장축상)

a: 혈관 주행과 초음파 빔 입사각도가 수직(90도)인 경우, 컬러 도플러 법에서 혈류는 표시되기 어렵다.

b: 탐촉자(probe)를 기울이는 것으로, 혈관주행과 초음파 빔 입사각이 작게 되어 도플러 감도가 향상되고 혈류신호도 강해진다.

⑤ Color smoothing (color line correlation, smoothing flow edge, spatial smoothing 등)

컬러 도플러 표시에서 컬러 스무딩 기능은, 컬러 표시의 변연과 픽셀 간의 연계를 좋게 하고 혈류정보의 시인성을 향상시킨다. 그러나, 과도하게 컬러 스무딩을 하면 공간분해능이 저하된다.

⑥ 도플러 입사 각도(beam steer, CDI STR, PW STR, Doppler angle, angle correct 등) (그림 3-22)

Beam steer, CDI STR는 컬러 도플러 대각선 스캔(beam steering 기능)이라고 하며, 컬러 도플러 법을 시행할 때 혈류의 방향에 대하여 도플러 빔의 입사각도를 작게 하는 기능이다. beam steering 기능에 지나치게 의존하면 목적부위의 depth(깊이)가 증가하여, 도플러 신호의 송수신 면적이 좁아지고, 또한 진동자 지향성에도 영향을 주기 때문에 도플러 감도가 감소하게 되므로 혈관의 주행에 따라서 가장 효과적인

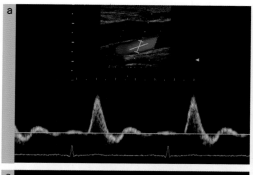
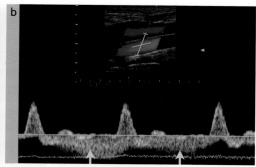
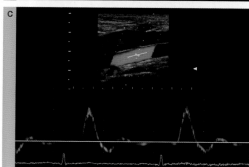

그림 3-25 도플러 샘플 볼륨과 스펙트럼 표시: 슬와동맥 (popliteal artery) 예, 종단면(장축상)

a: 샘플 볼륨 크기를 혈관 내경에서 벗어나지 않도록 설정. 샘플 볼륨 내의 혈류분포를 알수있다.
b: 샘플 볼륨 크기를 관강보다 크게 설정. 혈관 벽의 저주파 성분의 노이즈가 있고 반대로 흐르는 정맥혈이 함께 샘플링되어 적절하지 않다(↑).
c: 샘플 볼륨 크기를 작게한 경우. 국소적인 혈류분포만 파형으로 나타난다.(사진처럼 층류의 중심에 샘플 볼륨을 위치한 경우에는 빠른 유속의 혈류 성분만 표시된다.)

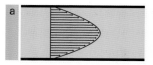

그림 3-26 혈관 내강 내의 혈류 프로파일

a: 포물선 파(parabolic pattern)
b: 평탄 파(plug or flat pattern)
c: 단면변화가 완만한 협착에 의해 가속된 경우

각도로 그때마다 설정할 필요가 있다. (One point advice '혈관 주행 및 초음파 빔 입사각도' 참조)

PW STR, Doppler angle, angle correct는 펄스 도플러 법 및 연속파 도플러 법으로 측정할 때에 사용되며, 도플러 입사각도에 따라서 유속값을 보정하여 정확한 유속을 계산한다. 혈류에 대해서 도플러 입사각도가 크면 오차가 커지고, 특히 도플러 입사각이 60도를 넘으면 급속하게 오차가 커지게 된다. 도플러 beam steering 기능을 이용하여 도플러 입사각을 작게 할 수 있지만, 이와 같이 도플러 입사각도를 보정하는 기능을 이용하는 경우에도, 우선 검사자가 탐촉자 자체를 기울여 도플러 입사각도를 작게 하는 작업을 우선하고, 그 후에 여기에 언급된 beam steering 기능을 함께 사용한다. (One point advice '도플러 입사각도를 작게하는 수기' 참조)

ONE POINT ADVICE

혈관 강 내의 혈류 프로파일 (그림 3-26):

층류 (laminar flow)는 fluid layer들이 서로 섞이지 않고 같은 방향으로 매끄럽고 규칙적인 방식으로 흐르는 경우, 난류(turbulent flow)는 무작위로 여러 방향으로 서로 fluid layer들이 섞이며 흐르는 경우를 말한다. 혈관 내에서 층류의 유속 분포(velocity profile)는 plug or flat pattern 또는 parabolic pattern을 보이는데, 큰 동맥에서는 plug pattern으로, 보다 작은 동맥에서는 parabolic pattern으로 나타나며, 혈액투석 혈관통로의 경우에는 parabolic pattern를 보인다.

Pulse Doppler 법의 평균유속(mean velocity): 초음파 장비에서는 time-averaged peak velocity (또는 time-averaged maximal velocity; TAP or TAMAX)와 time-averaged mean velocity (TAMEAN)를 spectral waveform에 모두 표시하는 경우가 많다. Parabolic flow pattern의 경우 혈관 중앙을 흐르는 fluid layers가 가장 유속이 빠르고 혈관 벽에 가까운 fluid layers의 유속은 그에 비해 느리므로 TAMEAN < TAP (TAMAX)가 된다. 혈액투석 환자의 혈관통로에서 정확한 혈류량을 구하기 위해서는 sample volume의 크기는 혈관벽을 포함하지 않는 범위에서 가능한 전체 내경을 포함하고, 평균유속은 TAMEAN값을 이용해야 한다.

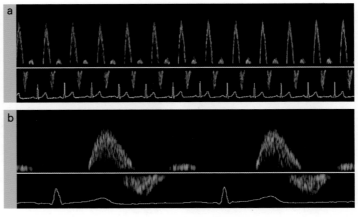

그림 3-27 도플러 sweep 속도
a: 느리다. 각각의 파형을 분리하기 어렵고 시간 계측에는 적합하지 않지만, 하나의 화
  면에 많은 파형을 표시하는 것이 가능하며 혈류속도의 변화를 살펴보는 경우에 좋다.
b: 빠르다. 상세한 시간 계측이 가능하지만 표시되는 파형이 적다.

⑦ 도플러 샘플 볼륨(sample volume, sample gate) (그림 3-25)

(p.16 One point advice '스펙트럼 표시의 의미' 참조)

도플러 샘플 볼륨은 펄스 도플러 법에서 도플러 신호를 측정하기 위한 임의 영역이다. 말초혈관의 혈류정보를 펄스 도플러 법으로 측정하는 경우, 도플러 샘플 볼륨의 위치(샘플 포인트)와 크기(샘플 크기)의 설정이 중요하다.

샘플 볼륨의 크기는 가능한 혈관의 전체 내강을 포함하되 혈관 벽을 포함하거나 내경을 초과하지 않도록 설정하면 혈류 분포를 정확하게 평가할 수 있다.

샘플 볼륨의 크기가 너무 작으면 좁은 폭의 혈류정보만 기록되므로 정확한 평가를 할 수 없다. 샘플 볼륨의 크기가 혈관내강보다 크면 혈관 벽 운동의 저주파 성분인 motion artifact 및 반대로 흐르는 정맥혈류를 함께 측정해버리는 일이 있다. 혈관 내강 중앙의 좁은 폭의 혈류속도와 혈류 파형만을 관찰하려면, 샘플 볼륨의 크기를 혈관 직경의 절반 정도로 하여 혈관의 중앙에 두어도 문제없다. 그러나, 혈관내강 전체의 혈류분포를 보고싶은 경우나 혈류량을 측정하는 경우에는 혈관 내경을 넘지 않는 범위에서 가능한 큰 샘플 볼륨의 크기로 설정할 필요가 있다.

⑧ 도플러 sweep 속도(sweep speed) (그림 3-27)

도플러 sweep speed는, 펄스 도플러 법 및 연속파 도플러 법으로 혈류 속도를 측정할 때 시간 축 상에 나타나는 스펙트럼 파형의 속도이다. 가로축을 시간으로 하는 스펙트럼 표시는 시간분해능이 우수하며, 도플러 sweep speed를 빠르게 하면 수축기에서 확장기에 이르는 자세한 유속의 분석이 가능하다. 도플러 sweep speed를 느리게 하면 개별 파형의 분리가 곤란해져 정확한 분석에는 적합하지 않은 반면에, 모니터 화면에 연속적으로 긴 간격의 파형을 표시할 수 있어서 속도의 변화를 관찰하는 데 유리하다.

● 참고문헌

1) 小谷敦志：超音波装置のセットアップ. 月刊Medical Technology別册／超音波エキスパート6, 57～64, 2006.
2) 小谷敦志：下肢静脈エコー. 重松宏, 松尾汎編：下肢動静脈エコー実戦テキスト, 南江堂, 131～192, 2008.
3) 小谷敦志：超音波装置のセットアップ. 月刊Medical Technology別册／超音波エキスパート9, 53～70, 2009.
4) 菅原基晃：血流の測定. 伊東紘一, 平田經雄編：超音波医学TEXT 血管・血流超音波医学, 医歯薬出版, 33, 2002.
5) 小谷敦志：血管エコー達人養成講座 第9回─検査体位をうまく利用する─. Vascular Lab, 3：361～367, 2006.

3 혈관초음파와 혈관통로(Vascular access)

2 혈관통로 초음파의 기초
① 혈관통로를 위한 설정

개요

자가혈관 내동정맥 단락(arteriovenous fistula)에서는 동맥과 정맥의 단락에 의해 동정맥루가 만들어지고 정맥은 동맥화되게 된다. 동정맥루는 혈관 주행이 다양하고 특유의 협착 형태도 존재한다. 혈관통로에 대한 초음파검사는 다른 혈관 영역에는 없는 특징을 가지고 있기 때문에 장비설정도 약간 다르다.

1 탐촉자의 선택

필자의 시설에서는 탐촉자(probe)를 기능 평가용과 형태 평가용으로 나누어 구분하고 있다(그림 3-28).

기능평가에 있어서 상완동맥(brachial artery) 혈류량(flow volume: FV)의 산출에서는 데이터의 편차를 감소시키기 위해 동맥의 혈관 직경을 정확하게 측정하는 것이 중요하다. 그래서, 경사가 있는 전용의 water coupler를 장착한 선형(linear)

탐촉자를 이용하여 펄스 도플러에서의 각도 보정과 입사각 조정을 용이하게 할 수 있도록 하고 있다. 또한, B mode의 slant 기능(beam steering)을 이용하여 혈관벽에 대해서 초음파 빔이 수직으로 입사되도록 하면 혈관벽이 명료해지고 혈관직경을 측정하기 쉽게 된다(그림 3-29).

형태 평가에서는 시야심도가 허락하는 한, 가능한 높은 주파수의 탐촉자를 사용하는 것으로 병변의 상세한 관찰이 가능해진다(그림 3-30). 혈관이 깊어 묘출이 불명료한 경우는 보다 낮은 주파수의 선형(linear) 탐촉자로 바꿔준다.

2 기능 평가법

1 유속 range (velocity range, scale)

혈관통로에서는 고혈류량을 나타내는 과대 shunt에서 기능부전을 수반하는 혈류저하 증례까지 최고혈류속도(Vmax)가 다양하게 나타난다. Baseline 설정을 조절하여 aliasing 현상이 일어나지 않도록 스펙트럼 전체가 표시범위에 모두 들어가

형태 평가용
중심주파수 12 MHz

형태 평가용
중심주파수 7.5 MHz

water coupler

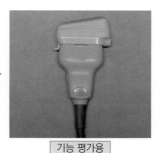

기능 평가용
water coupler 장착

그림 3-28 탐촉자(Probe)의 사용 구분

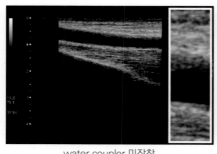

water coupler 미장착

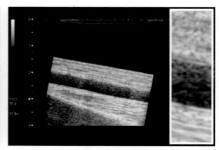

water coupler 장착
(slant기능 또는 beam steering 없음)

water coupler 장착
(slant기능 또는 beam steering 있음)

그림 3-29 혈관벽 묘출의 비교

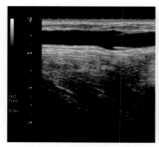

중심주파수 12 MHz probe를
14 MHz로 관찰한 영상

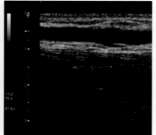

중심주파수 7.5 MHz probe를
8.4 MHz로 관찰한 영상

그림 3-30 고주파 탐촉자(probe)

shunt 정맥은 피부 바로 아래를 주행하기 때문에 보다 고주파 탐촉자를 사용
하면 더 선명한 영상을 얻을 수 있다.

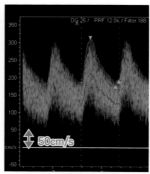
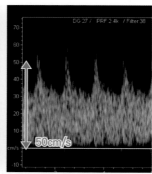

과대 shunt의 증례

혈류 저하의 증례

그림 3-31 유속 레인지(velocity range)

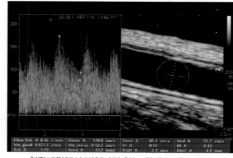

혈관내경에서 벗어나지 않는 최대 크기로 설정
(V_{m-mean} : 58.2 cm/s)

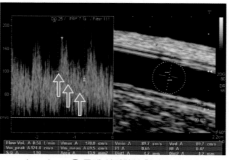

sample volume을 좁게 설정하여 혈관중심부에 위치
(V_{m-mean} : 69.5 cm/s)

그림 3-32 샘플 볼륨

는 혈류속도 range의 설정이 필요하다(그림 3-31). 또한, 팔오금 부위에 문합하고 있는 동정맥루(AVF)나 인조혈관(AVG)에서는 비교적 고혈류의 증례가 많다.

2 │ 샘플 볼륨(sample volume, sample gate)

혈류량(FV : flow volume)을 산출할 때 평균유속의 시간적 분값(mean trace)을 이용한다. 따라서, 샘플 볼륨의 폭은, 상완동맥(brachial artery) (또는 인조혈관)의 혈관 내경에서 벗어나지 않는 최대 직경이 적절한 설정이며 증례마다 조절이 필요하다(그림 3-32).

ONE POINT ADVICE

평균유속에는 peak trace와 mean trace가 있다. 혈관통로에 있어서 상완동맥(brachial artery)의 혈류량을 산출하는 경우는 mean trace (V_{m-mean})를 선택하며 장비 내에서 계산식의 설정이 필요하다. Peak trace를 사용하여 계산하면 과대평가되기 때문에 주의를 요한다(그림3-33).

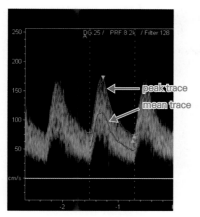

그림 3-33 평균유속의 시간적분값

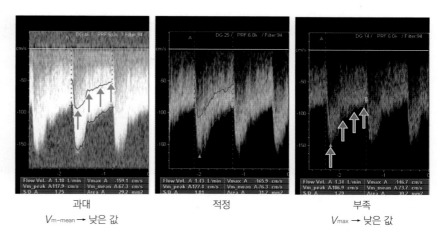

과대
V_{m-mean} → 낮은 값

적정

부족
V_{max} → 낮은 값

그림 3-34 혈류 유속 파형의 gain (Doppler gain)

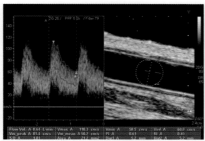

낮은 유속 성분을 filtering(제거)하지 않은 경우
(V_{m-mean}: 50.2 cm/s)

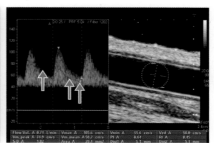

저유속 성분을 filtering(제거) 한 경우
(V_{m-mean}: 58.2 cm/s)

그림 3-35 Doppler filter (Wall filter)

3 | 혈류 속도 파형의 gain

파형이 저휘도(낮은 밝기)에서 고휘도까지 폭 넓은 유속분 포를 보이도록 gain을 설정한다. Gain을 지나치게 올리면 저 유속 성분의 도플러 신호가 출현하여 Vm-mean이 과소평가 된다. 한편, gain을 너무 낮추면 Vmax가 낮은 값을 나타낸 다(그림 3-34).

4 | 도플러 필터 (Wall filter)

혈류 유속 파형의 저유속 성분이 제거되지 않도록 조정한 다. 혈류 유속 파형의 gain과 마찬가지로 혈류량 값에 영향을 주고 측정오차의 요인이 된다(그림 3-35).

3 | 형태 평가법

1 | 컬러 도플러법

Color Doppler나 power Doppler에서는 blooming(혈관벽 바 깥으로 color noise가 번지는 현상)이 발생할 수 있다. 이를 개 선하기 위해서 블루밍 발생이 적으면서, 고분해능(고해상 도), 높은 frame rate를 가능하게 하는 기술도 있지만, 그런 방 법에서도 약간의 블루밍은 발생하기 때문에 혈관직경의 측정 은 가능한 단층상(B mode)에서 하는 것이 바람직하다(그림 3-36).

> MEMO
>
> 최근, 컬러 표시와 파워 표시의 성격을 겸비하여 blooming artifact의 발생을 낮추는 방법으로서, Advanced Dynamic Flow (도시바 메디컬 시스템즈) 또는 Directional-eFlow (Aloka사), B-flow color (GE 헬스 케어 재팬) 등이 있으며 혈관통로의 평가분 아니라 혈관초음파 전반에서 유용한 방법이다.

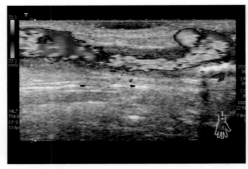 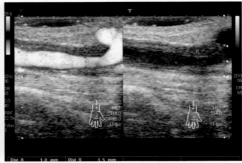

Color Doppler mode

ADF   단층상 (B mode)

ADF를 사용하여 측정한 경우(좌), 단층상만으로 측정한 경우(우)이며, 약간의 측정 오차를 나타낸다(ADF; Advanced Dynamic Flow).

그림 3-36   Color Doppler blooming artifact

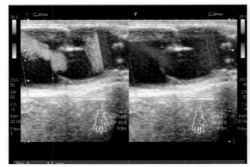

echogenicity가 높은 판막 모양 협착   echogenicity가 낮은 판막 모양 협착

그림 3-37   판막 모양 협착

2 | 판막양협착(판막 모양 협착)

정맥 판막의 경화에 의한 혈관통로 특유의 협착 병변으로 여겨진다. 판막이 두꺼운 경우는 쉽게 단층상(B mode)에서 검출되지만, 판막이 얇은 경우는 echo가 낮아 놓치기 쉽다(그림 3-37). 그런 경우에 도플러를 병용하면 검출하기 쉽다. 형태를 명료하게 묘출하기 위해서는 우선 도플러를 해제하고 단층상에서 관찰한다. 그런 다음에 복수의 focus로 설정하고, dynamic range를 내려서 혈관내강과 판막의 contrast 차이를 뚜렷하게 한다. Gain을 적절히 올리고 판막에 대해 가능한 수직으로 초음파 빔이 입사되도록 하여(slant 또는 beam steering) 판막의 형태가 명료하게 나타나도록 한다(그림 3-38).

ONE POINT ADVICE

혈관통로에서는 동맥과 정맥이 서로 문합하고 있기 때문에, 동맥의 박동파와 정맥의 정상파가 혼합된 특유의 혈류 유속 파형을 나타낸다. 동정맥의 단락이 없는 정상인의 상완동맥(brachial artery)에서는, 하나의 cardiac cycle동안 컬러 도플러의 색이 변화하지만(그림 3-39), 혈류가 양호한 혈관통로가 있는 경우의 상완동맥(brachial artery)에서는 계속 같은 색(같은 방향)으로 컬러 도플러의 signal이 표시된다(그림 3-40).

3 | 3D 표시

최근, 초음파진단장비의 진보에 의해 3D 기능을 탑재한 기기도 발매되고 있는데, 혈관통로의 이미지를 3D로 구축하여 다양한 각도에서 전체적인 모양을 파악할 수 있는 장점이 있다(그림 3-41). 그러나, 일정한 유속 range 설정하에서 심한 협착병변을 관찰하는 경우에는 협착 부위보다 말초 측(upstream)의 컬러 표시는 가능하지만 그보다 중추 측(downstream)에서는 낮은 유속의 컬러 표시는 되지 않아서 제대로 이미지를 얻을 수 없는 경우도 있다. 실제 임상에서는, 검사자가 입체적으로 생각하면서 전체적인 이미지를 머리 속에 구축하며 검사를 시행하기 때문에, 대부분의 경우에는 2D image로도 진단이 가능하다.

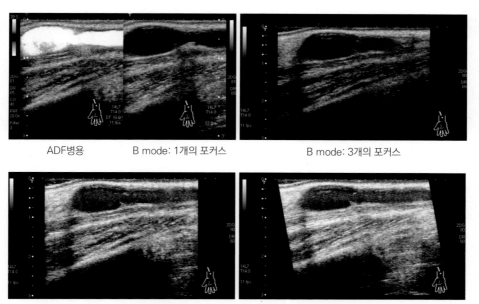

| ADF병용 | B mode: 1개의 포커스 | B mode: 3개의 포커스 |

dynamic range를 내리고 gain을 올린다.   B mode에서 slant (beam steering) 기능을 이용하여 초음파 빔을 판막에 대해 수직으로 입사하여 판막을 명료하게 나타낸다.

그림 3-38   판막 모양 협착의 묘출법

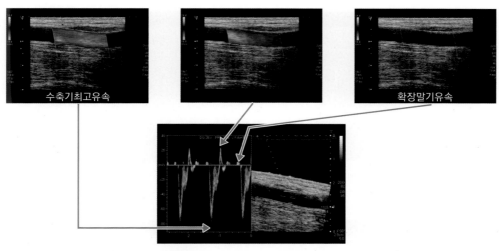

그림 3-39   혈관통로가 없는 정상 상완동맥(brachial artery)의 컬러 도플러

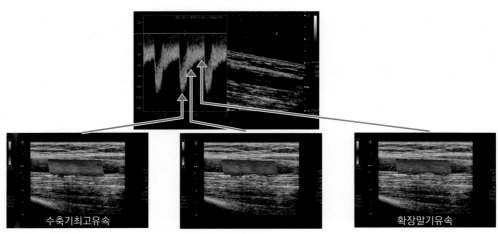

그림 3-40   혈관통로가 있는 상완동맥(brachial artery)의 컬러 도플러

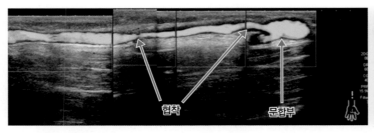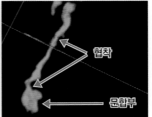

그림 3-41   3D 표시

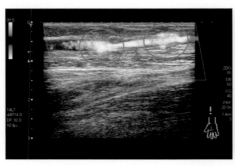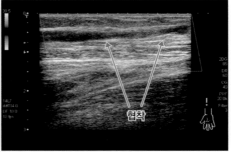

그림 3-42   협착부위의 tissue vibration에 의해 발생하는 perivascular artifact

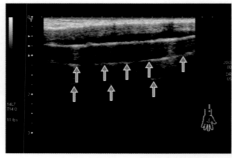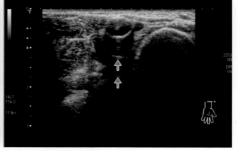

그림 3-43   동맥의 석회화에 의한 다중반사

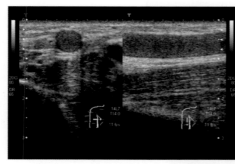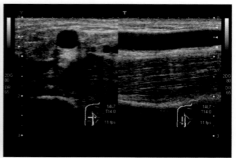

동정맥루 수술 전 정맥지도 초음파 검사에서, 상완부를 구혈하고(토니켓을 감고), 정맥의 신전성을 평가할 때 정맥혈의 정체를 관찰할 수 있다.

구혈을 해제하면(토니켓을 풀면) 뿌연 에코는 사라진다.

그림 3-44   정맥혈의 정체

4 | 혈관통로 초음파검사에서 볼 수 있는 영상

1 | Perivascular artifact

컬러 도플러에서 협착 부위의 tissue vibration에 의해 발생하는 artifact를 말한다(그림 3-42). 이 artifact가 관찰되면 근방에 협착 병변의 존재가 의심된다. 박동에 의한 노이즈와 감별을 요한다.

2 | 동맥의 다중반사

평행하게 마주한 반사체(석회화된 동맥벽 등) 사이에서 초음파가 여러번 반사를 반복하는 것에 의해 발생하는 artifact이다(그림 3-43).

3 | 정맥혈의 정체

관찰부위보다 중추(downstream)측에 구혈(압박)을 하면 뿌연 에코가 관찰되며 구혈을 해제하면 소실된다. 중추 측에 폐색 병변이 있거나 입고 있는 옷의 소매가 강하게 조이는 경우에도 같은 이미지를 볼 수 있다. 혈전으로 잘못 판단하지 않도록 주의한다(그림 3-44).

ONE POINT ADVICE

수술 후 얼마되지 않은 천자 전의 인조혈관은 혈관벽 내에 미세한 공기층을 포함하기 때문에, 어떤 장비 설정을 해도 혈관내강의 관찰이 불가능하다(그림 3-45). 그러나, 이미 천자하고 있는 부위나 인조혈관

이식 후 일정기간 경과한 증례에서는 내강의 관찰이 가능해진다. 한편, 장기 투석 환자에게 많이 보이는 큰 석회화 병변을 수반하는 부위도 음향 음영으로 인해 혈관내강의 관찰이 불가능하다.

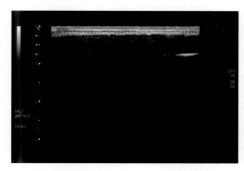

그림 3-45 수술 후 얼마되지 않은 천자 전의 폴리우레탄 인조혈관

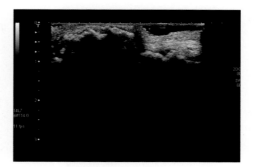

그림 3-46 거칠고 큰 석회화 병변

1 환자의 체위

보통은 앙와위(supine position)로, 검사자 측에 검사대상이 되는 팔을 가까이 놓는다(그림 3-47). 전완부 및 상완부를 노출시키고 겨드랑이를 약간 연다. 검사 범위가 되는 부위를 침대 위에 올린 상태에서 초음파검사를 시행하면 탐촉자(probe) 스캔이 안정된다. 한편 상완부에서 소매입구가 강하게 조여지는 의복을 입었을 때는 측정값에 영향을 미치기 때문에 주의한다. 관찰혈관이 팔의 측면과 배후를 주행하는 경우는 손목을 돌리거나 팔꿈치를 굽혀서 스캔하기 쉽도록 한다. 정맥고혈압증이 의심되어 쇄골하정맥(subclavian vein)과 완두정맥(brachiocephalic vein) 등의 중심정맥 영역을 관찰하는 경우에는, 앙와위 상태에서 약간 턱을 올리고 경부를 신장시킨다.

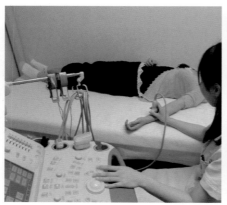

왼팔을 스캔하는 경우　　　　　　오른 팔을 스캔하는 경우

그림 3-47　검사 체위

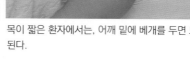

관찰하는 혈관과 반대측으로 조금 머리를 기울인다. 베개를 받치면 더욱 관찰범위가 넓어진다.

목이 짧은 환자에서는, 어깨 밑에 베개를 두면 도움이 된다.

그림 3-48　중심정맥 영역의 관찰

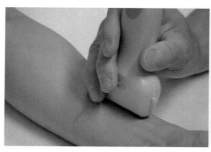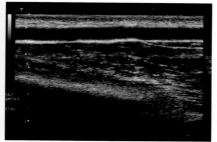

그림 3-49   장축 스캔

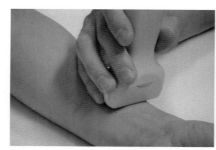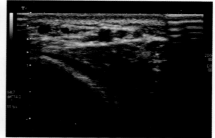

그림 3-50   단축 스캔

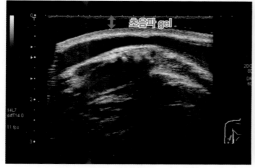

그림 3-51   팔꿈치 부위의 과신전에 의한 정맥의 편평화

압박하지 않은 상태이지만 혈관이 타원형이 되기도 한다. 꼭 장축상과 단축상에서 모두 관찰하도록 하자.

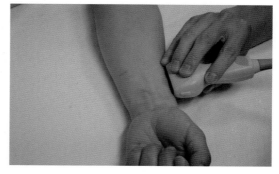

그림 3-52   측면에서의 스캔

관찰하는 혈관과 반대측으로 약간 머리를 기울이면 스캔하기 쉽다. 목이 짧은 환자에서는 어깨 밑에 베개를 놓으면 관찰부위가 넓어진다(그림 3-48).

2   관찰 단면

반드시 장축상과 단축상의 두 방향 모두에서 관찰한다. 예를 들면 팔꿈치 부분의 과신전에 의해 정맥이 편형화되어 협착 모양으로 보이는 경우도 있기 때문에 장축스캔만 관찰해서는 불충분하다(그림 3-51). 여기에 덧붙여 측면에서의 스캔도 동정맥 문합부의 관찰에 효과적이다(그림 3-52).

3   탐촉자(Probe) 스캔

초음파 gel을 많이 도포해서 검사자의 넷째손가락과 새끼손가락을 환자의 팔에 접촉하도록 하면서, 살짝 띄우는 듯한 감각으로 스캔한다(그림 3-53). 동맥은 정맥에 비해서 혈관의 주행이 깊고 내압이 높기 때문에, 탐촉자의 압박에 의한 영향이 적다. 반면에, 피하정맥은 얕은 부분을 주행하고 혈관내압도 낮기 때문에, 탐촉자에 의한 압박으로 쉽게 눌러서 가늘게 묘출된다(그림 3-54). 단축상에서는 혈관이 있는 부분의 피부만 탐촉자 면에 접촉되므로 초음파화면의 양쪽 끝이 묘출되지 않는 화상이 되는데, 그 상태에서 탐촉자를 확실히 고정할 수 있도록 수련이 필요하다. 또, 우람하게 발달한 정맥이

혈관이 압박되고 있다.

초음파 gel을 많이 발라서 약지와
새끼손가락이 피부 위에서 미끄러지게 한다.

그림 3-53 탐촉자 스캔

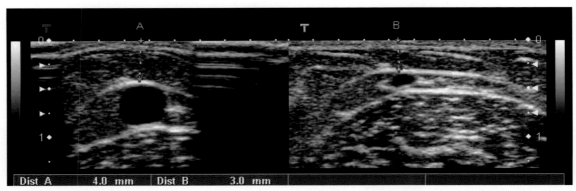

왼쪽 사진: 정맥을 압박하지 않은 경우(체표면에서 혈관까지 4 mm)   오른쪽 사진: 정맥을 압박한 경우(체표면에서 혈관까지 1 mm)

그림 3-54 압박에 의한 정맥 모양의 차이

나 동맥류에서는 탐촉자와 피부 사이를 충분히 접촉시키기가
어렵기 때문에 뜬 부분을 다량의 gel로 충분히 바르는 등의 방
안이 필요하다.

중심정맥 영역에서는 대상 혈관의 바로 위에서의 스캔뿐만
아니라 탐촉자를 횡으로 이동시키고 기울여서 장애물을 피해
서 초음파 빔을 입사시킬 수가 있다(그림 3-55).

어떤 원인으로 보이지 않는가를 생각하면서, 다양한 각도
에서 관찰하는 것이 명료한 화상을 얻을 수 있는 방법이다.

1 │ 동정맥루(AVF)

① 동맥계

상완동맥(brachial artery)은 상완정맥 및 신경과 동반 주행
하고, 근처에 척측피정맥(basilic vein)이 주행한다. 겨드랑이
부터 상완부 내측을 주와부(cubital area)를 향해서 스캔하는데
상완의 크기에 따라 혈관의 깊이는 다양하기 때문에 시야의
심도를 조정하면서 관찰한다(그림 3-56).

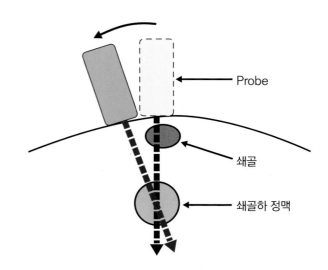

그림 3-55 사선에서의 스캔

팔꿈치관절 부위에서 요골동맥(radial artery)과 척골동맥
(ulnar artery)으로 분지하고, 탐촉자를 동맥 주행과 나란히 하
면 팔꿈치관절 부위에서의 장축상에서 상완동맥(brachial ar-

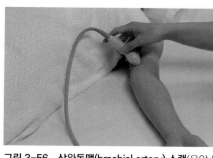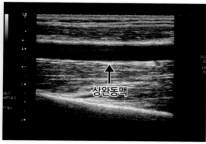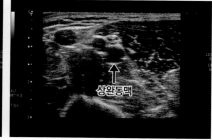

그림 3-56 상완동맥(brachial artery) 스캔(육안 및 초음파 장축, 단축상)

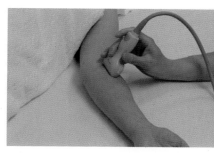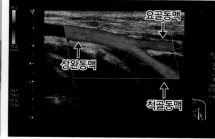

그림 3-57 요골, 척골 동맥 분지부 스캔(육안 및 초음파 장축, 단축상)

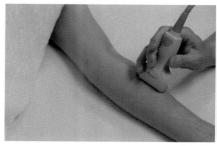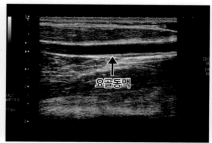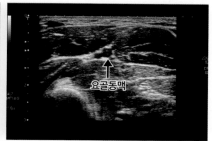

그림 3-58 전완 중간부의 요골동맥(radial artery) 스캔(육안 및 초음파 장축상)

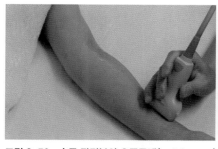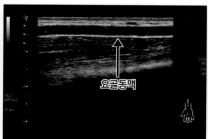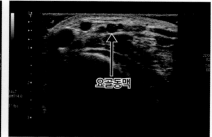

그림 3-59 손목 관절부의 요골동맥(radial artery) 스캔(육안 및 초음파 장축, 단축상)

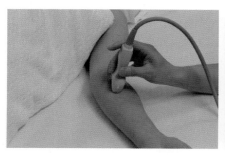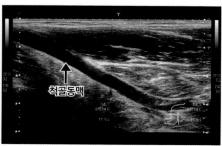

그림 3-60 척골동맥(ulnar artery) 기시부 스캔(육안 및 초음파 장축상)

3 혈관초음파와 혈관통로(Vascular access)

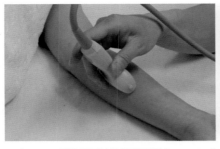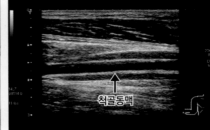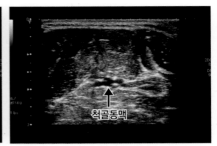

그림 3-61 전완 중간부의 척골동맥(ulnar artery)

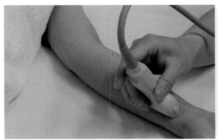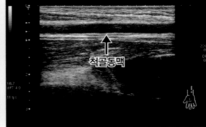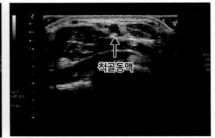

그림 3-62 손목 관절부 척골동맥(ulnar artery)

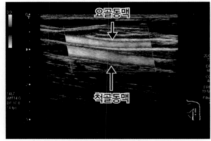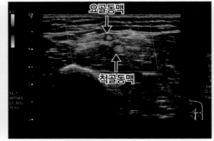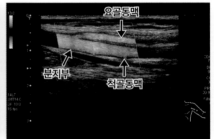

| 상완 중간부의 장축상 | 상완 중간부의 단축상 | 액와부에서의 고위분지 |

그림 3-63 상완동맥(brachial artery)의 고위분지 예

ONE POINT ADVICE

상완동맥(brachial artery)의 고위분지(high bifurcation)증례에서는 액와부근에서 요골동맥과 척골동맥으로 분지되는 일이 많고, 상완 중간부에서는 두 줄기의 동맥이 주행한다(그림 3-63). 극히 드물지만, 팔꿈치 상부나 상완 중간부 부근에서 분지하는 증례도 있다.

tery)과 요골동맥(radial artery), 척골동맥(ulnar artery)의 분지를 묘출할 수 있다(그림 3-57). 분지 직후의 요골동맥(radial artery)은 약간 주행이 깊은 편이나 말초 쪽으로 갈수록 얕게 묘출된다(그림 3-58,59). 분지 직후의 척골동맥(ulnar artery)은 심부를 주행하고 말초 쪽으로 갈수록 서서히 얕게 묘출된다(그림 3-60~62). 따라서 부위에 따라서 근육과의 위치관계가 변한다. 팔꿈치관절 부위의 상완동맥(brachial artery)이나 손목관절 부위의 요골동맥(radial artery), 척골동맥(ulnar artery)은 박동을 촉지하기 쉬우므로, 그 부위에 탐

촉자를 맞추면 쉽게 찾을 수 있다.

② 정맥계

피하정맥은 피하조직 내를 주행하며, 전완의 엄지 측을 주행하는 요측피정맥(cephalic vein)(그림 3-64)이 주와부(cubital area)까지 연속하고, 상완부의 요측피정맥(cephalic vein) 및 정중피정맥(median cephalic vein), 관통정맥(perforating vein)으로 분지된다. 비교적 얕게 주행하는 상완부의 요측피정맥(cephalic vein)(그림 3-65)은 쇄골 부위에서 구부러져 액와정맥에 합류한다. 이 부위를 요측피정맥궁(cephalic arch)이라 하고, 탐촉자를 쇄골 방향으로 이동시키면서 관찰한다(그림 3-66). 이 부위의 혈관주행은 비교적 깊지만 압박에 의한 영향을 받기 쉽기 때문에 탐촉자에 의해 압박되지 않도록 주의한다. 한편, 전완부의 새끼손가락 측을 주행하는 척측피정맥(basilic vein)(그림 3-67)은 주정중피정맥(median cubi-

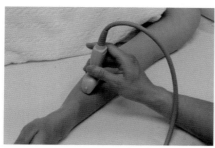 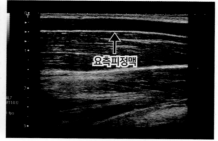

스캔하기 편하게 손목을 돌린다.

그림 3-64   전완부의 요측피정맥(cephalic vein) 스캔(육안 및 초음파 장축상)

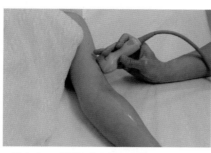 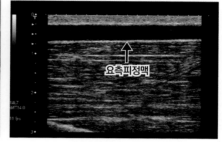

그림 3-65   상완부의 요측피정맥(cephalic vein) 스캔(육안 및 초음파 장축상)

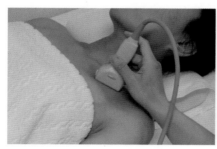 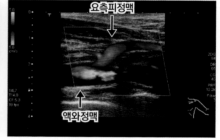

그림 3-66   요측피정맥궁(cephalic arch) 스캔(육안 및 초음파 장축상)

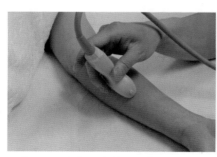 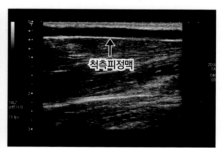

그림 3-67   전완부의 척측피정맥(basilic vein) 스캔(육안 및 초음파 장축상)

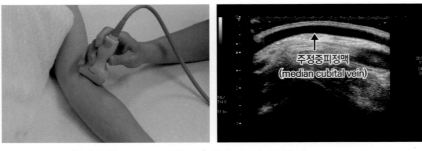

그림 3-68 　주정중피정맥(median cubital vein) (육안 및 초음파 장축상)

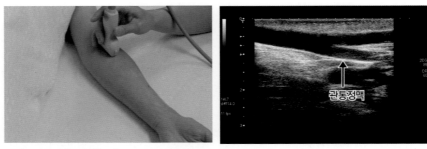

그림 3-69 　관통정맥(perforating vein) (육안 및 초음파 장축상)

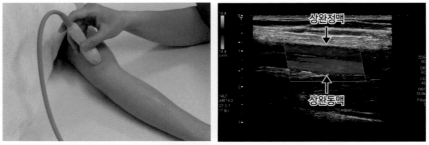

그림 3-70 　상완정맥(brachial vein) (육안 및 초음파 장축상)

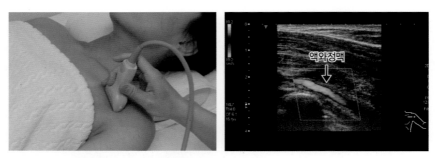

그림 3-71 　액와정맥(axillary vein) (육안 및 초음파 장축상)

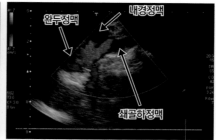

그림 3-72　쇄골하정맥(subclavian vein) (육안 및 초음파 장축상)

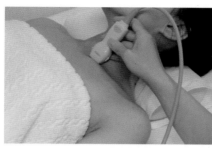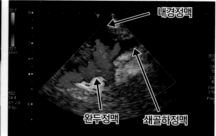

그림 3-73　완두정맥(brachiocephalic vein) (육안 및 초음파 장축상)

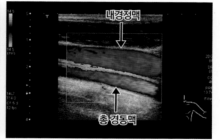

그림 3-74　내경정맥(internal jugular vein) (육안 및 초음파 장축상)

tal vein)(그림 3-68)과 팔꿈치 부위에서 합류하고, 상완부나 액와부에서 상완정맥과 합류한다. 관통정맥(그림 3-69)은 상완정맥(그림 3-70)과 연결된다. 액와정맥은 대흉근 바로 위에서 쇄골과 평행하거나 비스듬하게 밑으로 스캔한다(그림 3-71). 쇄골하정맥에서는 sector형 탐촉자로 바꿔서 흉쇄관절 바로 위에서 쇄골과 평행하게 탐촉자를 놓고 약간 기울이면 종단상이 묘출된다(그림 3-72). 완두정맥은 쇄골하정맥으로부터 중추 측으로 스캔하면서 약간 회전시키면 묘출된다(그림 3-73). 쇄골하정맥이나 완두정맥의 스캔 시에는 내경정맥으로부터의 접근도 효과적이다(그림 3-74).

정맥의 혈관주행은 변이(variation)가 많고 환자에 따라 약간 다르다. 우선 기본적인 해부학적 주행을 숙지하는 것이 중요하고, 다양한 증례를 많이 경험함에 따라 복잡한 혈관주행을 나타내는 증례에서도 혈행동태를 이해할 수 있다.

③ 문합부

표준적 내동정맥 단락(internal arteriovenous fistula)은 요골동맥(radial artery)-요측피정맥(cephalic vein)의 문합이다. 그러나 이러한 혈관이 불량한 경우에는 척골동맥(ulnar artery)-척측피정맥(basilic vein)을 문합하는 술식이 선택되는 경우도 있다. 문합형태로는, 동정맥루(AVF)에서는 단측문합(end to side anastomosis)이 일반적이다. 기타 측측문합(side to side anastomosis)이나 단단문합(end to end anastomosis)도 있다(그림 3-75). 문합부의 묘출에서는 측면에서의 스캔이 효과적이고, 단축상에서 동맥과 정맥의 위치관계를 이해해두면 관찰하기 쉽다(그림 3-76). 측면에서 문합부를 장축상으로 나타내게 되면, 문합부 자체의 모양, 문합부위의 동맥과 정맥을 파악하기가 용이하고, 문합부 협착을 발견하기도 쉬워진다. 다만, 정맥의 굴곡이 심한 증례에서는 동·정맥을 하나의 단면에 묘출할 수 없는 경우도 있기 때문에 여러 각도에서의 스캔이 필요하다.

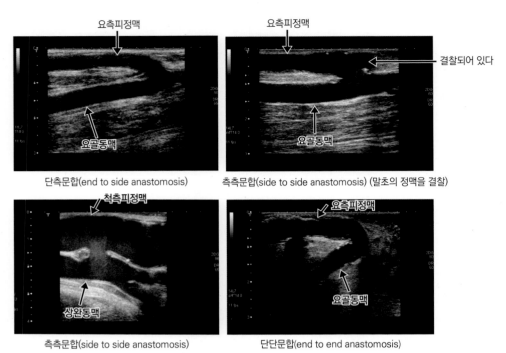

단측문합(end to side anastomosis)　　　측측문합(side to side anastomosis) (말초의 정맥을 결찰)

측측문합(side to side anastomosis)　　　단단문합(end to end anastomosis)

그림 3-75　문합부의 초음파 영상(단측문합, 측측문합, 단단문합의 초음파 사진)

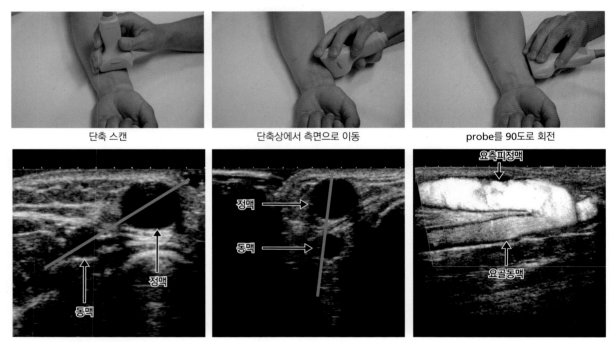

단축 스캔　　　단축상에서 측면으로 이동　　　probe를 90도로 회전

그림 3-76　문합부의 묘출법(육안 및 초음파 사진)

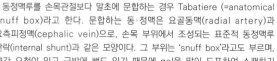

ONE POINT ADVICE

　측면에서의 스캔은 동정맥루 문합부 이외에도, 동정맥루 정맥의 분지 기시부의 협착병변이나 사행하는 혈관(tortuous vessel)에서도 유효하다(그림3-77, 78).

MEMO

　동정맥루를 손목관절보다 말초에 문합하는 경우 Tabatiere (=anatomical snuff box)라고 한다. 문합하는 동·정맥은 요골동맥(radial artery)과 요측피정맥(cephalic vein)으로, 손목 부위에서 조성되는 표준적 동정맥루 단락(internal shunt)과 같은 모양이다. 그 부위는 'snuff box'라고도 부르며, 약간 요철이 있고 근방에 뼈도 있기 때문에 gel을 많이 도포하여 스캔하기 쉽도록 한다(그림3-79).

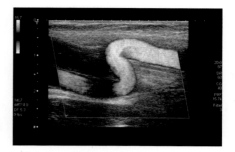

그림 3-78 사행하는 요골동맥

직선으로 주행하는 협착병변은 묘출하기 쉽지만, 분지한 혈관의 기시부에
발생하는 협착은 간과하기 쉽다. 측면에서의 스캔이 유용하다.

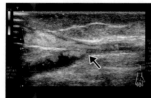

혈관조영술

그림 3-77 정맥의 분지

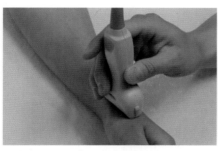

그림 3-79 Snuff box의 문합부

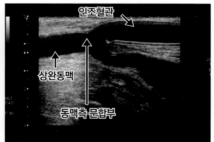

인조혈관

상완동맥

동맥측 문합부

그림 3-80 인조혈관(AVG) 전완 루프(동맥측 문합부)

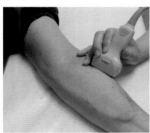

동맥지(arterial limb)

정맥지(venous limb)

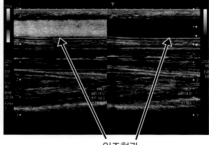

인조혈관

그림 3-81 인조혈관(AVG) 전완 루프

3

혈관초음파와 혈관통로(Vascular access)

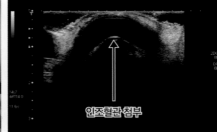

그림 3-82　인조혈관(AVG) 전완 루프(apex, 첨부)

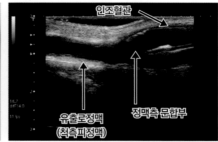

그림 3-83　인조혈관(AVG) 전완 루프(정맥측 문합부)

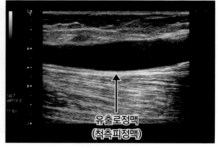

그림 3-84　인조혈관(AVG) 전완 루프(유출로 정맥)

그림 3-85　인조혈관(AVG) 상완 루프(동맥측 문합부)

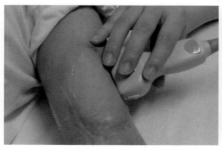
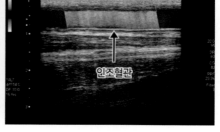

그림 3-86　인조혈관(AVG) 상완 루프(천자 구역)

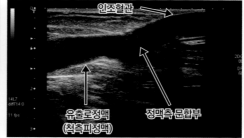

그림 3-87　인조혈관(AVG) 상완 루프(정맥측 문합부)

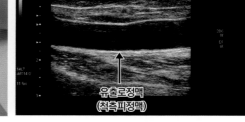

그림 3-88　인조혈관(AVG) 상완 루프(유출로 정맥)

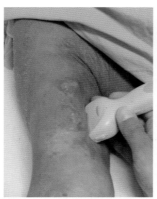
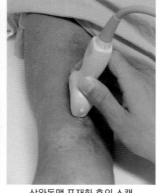

일반적인 상완동맥의 스캔　　　　상완동맥 표재화 후의 스캔

그림 3-89　상완동맥 표재화(brachial artery superficialization)
보통의 상완동맥(brachial artery)의 스캔과 상완동맥 표재화(brachial artery superficialization) 후의 스캔 방법

2 │ 인조혈관 내shunt(인조혈관, AVG)

대개 주로 사용하는 팔의 반대쪽 팔 전완부(또는 상완부)에 조성한다. 이식하는 형태는 직선형, 곡선형, 루프형이 있으나, 여기서는 본원에서 가장 많이 조성하고 있는 루프형에 대한 스캔법에 대해 설명한다.

① 전완 루프형(Forearm loop AVG)
동맥측 문합부는 팔오금 부위의 상완동맥(brachial artery)

을, 정맥측 문합부는 팔오금 상부의 척측피정맥(basilic vein) 또는 상완정맥(brachial vein)을 선택하는 경우가 많다. 문합형태는 인조혈관의 끝과 동맥이나 정맥의 측벽을 문합하는 단측문합(end to side anastomosis)이다. 동맥측 문합부는 상완동맥(brachial artery) 및 인조혈관의 주행이나 동맥의 박동을 참고해서 스캔한다(그림 3-80). 인조혈관은 피하조직 내에 이식되어 있기 때문에, 체표면에서도 주행을 파악할 수 있다(그림 3-81, 82). 정맥측 문합부의 스캔도 인조혈관 및 팔오금 상부의 척측피정맥(basilic vein) (혹은 상완정맥)의 주행을 참고하면 좋다(그림 3-83, 84).

② 상완 루프형(Upper arm loop AVG)

　동맥측 문합부는 상완 중간부나 상부의 상완동맥(brachial artery)에, 정맥문합부도 거의 같은 부위의 척측피정맥(basilic vein) 혹은 상완정맥(brachial vein)에 문합하는 경우가 많다. 문합부위에서 동맥과 정맥이 서로 가깝게 주행하기 때문에 상완부의 내측을 스캔하면 단측문합(end to side anastomosis)의 형태가 관찰된다(그림 3-85~88).

3 | 상완동맥 표재화(brachial artery superficialization)

　주로 상완동맥(brachial artery)을 표재화하는 일이 많고, 촉진으로 박동이나 혈관주행을 확인해서 스캔한다. 원래 안쪽을 주행하고 있던 상완동맥을 천자의 편의를 고려하여 피부 밑으로 전위시킨 형태를 상완동맥 표재화라 하며, 표재화된 동맥은 혈관 내압은 높지만 얇은 피하조직 내를 주행하게 된다. 한편, 혈액을 반환하는 정맥은 동맥혈이 유입되지 않는 일반적인 말초정맥이므로, 스캔 시에 가능한 압박되지 않도록 주의하며 검사를 한다(그림 3-89).

● 참고문헌

1) 小林大樹：バスキュラーアクセスを知る・学ぶ―これで納得！ シャントエコーの基本と実際　VAの種類と超音波画像. Vascular Lab, 7(4)：64～67, 2010.

3 혈관초음파와 혈관통로(Vascular access)

2 혈관통로 초음파의 기초
③ 검사의 진행방법

1 혈관통로 초음파검사의 전체적인 흐름

여기에서는 혈관통로 초음파검사의 전체적인 흐름과 그 내용에 대해 설명한다.

어느 영역의 초음파검사에서든 탐촉자(probe)를 잡기 전에 검사목적, 임상증상의 유무를 반드시 확인하고, 의뢰의가 어떠한 정보를 요구하고 있는가를 파악하여 거기에 맞는 검사, 리포트 작성을 해야 한다. 아래에 혈관통로 초음파검사의 전체적인 흐름을 표시한다.

① 환자정보의 수집
② 환자 입실 및 검사 전 준비
③ 문진
④ 이학적 관찰(시진, 촉진, 청진)
⑤ 초음파검사(기능평가, 형태평가)
⑥ 리포트 작성

1 환자정보의 수집

진료기록과 의뢰문서에서 혈관통로의 종류, 임상증상의 유무, 검사목적을 확인한다. 또, 예전의 초음파검사, 혈관조영검사 등의 소견이나 수술 기록 등이 있으면 확인해둔다. 혈관통로에 발생하는 합병증이나 문제에는 여러 가지가 있다(표 3-2). 각각의 발생요인을 이해하고 있으면 검사 전에 문제의 원인을 추정할 수 있다.

2 환자 입실 및 검사 전 준비

환자가 검사실에 입실하면, 본인 확인 후 검사를 설명한다.

침대 위에 앙와위 체위(supine position)를 취하고 검사대상이 되는 사지가 검사자 쪽에 위치할 수 있도록 놓는다.

> **MEMO**
>
> 검사의 설명은 ① 검사시간 ② 통증을 동반하지 않는 것 ③ 초음파 gel을 사용하는 것 등을 전달한다. 긴장상태로 입실하는 환자도 적지 않기 때문에, 검사 설명은 환자를 진정시키는 의미에서도 중요하다.

3 문진

환자로부터 임상증상이나 천자위치 등의 확인을 한다. 환자와의 대화를 통해서 진료기록이나 의뢰문서에서는 얻을 수 없었던 정보를 얻는 경우도 있기 때문에 검사 시의 대화는 중요하다.

표 3-2 혈관통로에 흔히 발생하는 문제와 합병증

투석 시의 문제	혈관통로의 합병증
• 혈액유입 불량(동정맥루에서 가장 흔한 문제이고 인조혈관에서는 드문 편이다.) • 정맥압 상승(인조혈관에서 발생빈도가 높다.) • 천자곤란 • 지혈곤란	• 협착이나 폐색 • 정맥고혈압증(상완동맥 표재화에서는 발생하지 않는다.) • 동맥류의 크기 증가 • 감염 • 스틸 증후군(상완동맥 표재화에서는 발생하지 않는다.) • 과잉 혈류 shunt (상완동맥 표재화에서는 발생하지 않는다.)

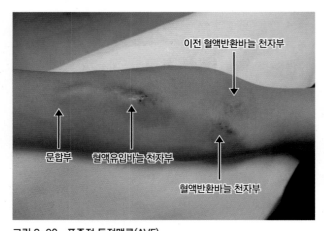

그림 3-90 표준적 동정맥루(AVF)
(문합부, 혈액유입 및 반환 천자구역의 위치를 확인한다.)

4 | 이학적 관찰

시진을 통해서 문합부, 혈액유입 및 반환 천자부, 동맥류의 형성이나 피부의 이상, 혈관의 팽대, 부종의 유무 등을 관찰한다(그림 3-90). 이학적 관찰 중에서도 동정맥루(AVF)에 있어서는 촉진이 대단히 중요하고, 문합부로부터 중추 측을 향해 혈관의 떨림(thrill)이나 혈관내압을 촉지한다. 익숙해지면, 촉진으로 혈류상태의 파악과 협착부위의 특정은 대체로 가능하다.

5 | 초음파 검사

얻어진 정보를 기초로 초음파 진단 장치를 이용해서 혈관통로를 평가하고 문제의 원인을 조사한다.

2 | 혈관통로의 평가

혈관통로의 평가에는 크게 나누어 2가지 방법이 있다. 하나는 혈관주행이나 협착의 정도 등을 평가하는 '형태평가'이다. 또 하나는 혈관통로에 흐르고 있는 혈류량이나 혈액 흐름의 어려움 등 혈류의 상태를 평가하는 '기능평가'이다. 초음파검사는 기능평가와 형태평가를 함께 할 수 있다는 큰 장점이 있다. 혈관통로 초음파검사에서는 우선 기능평가에 의한 혈류상태를 파악한다. 다음으로 형태평가에서 혈관의 주행, 협착 및 폐색 병변을 조사하여 임상증상의 원인을 특정한다.

	I형	II형	III형	IV형	V형
파형	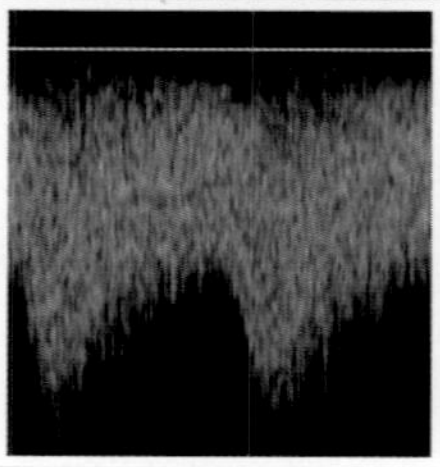	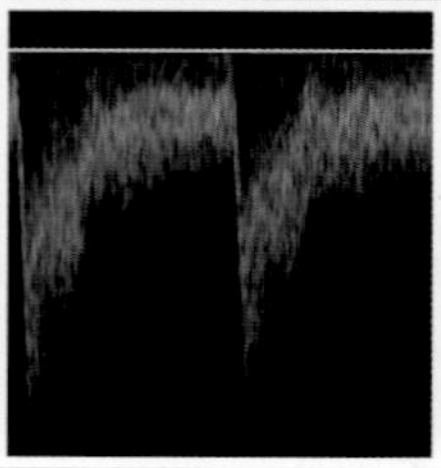	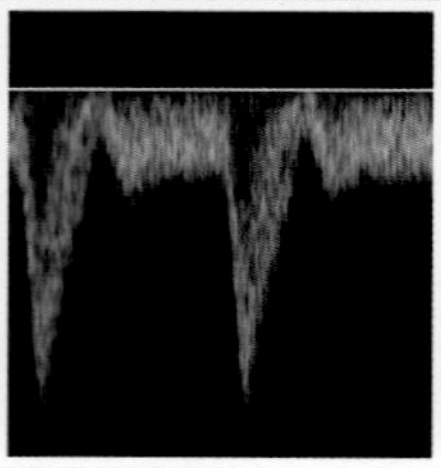	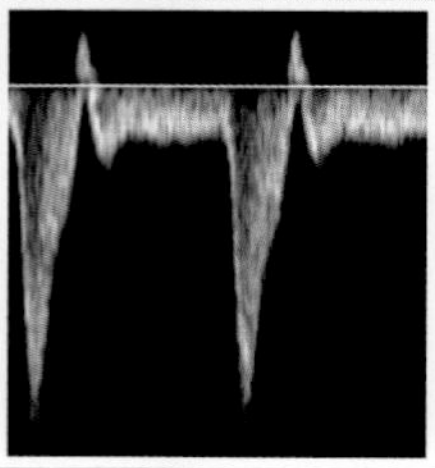	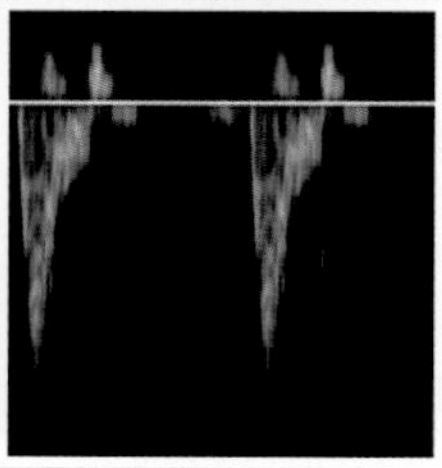
수축기	가파른 상승 후 확장기로 이어짐	가파른 상승에서 일시에 급속히 저하	급속히 저하하고 절흔(notch)을 나타낸다.	절흔과 함께 역류 성분이 나타난다.	IV형과 같은 모양으로, 역류성분을 나타낸다.
확장기	완만하게 저하	완만하게 저하	줄어들고 약해짐	줄어들고 약해짐	소실
병변의 유무	대부분 협착이나 폐색이 있다고 판단하지 않는다.	협착률 50% 미만	협착률 50% 내외	협착률 50% 이상	혈관통로 완전폐색
보충	측부정맥이 발달되어 있는 증례에서는, 협착의 유무를 완전하게 배제할 수 없다.				

그림 3-91 동정맥루(AVF)에 있어서 상완동맥(brachial artery) 유속 파형 패턴 분류

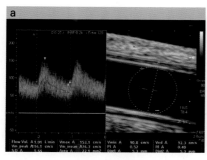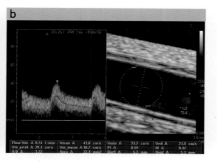

그림 3-92　인조혈관(AVG)의 기능평가

a: 혈류량 1,010 ml/min, RI: 0.40
b: 혈류량 240 ml/min, RI: 0.42 (협착의 진행에 의해 혈류량이 저하해도 RI는 거의 변화하지 않는다.)
a와 **b**는 동일증례

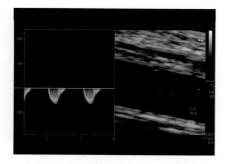

그림 3-93　상완동맥(brachial artery)에서의 협착후 파형(post-stenotic pattern)

수축기최고혈류속도(PSV)가 저하하고, 상승초기부터 최고혈류속도까지의 시간(acceleration time: AcT)이 연장된다.

3　기능평가

1　동정맥루(AVF)

동정맥루(AVF)에 있어서 기능평가는 상완동맥(brachial artery)혈류량과 저항지수(RI: resistive index)에 의한 평가가 일반적으로 최선의 지표라고 생각된다. 본원에서는 상완동맥(brachial artery)혈류량과 RI에 더해서 펄스 도플러법에 의한 혈류유속파형의 패턴으로도 동정맥루(AVF)의 평가를 하고 있다(그림 3-91).

2　인조혈관(AVG)

인조혈관(AVG)의 기능평가는 상완동맥이나 인조혈관 내의 혈류량을 지표로 한다. 인조혈관(AVG)은 협착병변에 의해 혈류량이 감소되어도 RI는 거의 변화하지 않는 경우가 있기 때문에 본원에서는 인조혈관(AVG)의 기능평가로 RI를 이용하지 않고 있다(그림 3-92).

3　상완동맥 표재화(brachial artery superficialization)

상완동맥 표재화(brachial artery superficialization)의 기능평가는 혈류유속파형을 관찰한다. 펄스 도플러에 의한 혈류유속파형이 협착후 파형(그림 3-93)을 보이는 경우에는, 측정부보다 중추 측의(upstream의) 액와동맥이나 쇄골하동맥의 협착 또는 폐색이 의심된다.

4　환자정보의 수집

혈류량은 펄스 도플러에서 혈류속도를 구하고, 혈관 단면을 원형으로 가정했을 때의 단면적을 곱해서 산출한다. 아래에 혈류량 측정의 순서를 제시한다.

① 상완동맥(brachial artery)이나 인조혈관을 장축상으로 묘출한다(그림 3-94-a).
② 화면을 적절히 확대한다(그림 3-94-b).
③ 혈관벽을 명료하게 묘출한다.
④ 펄스 도플러를 입사한다(그림 3-94-c).
⑤ 샘플 볼륨의 위치와 폭을 설정한다.
⑥ 혈류와 펄스 도플러파의 입사각도를 60도 이내로 한다(그림 3-94-d).
⑦ 단층상(B mode image)을 확대한다(그림 3-94-e).
⑧ 1 ~ 3 cycle 심박의 혈류 유속 파형을 trace한다(자동 trace가 권고된다)(그림 3-94-f).
⑨ 혈관 내경을 측정한다(그림 3-94-g).

(사용하는 초음파 진단장치에 따라 순서는 조금 다르다. 또한, 사전에 혈류량과 RI를 계산하는 장비설정이 필요한 경우가 있다.)

혈류량 측정의 테크닉과 요점은 아래에 설명한다.

> ONE POINT ADVICE
> 부정맥(arrhythmia)이 있는 증례에 있어서는 가능한 혈류 유속 파형이 등간격으로 안정된 구간을 선택하고, 복수의 심박 cycle에서 혈류량을 산출한다(그림 3-95).

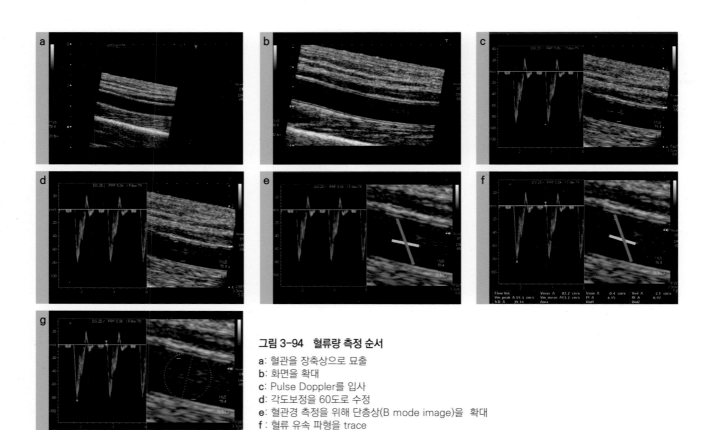

그림 3-94 혈류량 측정 순서

a: 혈관을 장축상으로 묘출
b: 화면을 확대
c: Pulse Doppler를 입사
d: 각도보정을 60도로 수정
e: 혈관경 측정을 위해 단층상(B mode image)을 확대
f : 혈류 유속 파형을 trace
g : 혈관경을 측정

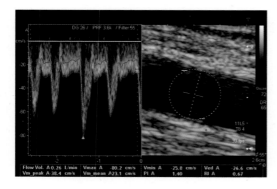

그림 3-95 부정맥 증례에 있어서는, 복수의 심박 cycle을 trace
하여 혈류 유속 파형 분석을 한다.

5 형태평가

형태평가의 목적은, 혈관통로 기능부전의 원인 병변을 평
가하고, 혈관주행을 전체적으로 파악하는 것이다. 동정맥루
(AVF), 인조혈관(AVG) 모두 혈관주행은 장축상과 단축상을
함께 시행한다. 또한, 해상도가 높고 컬러 도플러의 blooming
artifact의 발생이 적은 Dynamic Flow (도시바 메디칼 시스템즈
사), Directional-eFlow (Aloka사), B-Flow (GE 헬스케어), Fine

Flow (히타치메디코사) 등의 기능을 이용하면 혈관주행의 파악
이나 협착병변의 검색이 용이하다.

1 동정맥루(AVF)

동정맥루(AVF)의 형태평가는 동맥~문합부~정맥의 순으
로 스캔한다.

① 동맥계의 관찰

상완동맥(brachial artery)으로부터 말초 측을 향해 스캔하
고 문합한 유입동맥을 관찰한다. 관찰 항목은 혈관 직경, 석
회화나 내막비후의 유무, 협착의 검색과 평가 등이다. 또한,
팔꿈치관절 부위에서 상완동맥(brachial artery)이 요골동맥
(radial artery)과 척골동맥(ulnar artery)으로 분지하는 것을 확
인한다. 종종 상완동맥(brachial artery)이 중추 측에서 고위 분
지하는 증례가 있기 때문이다.

② 문합부의 관찰

문합부의 관찰은 동맥, 문합부, 정맥을 하나의 화면으로
묘출하면 문합형태(단측문합이나 측측문합 등)나 문합부의
협착병변을 관찰하기 용이하다.

③ 정맥계의 관찰

문합부에서 중추 측 방향을 향해서 정맥을 관찰한다. 정맥은 문합부로부터 5 cm 이내가 협착의 호발부위이다. 요골동맥(radial artery)-요측피정맥(cephalic vein) 문합의 동정맥루(AVF)에 있어서는 요측피정맥을 중추 쪽을 향해서 스캔한다. 팔꿈치 관절보다 약 2 cm 아래에서 관통정맥(perforating vein)과 만난 후에, 주정중피정맥(median cubital vein)과 상완 요측피정맥(cephalic vein)으로 분지하는 데, 팔오금 부위의 정맥 주행은 다양한 경로를 보일 수 있다. 본원에서는 보통은 상완 중간부 정도까지 관찰하지만, 정맥고혈압증이나 정맥압상승을 보이는 증례에서는 액와정맥보다 중추 쪽의 중심정맥 영역, 또는 상완 요측피정맥이 쇄골하정맥과 합류하는 부위(cephalic arch)도 관찰한다. 특히 문합부가 주와부(cubital area)에 있는 brachio-cephalic AVF (상완동맥-요측피정맥 동정맥루)의 경우에는 유출 정맥이 상완의 요측피정맥(cephalic vein)뿐이므로 요측피정맥궁(cephalic arch)에 협착이 자주 발생하며 자세한 관찰이 필요하다.

2 | 인조혈관(AVG)

인조혈관(AVG)의 형태평가는 유입 동맥~동맥측 문합부~인조혈관~정맥측 문합부~유출로정맥의 순으로 스캔을 실시한다. 인조혈관(AVG)은 동정맥루(AVF)와 달리 혈관주행이 단순해서 협착의 호발부위는 유출로정맥이 압도적으로 많다. 그외 협착 호발부위는 인조혈관의 천자부나 동맥 문합부 주변의 인조혈관 유입부 등이다.

3 | 상완동맥 표재화(brachial artery superficialization)

상완동맥 표재화(brachial artery superficialization)의 형태평가는 표재화된 상완동맥이 관찰대상이 된다. 상완동맥 표재화에서의 임상적 문제는 천자곤란이 많고 그 원인 조사로는 혈관의 크기, 깊이, 벽재혈전이나 석회화의 유무를 관찰한다. 또한, 장기간 사용에 의한 동맥류를 형성하기 쉽기 때문에 그에 대한 평가도 실시한다.

6 | 협착병변의 평가

협착병변은 주로 장축단면에서 혈관경을 계측하는 것에 의해 평가를 실시하지만, 혈관 주행이 곧지 않은 경우도 있어서 단축단면에 의한 관찰을 함께 시행한다. 협착 직경이 2 mm 정도이면 혈류저하에 영향을 주고, 1.5 mm 미만에서 치료를 고려하지만, 혈관 직경 평가만으로 치료대상을 결정하지는 않으며, 임상증상과 혈역학적 기능이상도 동반되어 있는 지 반드시 고려해야 한다.

협착부와 그 상류부(upstream)의 최대유속(PSV)의 차가 두배 이상이면 유의한 협착으로 평가하는 방법과, NASCET (North American Symptomatic Carotid Endarterectomy Trial) 법에 의한 협착률이 50% 이상이면 유의협착으로 평가하는 방법이 있다. 그러나 상기 정의에 의한 협착병변의 평가는 혈류가 양호하고 임상적으로 증상이 없는 혈관통로에서도 존재하는 경우가 많기 때문에, 상기 정의에 의해서 협착에 해당되는 지 아닌 지는 그다지 중요하지 않다.

7 | 혈관통로의 임상적 문제에 대한 관찰 포인트

혈관통로에 흔히 발생하는 임상적 문제에 대한 형태관찰의 요점을 아래에 설명한다.

① 혈액유입불량

유입혈관이나 천자부의 상류측(upstream)에 존재하는 협착 또는 폐색병변에 대한 조사와 평가를 실시한다. 혈류는 양호하나 분지혈관으로 혈액이 분산되어서 유입불량을 초래하는 일도 있기 때문에 어느 혈관에 혈액이 많이 흐르고 있는지를 도플러 등으로 확인할 필요가 있다.

② 정맥압(혈액반환압) 상승, 지혈곤란

혈액반환바늘 천자부 혹은 천자부보다 하류(downstream)측에 존재하는 협착이나 폐색병변을 검사한다. 협착병변보다 상류 측(upstream)의 혈관내압이 높아져 있으므로, 촉진이나 탐촉자에 의한 압박으로 혈관내압을 확인한다.

③ 천자곤란

천자부 혈관의 크기나 깊이, 사행의 유무, 석회화나 벽재혈전의 유무를 확인한다. 또, 천자침의 tip이 위치하는 부위에 협착이나 정맥 판막 등이 있는지를 관찰한다.

8 검사의 타당성 확인

검사를 완료하기 전에, 신뢰성이 높은 데이터를 도출할 수 있었는지, 검사목적에 맞는 평가가 이루어졌는지, 임상증상의 발생원인을 뒷받침하는 정보를 얻었는지, 이전 검사와의 비교가 가능했는지 등을 확인한다.

9 리포트 작성

리포트 작성의 목적은 검사정보를 정확하고 신속하게 의뢰인 측에 전달함에 있다. 따라서 리포트는 간결하면서도 검사자 외의 다른 사람이 보기에도 알기 쉽게 작성하는 것이 중요하며, 의뢰목적에 대한 명확한 해답과 함께 이전 검사소견과의 비교도 기재하는 것이 필요하다. 혈관통로의 전체적인 경로를 모식도(schema)로 그리는 것이 검사자 이외의 사람에게도 정확한 정보를 전달하는 데 도움이 된다.

한편, 혈관주행의 파악이 곤란한 경우나 신뢰성이 높은 데이터를 도출하기가 어려운 경우, 임상증상의 발생원인을 특정하기 곤란한 경우 등에 있어서도 그 취지나 의미를 리포트에 반드시 기재한다.

● 참고문헌

1) 小林大樹ほか：超音波パルスドプラ法における血流速波形とシャント狭窄との関連性について．腎と透析63巻別冊アクセス，189～192，2007．

3 혈관초음파와 혈관통로(Vascular access)

2 혈관통로 초음파의 기초
④ 혈류, RI

개요

혈류량이나 저항지수(RI: resistive index)를 이용한 기능평가는 혈관통로의 상태를 파악함에 유용하고, 그 의미는 상당히 크다. 그러나 통일된 방법은 확립되어 있지 않고 각 시설이 독자의 방법으로 실시하고 있는 것이 현상태이다. 여기에서는, 기능평가의 의미와 신뢰성이 높은 데이터를 얻기 위한 테크닉을 설명한다.

1 혈관통로 초음파검사에 있어서 기능평가의 임상적 의의

기능평가는, 혈관통로가 혈액투석을 충분히 시행하는 것이 가능한 능력을 갖고 있는지 평가하는 것이다. 아래에 대표적인 혈관통로 기능평가의 임상적 의의를 제시한다.

1 혈류저하에 대한 평가

동정맥루(AVF)의 혈류저하는 투석효율의 저하뿐만 아니라 폐색의 risk도 높아지기 때문에 조기발견이 중요하다. 혈류저하 원인의 대부분은 정맥의 협착에 의한 것으로 그 검출과 평가는 중요하다. 그러나 투석 시에 문제가 없는 혈관통로에 있어서도 협착병변을 갖고 있는 증례는 많아서 협착의 평가만으로는 혈관통로의 상태를 파악하는데 한계가 있다. 한편, 기능평가는 혈류저하에 의한 임상증상을 상당히 잘 반영하고, 치료시기 결정 등에 중요한 정보가 된다. 따라서, 기능평가는 협착 병변이 혈관통로의 혈류에 어느 정도의 영향을 미치고 있는 지를 확인할 수 있는 방법으로서 매우 중요한 지

표가 된다. 기능평가가 불량하다면, 대부분의 증례에서 협착이나 폐색병변이 존재하고 있기 마련이므로 그것을 전제로 해서 형태평가를 실시할 수 있기 때문에 진단능력의 향상, 검사의 효율화를 도모할 수가 있다.

인조혈관(AVG)은 동정맥루(AVF)보다 폐색의 risk가 높고 임상증상이 나타나기 어렵기 때문에 세심한 모니터링이 필요하다. 인조혈관(AVG)에서도 정기적으로 혈류량을 감시하여 혈류량 감소 여부를 조기에 발견하도록 한다.

2 과잉혈류에 대한 평가

기능평가의 지표 중에서도 혈류량은 혈류량 감소 증례뿐 아니라 과잉혈류 shunt에 대해서도 유효하다. 일본투석의학회의 [만성 혈액투석용 혈관통로(vascular access)의 조성 및 치료에 관한 가이드라인]에서도, 과잉혈류 shunt에 대해서 혈류량을 모니터링 하는 것을 추천하고 있다.

2 기능평가의 측정부위에 대해서

1 동정맥루(AVF)

동정맥루(AVF)에서 기능평가의 지표를 측정하는 부위는 시설에 따라 다른 현실이지만 상완동맥(brachial artery)을 선택하는 것이 안정성, 재현성의 관점에서 최선이라고 생각된다. 다만, 상완동맥(brachial artery)혈류량은 동정맥루(AVF)의 기능을 예민하게 반영하지만 혈관통로 그 자체의 혈류량은 아니라는 것을 인식하지 않으면 안된다.

표 3-3 기능평가의 측정부위

상완동맥(brachial artery)에서의 기능평가	요골동맥(radial artery)에서의 기능평가	동정맥루에서의 기능평가
• 말초동맥과 비교해서 크고, 혈관 직경의 측정 오차가 혈류량에 주는 영향이 적다. • 말초동맥과 비교해서 석회화가 적다. • 수장동맥궁(palmar arch)으로부터 우회하여 동정맥루에 공급되는 혈류도 포함할 수 있다(그림 3-96). • 척골동맥(ulnar artery) 문합의 동정맥루에 있어서도 평가가 가능하다.	• 수장동맥궁(palmar arch)으로부터 우회하여 동정맥루에 공급되는 혈류를 포함할 수 없다. • 석회화가 심한 경우가 흔하고, 그런 경우에는 측정이 곤란하다(그림 3-97). • 상완동맥(brachial artery)과 비교해서 가늘고, 혈관 직경의 측정 오차가 혈류량에 주는 영향이 크다. • RI를 이용한 평가가 어렵다. (RI가 그다지 반영되지 않는다)(그림 3-98).	• 문합부 근처의 정맥은 난류, 제트류가 발생해 혈류가 안정되어 있지 않다(그림 3-99). • 정맥이 압박되기 쉬워서 혈관 단면이 정확한 원형을 이루지 않는 경우가 많다(그림 3-100). • 분지 혈관이 있는 경우에는 정확한 평가가 곤란하다. • 문합부 직상부의 정맥에 협착이 발생하기 쉽고, 혈류량 측정이 곤란하다. • RI의 평가를 할 수 없다.

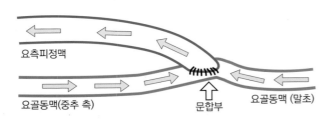

그림 3-96 동정맥루(AVF)문합부의 혈행동태

동정맥루로 유입하는 혈액은 요골동맥(radial artery)으로부터 뿐만이 아니고 척골동맥(ulnar artery)으로부터 수장동맥궁(palmar arch)을 우회해서 유입하는 증례도 많다.

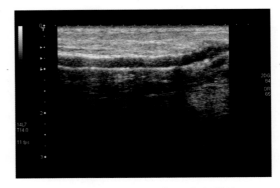

그림 3-97 요골동맥(radial artery)의 초음파단층상

요골동맥은 석회화가 심한 경우도 많아서 혈관내벽이 명료하게 묘출될 수 없기 때문에 정확한 혈관경의 계측이 곤란하다.

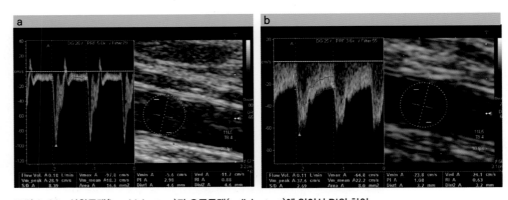

그림 3-98 상완동맥(brachial artery)과 요골동맥(radial artery)에 있어서 RI의 차이

a: 상완동맥에서의 평가(RI: 0.88).
b: 요골동맥에서의 평가(RI: 0.64). 고도의 협착병변이 존재해도 요골동맥은 RI를 그다지 반영하지 않는다.
(a와 b는 동일 증례)

기능평가를 요골동맥이나 동정맥루에서 측정하는 선택지도 있으나 동정맥루의 혈행동태를 고려하면 그 부위에서의 측정은 정확도와 재현성 면에서 표준적 검사법으로 이용하는 데는 문제점이 많다. 특히, 동정맥루에서의 혈류량 측정은 혈류 profile이 복잡해서 안정되어있지 않거나, 혈관 단면이 원형이 되기 어렵기 때문에 정밀하게 측정하기는 어렵다. 기능평가를 상완동맥에서 측정하는 이유와 다른 측정부위에서 평가하는 경우에 있어서의 문제점을 **표 3-3**에 제시하였다.

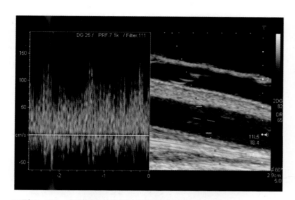

그림 3-99 동정맥루 정맥의 혈류유속파형의 묘출

동정맥루 내의 혈류는 난류에 의해 안정되어 있지 않은 경우가 많다.

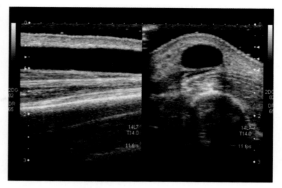

그림 3-100 정맥의 묘출

탐촉자에 의한 압박을 억제해도 정맥은 타원형으로 되어있는 일
이 많기 때문에 혈류량 측정이 부정확한 경우가 많다.

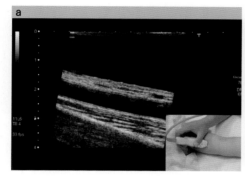
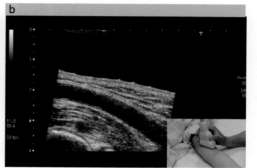

그림 3-101 기능평가를 시행하는 상완동맥(brachial artery)의 부위

a: 상완 중간부위의 상완동맥
b: 주관절부(팔꿈치 부위) 상완동맥

표 3-4 상완동맥에서의 측정부위의 비교

측정부위	장점	단점
상완 중간부	• 주행이 비교적 직선이기 때문에 혈류가 안정되어 있다. • 혈관에 대해 초음파빔이 수직으로 닿기 때문에 혈관벽이 명료하게 묘출된다.	• 혈관주행이 깊은 경우나 석회화가 심한 경우는 도플러 민감도가 저하되어 측정이 곤란한 경우가 있다.
주관절부 (팔꿈치관절 부위)	• 주관절부의 상완동맥은 주행이 얕고 도플러의 민감도가 좋다 • 주행이 arch형이므로 pulse파의 각도보정을 60도 이내로 하는 것이 용이하다.	• 혈관벽에 대해 초음파빔이 수직으로 닿기 어려워서 혈관벽을 명료하게 묘출하기 어려운 경우가 있다. • 주행이 arch형이므로 혈류가 상완 중간부에 비해 안정적이지 않다. • 동맥이 근육을 타고넘듯이 주행하므로, 근육 등에 의해 압박이 되면 타원형이 되는 경우가 있다.

① 상완동맥(brachial artery)의 측정부위에 대해서

　본원에서는 기능평가의 측정부위로서 상완 중간부의 상
완동맥(brachial artery)에서 실시하고 있으나(그림 3-101-a)
팔꿈치관절 부위의 상완동맥에서 측정하고 있는 시설도 있다
(그림 3-101-b). 상완 중간부와 팔꿈치관절 부위에서의 측
정에 대한 비교를 표 3-4에 제시한다.

　혈류량은 혈관의 단축단면이 원형이라고 가정해서 산출하
고 있기 때문에 근육 등의 압박에 의해 타원형이 되는 경우에

는 측정부위를 변경하지 않으면 안된다(그림 3-102).

　혈류량을 측정하기에는 팔꿈치관절 부위의 상완동맥 쪽이
더 용이하다고 생각되지만, 정확도나 재현성의 측면에서는
상완 중간부의 상완동맥이 낫다고 생각되므로 일장일단이 있
다. 어느 곳을 선택하는지는 사용하는 초음파진단장치의 성
능이나 수기의 숙련도 등을 고려하게 되지만, 적어도 시설 내
에서의 통일은 필요하다.

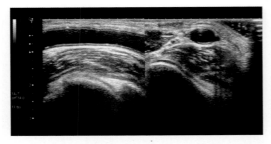

그림 3-102　주관절부(팔꿈치관절 부위) 상완동맥의 장축상 (좌)과 단축상(우)

팔꿈치관절 부위에서는 근육의 바로 위를 주행하기 때문에 압박을 받아 타원형이 되는 경우가 있다.

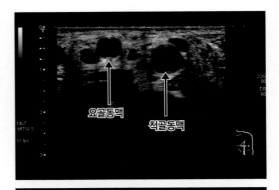

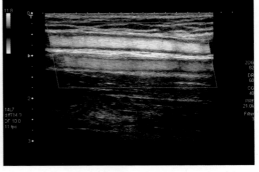

그림 3-103　상완동맥의 고위분지 증례

상완동맥이 상완 중간부에서 요골동맥(radial artery)과 척골동맥(ulnar artery)으로 이미 분지되어 있다.

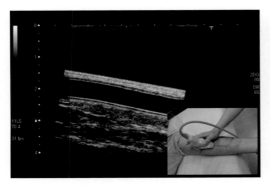

그림 3-104　인조혈관(AVG)에 있어서 기능평가의 측정부위(사진은 전완 루프형 인조혈관)

MEMO

　상완동맥 혈류량 측정 시, 혈관통로가 있는 팔의 상완동맥 혈류량에서 반대측 팔의 상완동맥 혈류량의 차이를 구해 혈관통로의 실제 혈류량에 가까운 값을 산출하는 방법도 있다. 그러나 검사가 번잡하게 되고 이론 상으로 실제 혈류량에 가까운 값을 구하는 것에 관한 의의도 명확하지 않기 때문에 본원에서는 이 방법을 사용하고 있지 않다.

ONE POINT ADVICE

　보통 상완동맥은 주관절부보다 수 cm정도 말초에서 요골동맥(radial artery)과 척골동맥(ulnar artery)으로 분지되지만, 일부에 있어서 액와부나 상완 중간부에서 분지하는 증례가 있다(그림 3-103). 그러한 증례의 대부분은 액와부에서 이미 분지되는 경우가 많기 때문에 상완동맥의 기능평가가 불가능하다. 본원에서는 요골동맥과 척골동맥의 혈류량을 측정하고 양자를 합해서 상완동맥 혈류량의 근사치로 삼고 있으나 평가방법에 관해서는 향후의 검토가 필요하다. 이와 같은 상완동맥의 고위분지 증례에서는 RI에 의한 평가는 할 수 없다.

에서 혈류량을 측정하는 경우에는 동정맥루(AVF)와 달리 혈관통로 자체의 혈류량을 측정할 수 있다.

MEMO

　본원에서는 인조혈관에서 혈류량을 직접 측정할 때에는 측정 지점을 변경하면서 여러번 측정해서 3 point의 평균치를 채용하고 있다.

ONE POINT ADVICE

　동정맥루와 인조혈관에서 혈류량을 측정할 때에는 직선으로 주행하는 혈관 부위를 선택하고, 석회화나 내막비후로 인한 협착이 없는 지점을 택하여 기능평가를 하도록 한다. 또한, 인조혈관(AVG)에서 혈류량을 측정할 때에는 가능한 천자부를 피해 인조혈관 벽의 결손이나 협착, 또는 가성동맥류 등이 나타나지 않는 부위에서 혈류량 측정을 실시하도록 한다.

---

2 │ 인조혈관(AVG)

　인조혈관(AVG)은 상완동맥이나 인조혈관에서 혈류량을 측정하여 기능평가를 시행한다(그림 3-104). 인조혈관(AVG)

3 │ 혈류량

　혈류량은 일반적으로 검사자에 따른 차이나 재현성이 문제되는 경우가 많다. 그러나, 오차발생의 요인을 이해하고 훈련

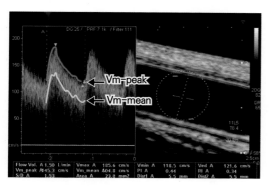

그림 3-105 2종류의 평균유속

상기 증례의 혈류량은 Vm-mean으로 산출하면 1,500 ml/min인 것에 비해서, Vm-peak로 산출하면 2,070 ml/min로 과대평가 된다

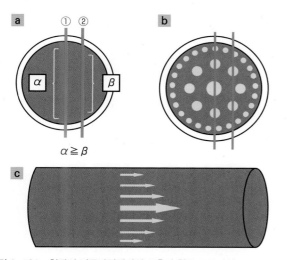

그림 3-106 혈관의 정중단면에서의 묘출과 혈류 프로파일

a: 혈관 묘출이 정중앙에서 벗어나면 혈관벽 사이의 거리는 작아진다(혈관 내경이 작게 측정된다). ①은 정중앙, ②는 정중앙에서 벗어나 있다.
b, c: 혈관내의 유속은 중심부가 가장 빠르기 때문에 정중앙으로부터 벗어나면 최대유속을 검출할 수 없다.

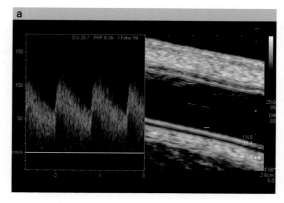

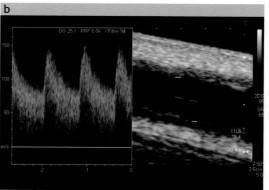

그림 3-107 혈류 안정성의 관찰

a: 혈관은 정중단면에서 묘출되고 있으나 최대유속이 검출되고 있지 않다.
b: 탐촉자를 약간 옆으로 슬라이드시키면 최대유속이 검출되지만, 혈관을 정중단면에서 묘출할 수 없다.

을 축적하여 신뢰성이 높은 데이터를 얻을 수 있다. 또, 고혈류량의 증례(예를 들면, 혈류량 1,500 ml/min 이상)에서는 다소 오차가 크게 되지만, 고혈류량 증례일수록 어느 정도의 오차는 임상적으로는 문제가 되지 않고, 경계영역의 증례(예를 들면, 동정맥루에서 상완동맥 혈류량 300~500 ml/min)에서 정확하게 측정하는 것이 중요하다.

1 | 혈류량의 산출

혈류량의 산출식을 아래에 표시한다.

혈류량(ml/min) = Vm-mean (cm/s) × area (cm²) × 60 (s)

Vm-mean: 평균혈류속도의 시간-적분값

area: 혈관단면을 원형이라고 가정하고 구한 단면적

① 혈류량 산출에 이용하는 평균혈류속도에 대해서

초음파진단장치에 의해 산출되는 평균유속은 mean trace에 의해 산출되는 Vm-mean과 peak trace에 의해 산출되는 Vm-peak의 2종류가 있으나(그림 3-105) 혈류량 산출에 이용하는 평균유속은 반드시 Vm-mean이 아니면 안된다. Vm-peak을 이용하면 반드시 과대평가를 하게 된다.

Vm-mean: Spectral wave analysis의 x축(time)에서 각 시점의 평균유속에 대한 특정 범위(예를 들어, 1 cycle의

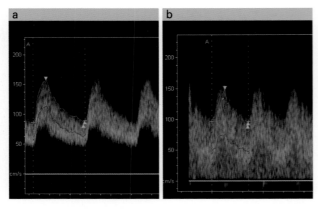

그림 3-108 혈류의 안전성
a: 혈류가 안정되어 있는 부위에서는 층류로 되어 있다.
b: 혈류가 다소 불안정하여 난류가 섞여 있다.
a, b 모두 wall filter의 설정은 동일하다.

심박)의 평균값

Vm-peak : Spectral wave analysis의 x축(time)에서 각 시점의
최대유속에 대한 특정 범위의 평균값

> **MEMO**
>
> CRIT-LINE III (CLM-III , FMC 사) 또는 HD03(Transonic 사)로 측정한 혈류량과 초음파 펄스 도플러법으로 측정한 혈류량의 비교 검토에 있어서[6] Vm-peak을 이용했을 때보다 Vm-mean을 이용한 값이 CML-III 또는 HD03과 근사하고 좋은 상관을 나타내므로 초음파 펄스 도플러법에 의한 혈류량 측정은 Vm-mean을 이용해야 한다

② 혈류량 측정 정확도의 향상을 위해서

혈류량을 측정할 때 주의해야 하는 point를 아래에 나타냈다. 이러한 점을 의식하면서 훈련해야 정확도 좋은 측정을 할 수가 있다.

<측정시의 point>

a: 혈관 단축단면이 원형인 것을 확인한다.
b: 혈관 장축상에서는 정중단면에서 묘출한다.
c: 혈관 내의 혈류가 안정되어 있는지를 확인한다.
d: 샘플 볼륨 폭은 혈관벽을 포함하지 않는 범위에서 가능한 크게 설정한다.
e: 도플러 펄스 파의 입사각은 60도를 넘지 않도록 각도 보정을 한다.
f: 혈관 직경을 정확하게 측정한다.

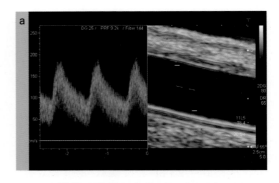

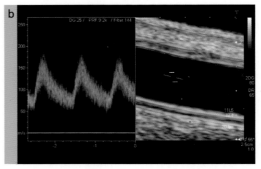

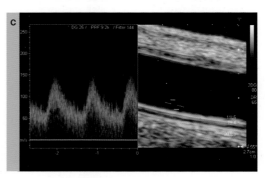

그림 3-109 샘플 볼륨의 설정
a: 적절한 샘플 볼륨 폭
b: 샘플 볼륨 폭이 좁아서 중심부의 빠른 유속 성분 밖에 검출하지 못한다.
c: 혈관벽 부근은 유속이 느리다.

a: 혈관 단축단면이 원형인 것을 확인한다.

혈류량은 단축단면이 원형인 것을 전제로 산출되기 때문에 그 조건을 만족시키지 않는 경우는 측정부위를 변경한다.

b: 혈관 장축상에서는 정중단면에서 묘출한다.

혈류량 측정에 있어서 혈관을 정중단면에서 묘출할 수 없으면 혈관경을 과소평가해 버린다(**그림 3-106-a**). 또 혈류가 안정된 부위에서는 혈관의 중심부가 가장 유속이 빠르기 때문에 정중단면에서 묘출할 수 없으면 최대유속을 얻을 수가 없으므로 혈류량의 과소평가로 연결된다.

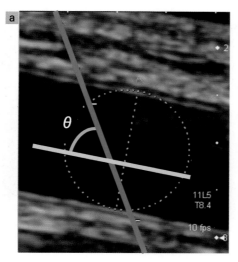

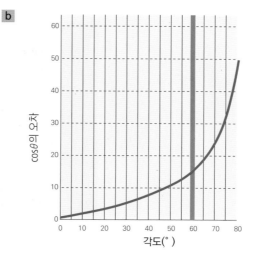

그림 3-110 혈류 속도 산출시 각도보정

a: 혈류와 초음파 빔이 이루는 각도는 60도 이내로
설정한다($\theta \leq 60°$). (▭: indicator).

b: 각도보정이 60도를 넘으면 ($\theta > 60°$), 급격히 오차
가 커지게 된다.

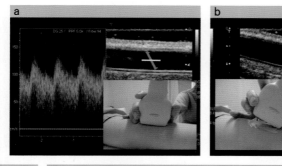

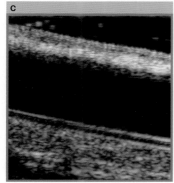

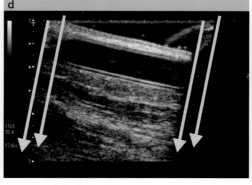

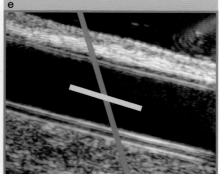

그림 3-111 펄스 도플러의 입사각을 60도 이내로 각도보정한 상태에서 민감도를 향상시키는 방법

a: 펄스 도플러의 angle correction 기능을 사용해서 각도보정을 60도 이내로 한다. b: 혈관을 기울여 묘출해서 펄스 도플러의 indicator(혈관 내 노란색 선)
를 혈류 방향과 평행하게 한다. c: B mode 초음파 빔이 혈관벽에 수직으로 닿아 있지 않다. d: B mode beam steering 기능을 이용한다. e: 혈관벽에 B
mode 초음파 빔이 수직으로 닿아 있기 때문에 혈관벽이 명료하게 묘출된다.

c: 혈관 내의 혈류가 안정되어 있는 지를 확인한다.

주변에 혈관의 사행, 내막비후나 석회화 등이 존재하면 혈
류가 안정되지 않고 묘출된 화상의 중심부가 최대유속이 되지
않는 경우가 있다(그림 3-107-a, b). 그와 같은 부위에서의

혈류량 측정은 피하고 측정부위를 변경하는 것이 좋다. 혈류
의 안정성을 확인하기 위해서는, 혈류유속파형을 묘출한 뒤
에 탐촉자(probe)를 정중단면에서 조금씩 옆으로 슬라이드시
켜 이동하면서(그림 3-106-a ②의 방향으로 슬라이드하여) 혈류

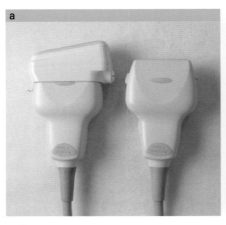
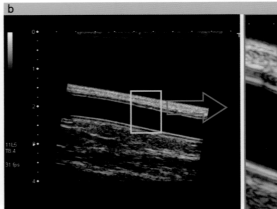
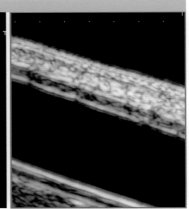

그림 3-112   water coupler를 사용한 혈관묘출
a: water coupler를 장착(좌), 미장착(우), b: water coupler장착 시의 혈관묘출

유속파형을 관찰하고 정중단면에서 묘출했을 때 가장 유속이 빠른지를 확인한다. 또한, 혈류량 측정 시에는 가능한 혈류유속파형이 층류(laminar flow)로 되어 있는 지점을 선택하기 위해 노력한다(그림 3-108).

d: 샘플 볼륨의 적절한 설정

샘플 볼륨의 폭은 혈관벽을 벗어나지 않는 범위에서 최대 폭까지 확대해서 빠른 유속 성분에서 느린 성분까지 검출해야 한다(그림 3-109-a). 샘플 볼륨의 폭을 좁게 하여 혈관 중심부에 두면 고속혈류만을 검출하여(그림 3-109-b) 혈류량이 과대평가된다. 혈관벽 주변은 중심부에 비해 유속이 느리므로 샘플 볼륨이 한쪽 벽에 치우치면 안된다(그림 3-109-c).

e: 도플러 펄스 파의 각도보정

펄스 도플러법에서는 입사각도에 따라 Doppler shift값이 다르기 때문에 각도보정을 적절히 하지 않으면 정확한 유속을 구할 수 없다. 도플러 입사각 θ의 각도가 크게 될수록 오차가 커진다. 특히, 각도보정이 60도를 넘으면 그 오차가 급격히 커지기 때문에 각도보정은 반드시 60도 이내로 한다(그림 3-110).

<각도보정을 60도 이내로 하기 위한 요령>

혈류의 방향에 대해 펄스 도플러 초음파의 입사각을 60도 이내로 하기 위해서는 도플러 빔의 slant 기능(angle correction)이 필수이다(그림 3-111-a). 다만, 지나치게 예각으로 입사시키면 민감도가 저하되기 때문에 혈관주행이 깊은 경우나 석회화가 심한 경우 등에서는 측정이 곤란하게 된다. 따라서, 민감도가 지나치게 저하되지 않는 범위에서 angle correction 설정을 하되 탐촉자(probe) 자체를 기울여서 혈관을 비스듬하

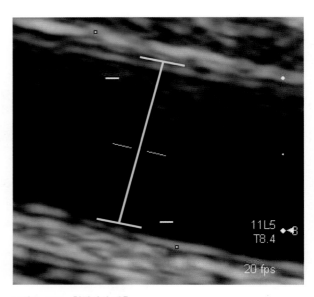

그림 3-113   혈관경의 계측
혈관내강과 내막면의 경계 echo의 leading edge부터 leading edge까지를 측정한다.

게 기울어진 상태로 묘출하는 것이 각도보정을 60도 이내로 유지하면서 좋은 민감도로 혈류량을 측정하는 요령이다. 혈관을 기울여서 묘출하기 위해서는 초음파 gel을 충분히 도포하여 탐촉자(probe)의 편측을 띄운 상태로 묘출한다(그림 3-111-b). 단, 혈관을 기울여 묘출하면 혈관벽에 대해 B mode 초음파 빔이 수직으로 닿지 않기 때문에 혈관벽이 명료하게 보이지 않는 경우가 있다(그림 3-111-c). 이런 경우에는, B mode 초음파 빔의 slant 기능(beam steering)을 이용해서 혈관벽에 수직으로 초음파 빔이 닿도록 하여 혈관벽을 명료하게 묘출한다(그림 3-111-d, e).

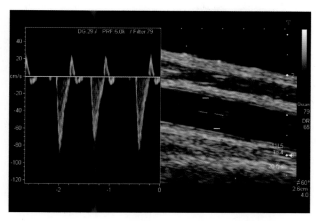

그림 3-114　혈관통로가 존재하지 않는 상태에서의 상완동맥의 혈류
　　　　　　유속파형(확장기에는 혈류가 거의 흐르지 않는다.)

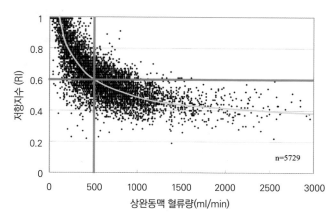

그림 3-115　상완동맥 혈류량과 RI의 상관 관계

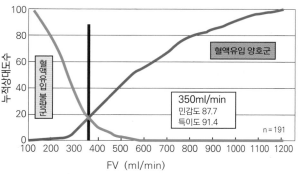

그림 3-116-a　혈액유입불량 증례와 양호한 증례에서 상완동맥 혈류량
　　　　　　　의 누적상대도수

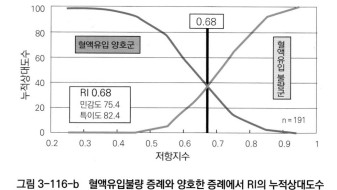

그림 3-116-b　혈액유입불량 증례와 양호한 증례에서 RI의 누적상대도수

\<water coupler의 이용\>

　탐촉자(probe)의 편측을 띄운 상태를 간단하게 설정하기 위해서 본원에서는 linear형 탐촉자에 water coupler를 장착하고 있다(그림 3-112-a). water coupler는 접촉면에 경사면이 붙어 있어, 혈관이 기울어져 묘출되기 때문에 도플러의 각도 조정을 용이하게 60도 이내로 할 수 있다. 또, 이 water coupler는 탐촉자 표면에서 접촉면까지 1.5 cm 정도의 거리가 있기 때문에(그림 3-112-b) 피부 표면에 가깝게 주행하는 혈관에서도 focus가 적절하게 맞기 때문에 water coupler를 장착하지 않았을 때와 비교하여 혈관벽이 보다 명료하게 나타나게 된다(그림 3-112-b).

f: 혈관 직경의 정확한 측정

　혈관 내경 측정 시에는 혈관 이미지를 적절하게 확대시켜서 혈관 내강과 내막면의 경계 echo의 leading edge에서 반대쪽 leading edge까지 측정한다. 이때, 혈관벽에 대하여 경사지

게(oblique하게) trace하면 혈관 직경이 과대평가될 수 있으므로 주의한다(그림 3-113).

　또한, 혈관 직경은 박동에 의해 변화하기 때문에 측정하는 시점을 시설 내에서 통일해야만 한다. 본원에서는 [초음파에 의한 경동맥 병변의 표준적 평가법][5]을 참고로 해서 확장기(혈관직경이 최소가 되는 시점)에서 직경을 측정하고 있다.

　상기 a, b, d, e, f는 장비설정이나 측정조건을 통일하여 검사자 간의 차이를 줄이도록 한다. 증례에 따라 다르지만, c가 혈류량 측정에 있어서 최대오차요인으로 생각되므로 주의가 필요하다.

4 저항지수(RI: Resistive index)

　RI는 말초 쪽(downstream) 방향으로의 혈류 흐름에 대한 저항을 반영하는 지표이다. 동정맥루(AVF) 조성 전의 상완동

맥(brachial artery)에 있어서 RI는 1.0에 가까우나(그림 3-114) 동정맥루(AVF) 조성 후에는 낮아지고, 정맥이 발달하면서 더욱 저하된다. 그러나 동정맥루에 협착이 발생하면 혈관저항이 높아지기 때문에 RI는 높아지고, 협착의 진행과 함께 동정맥루(AVF) 조성 전의 상태에 가까워진다.

<RI의 산출>

RI의 산출식을 아래에 나타낸다.

$$RI = \frac{PSV - EDV}{PSV}$$

(PSV : 수축기 최고혈류속도,

EDV : 확장말기 혈류속도)

RI는 펄스파의 입사각도에 좌우되지 않고 혈관경의 계측도 필요없기 때문에 혈류량과 비교해서 측정치에 영향을 주는 요인이 적다는 장점이 있다. 또한, 측정도 용이하기 때문에 협착병변발생의 예측이나 screening 검사에는 좋은 지표이다. 단, 측정부보다 중추(upstream)의 동맥(예를 들면, 액와동맥이나 쇄골하동맥)에 협착이나 폐색병변이 존재하는 경우에는 말초에 심한 협착이 존재해도 혈관저항이 반영되지 않기 때문에 기능평가에 이용할 수 없다. 또한, 인조혈관(AVG) 내에서의 RI 측정은 의미가 없고, 상완동맥(brachial artery)의 고위분지 증례에서도 RI로 혈행동태를 평가할 수 없다.

5 지표의 기준치

1 동정맥루(AVF)

일본투석의학회의 [만성 혈액투석용 혈관통로(vascular access)의 조성 및 치료에 관한 가이드라인]에서는 혈류량이 [500 ml/min 미만 혹은 이전의 혈류량보다 20% 이상 감소한 경우에는 협착병변이 있을 가능성이 있다]라고 되어 있다[3]. 또한, 무라카미 등은 RI의 cut-off치를 0.6으로 하면 혈액투석 시의 혈류 불량 증례에 대한 민감도가 100%에 이른다고 보고하고 있다[7].

필자들의 경험에 의하면, 상완동맥혈류량 500 ml/min과 RI 0.6이 대체로 연관성이 있고 이들 수치가 screening의 cut-off 수치로는 가장 좋다고 생각한다(그림 3-115). 그러나 이들 수치보다 불량하더라도 혈액투석 시 동맥압 저하 등의 문제를 보이지 않는 증례도 비교적 많아서 즉시 치료대상이 되는 것은 아니다. 투석 시에 혈액유입불량이 발생하는 cut-off 치는 상완동맥 혈류량이 대략 350 ml/min 부근(민감도: 87.7%, 특이도 91.4% (그림 3-116-a), RI 0.68 부근(민감도: 75.4%, 특이도: 82.4%)에서였다(그림 3-116-b). 또한, 다른 조사에서는 상완동맥 혈류량 300 ml/min 미만, RI 0.8 이상에서는 모든 case에서 치료가 필요한 대상이 되었기 때문에(그림 3-118-a, b), 상완동맥 혈류량은 약 300~350 ml/min, RI는

MEMO

RI의 산출에 있어서 위에서는 확장말기 혈류속도(EDV)를 이용하여 설명했지만, 다른 참고서에서는 최저혈류속도(Vmin)를 이용하여 구하는 경우도 있다. [초음파에 의한 경동맥병변의 표준적 평가법][5]에서는 EDV를 이용한다고 기재되어 있으나 상완동맥의 평가에 있어서 EDV를 이용하는 것이 바람직한가는 논의가 필요하다. 그림 3-117의 a에 있어서 EDV=Vmin이지만 b에서는 EDV≠Vmin이 되고 Vmin을 이용한 경우에 RI는 더 높은 수치가 된다. 또 EDV를 이용하면 그림 3-117의 a와 b의 RI는 같은 값을 나타내지만, Vmin을 이용하면 b쪽의 RI가 더 높다.

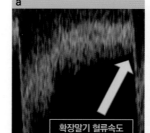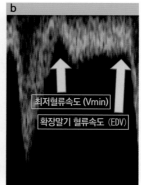

그림 3-117 RI의 산출에 이용하는 혈류속도의 차이
a: EDV=Vmin이 되고 어느 쪽을 이용해도 RI 값은 같게 된다.
b: Vmin을 이용하면 EDV를 이용했을 때보다 RI의 수치는 더 큰 값을 나타낸다. 혈관통로의 상태는 b쪽이 더 불량한 경향이 있다. (b의 경우에 협착이 있을 가능성이 더 큼)

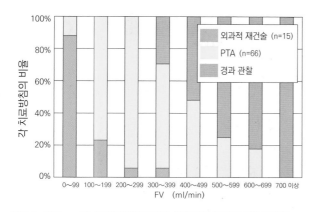

그림 3-118-a   각 치료방침의 비율과 상완동맥 혈류량과의 관련성
혈류량이 낮을수록 치료시행의 비율이 높아지고 있고, FV (flow volume) 300 ml/min 미만에서는 모든 case에서 치료하고 있다.

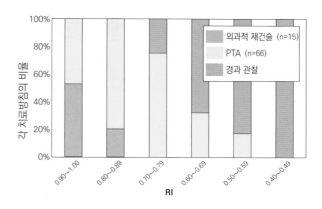

그림 3-118-b   각 치료방침의 비율과 RI와의 관련성
RI가 높을수록 치료시행의 비율이 높아지고, RI 0.8 이상에서는 모든 예에서 치료하고 있다.

0.7~0.8 정도가 유입혈류량 부족에 대한 혈관성형술(PTA) 치료를 고려할 수 있는 기준이 된다고 생각된다. 하지만, 혈류량과 RI를 이용한 치료 적응증 수립에 대해서는 향후 더 검토가 필요하다.

2 | 인조혈관(AVG)

일본투석의학회의 [만성 혈액투석용 혈관통로(vascular access)의 조성 및 치료에 관한 가이드라인]에서는 혈류량 650ml/min미만 또는 이전의 혈류량보다 20% 이상 감소한 경우에 협착병변이 있을 가능성이 있다고 하고 있다[3]. 그러나 인조혈관(AVG)의 혈류량은 이식하는 graft의 직경, 동맥이나 정맥의 상태, 심기능, 혈압, 전신상태 등에 의해서도 좌우된다. 또한, 혈류량이 양호해서 혈액투석 중에 문제가 없었는데도 불구하고 갑자기 폐색되는 경우도 드물지 않아서 일률적으로 cut-off 기준을 설정하는 것은 곤란하다. 따라서, 개인별로 혈류량의 시간 경과에 따른 변화가 중요한 정보가 되기 때문에 정기적인 혈류량의 감시가 권고된다.

정리(Summary)

혈관통로 초음파검사에 있어서 기능평가는 혈관통로의 상태를 파악하기 위해서 상당히 중요하며, 형태평가나 임상증상과 함께 종합적으로 평가하여 혈관통로의 치료방침을 정하고 관리하도록 한다. 또한, 기능평가는 수치에 의한 평가를 할 수 있으므로 객관성이 있고 시간 경과에 따른 변화를

관찰할 수 있다는 장점이 있다. 따라서 검사자는 신뢰성이 높은 데이터를 산출하기 위해 노력하지 않으면 안된다. 그렇지 않으면 수치로 평가할 수 있다는 것이 오히려 함정이 될 수도 있다는 것을 인지해야한다. 향후, 다른 센터와 데이터 공유 또는 비교를 하기 위해서는 센터 간에 통일된 검사 방법의 확립이 급선무라고 생각된다.

● 참고문헌

1) 平中俊行ほか：アクセス血流量によるグラフト内シャントの管理．腎と透析53巻別冊アクセス，24～27，2002.
2) 小林大樹ほか：アクセス血流量によるグラフト内シャントのsurveillance．腎と透析57巻別冊アクセス，118～120，2004.
3) 日本透析医学会：慢性血液透析用バスキュラーアクセスの作製および修復に関するガイドライン．透析会誌，38(9)：1491～1551，2005.
4) 山本裕也ほか：上腕動脈の高位分岐症例に対する基礎的検討．腎と透析77巻別冊アクセス，120～122，2014.
5) 佐藤　洋：血管超音波における装置設定と基本走査，アーチファクト．遠田栄一，佐藤洋編：月刊Medical Technology 別冊／超音波エキスパート1　頸動脈・下肢動静脈超音波検査の進め方と評価法，28，2004.
6) 頸動脈超音波診断ガイドライン小委員会：超音波による頸動脈病変の標準的評価法．Jpn J Med Ultrasonics，36(4)：501～518，2009.
7) 吉本勝美ほか：パルスドプラー法による人工血管内シャントの血流量測定．大阪透析研究会会誌，19(1)：31～35，2001.
8) 村上康一ほか：シャント管理における超音波パルスドップラー法の有用性について．腎と透析55巻別冊アクセス，39～43，2003.
9) 山本裕也ほか：超音波パルスドプラ法による自己血管内シャント機能評価の有用性．超音波検査技術，36(3)：219～223，2011.

3 리포트의 기재방법

총론

개요

　보고서는 검사를 의뢰한 의사와 검사자의 전달수단의 하나이며, 얻어진 정보를 적절하고 간결하게 기재하는 것이 중요하다. 그러기 위해서는 관찰해야 하는 point를 놓치지 말고 검사 중에 생긴 새로운 의문은 즉시 해결하면서 검사를 진행한다. 즉, 검사를 시행하면서 머리 속에서 보고서를 써 가는 것이 이상적이다. 아래에 본원에서 사용하고 있는 보고서와 기재에 관한 주의점을 기술한다.

1　검사목적의 파악

　의뢰목적에 딱 맞는 보고서를 제출하기 위해서는 현장에서 발생하고 있는 문제가 무엇인지 어떠한 임상증상을 호소하고 있는지를 충분히 파악해둔다. 따라서, 검사자에게는 초음파에 대한 지식뿐만 아니라 혈액투석에 대한 지식도 요구되며 다양한 임상증상의 의미를 숙지해둘 필요가 있다.

2　측정치의 신뢰성

　상완동맥의 혈류량이나 RI 수치 등에 의한 기능평가법은 객관적일 뿐만 아니라 경과적으로 평가할 수 있는 방법이지만, 측정방법에 오류가 있는 경우나 재현성이 나쁜 경우 등의 상황에서 얻어진 데이터는 신뢰성이 저하된다. 이들은 실제로 측정한 검사자만이 알 수 있는 정보이며, 반드시 그 의미를 기재해서 참고할 수 있도록 보고한다.

3　요점을 흐리는 코멘트를 피한다

　의뢰목적에 대한 해답을 간략하게 전하도록 노력한다. 정확하게 시행된 검사로 얻은 정보라도 의뢰의에게 바르게 전달되지 않으면 무의미하게 되기 때문에 오해를 부르는 표현은 피해야 한다. 또한, 의뢰목적에 부합되는 소견이 없었던 경우나 그 외에 얻은 정보, 이전 검사와의 비교에 대한 코멘트도 기재한다. 초음파 검사의 한계를 파악하고, 어디까지의 정보를 얻었는지, 그것에 의해 무엇을 제외할 수 있는지에 대한 정보도 중요하다.

4　모식도의 활용

　환자마다 혈관통로의 조성부위나 혈관주행이 다양하기 때문에 초음파검사로 얻어진 모든 정보를 문장화하는 것은 곤란하다고 생각한다. 또, 보고서를 보는 의뢰인도 문자의 나열만으로는 이해하기 힘든 경우도 있고, 최악의 경우에는 오해를 초래할 가능성도 충분히 있다. 이와 같은 이유에서, 본원에서는 적극적으로 혈관통로의 모식도를 기재하여 의사뿐 아니라 진료에 관계하는 간호사도 시각적으로 파악하기 쉽게 하고 있다.

ONE POINT ADVICE

본원에서는 보고서를 보는 쪽이 이미지화하기 쉽도록 색연필을 이용해서 동맥은 적색으로 정맥은 청색으로 기재하고 있다. 또한, 상지 전체의 template (탬플릿, 보기판)을 만들어서 스캔한 범위를 기재하고, 관찰하지 않은, 혹은 관찰할 수 없는 부위도 명확하게 하고 있다.

ONE POINT ADVICE

드물게 모식도로 표현하기에도 곤란한 증례도 있다. 그와 같은 경우에는 보고서와 함께 구두로 보고하는 것도 중요하다.

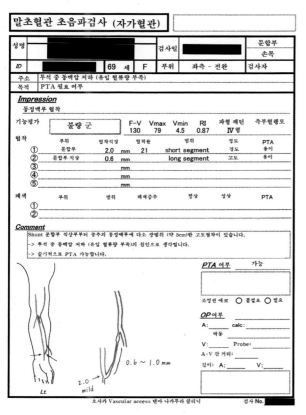

AVF

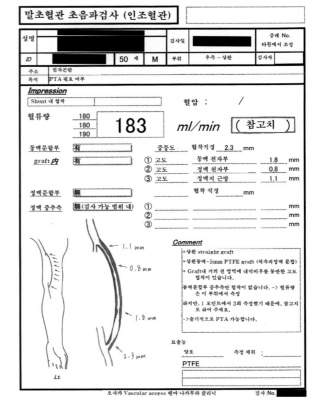

AVG

그림 3-119 보고서 양식 (AVF와 AVG)

개요

투석 중의 증상 및 이학적 소견으로 혈관성형술(PTA) 치료의 시행을 고려할 때, 구체적인 치료내용을 결정하기 위해 초음파로 확인을 하게 되며, 초음파검사 후 조영술을 하지 않은 경우에는 초음파검사 보고서가 원인 병변의 기록으로서 중요하다. 혈관통로에 대한 초음파검사에 앞서서 먼저 혈관통로의 임상적 문제를 알지 못하면 원인 병변의 동정과 적절한 검사를 할 수 없고, 따라서 정확한 보고서의 작성도 어렵다. 여기에서는 본원에서의 술전 초음파검사의 보고서 작성에 대해 설명한다. 수술이나 시술 전 초음파검사에서는 screening이 아닌, 증상에 맞춰진 단시간 스캔으로 혈관의 상태를 파악한다. 치료 계획과 경과를 상세하게 알 수 있는 보고서를 작성하도록 한다. 이렇게 작성된 보고서는 일상적 혈액투석 치료에서의 천자 방법에도 보조적으로 활용될 수 있다.

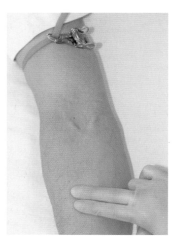

그림 3-120 촉진
손가락을 이용해서 혈관의 압력차를 촉지한다.

1 수술 또는 시술 전 초음파검사

증상(주소)에 맞추어 목표 병변부위를 예상하고 우선 촉진을 실시한다.

혈관 압력(팽팽한 느낌)의 변화를 확인한다. 검지와 중지 손가락을 이용하고, 목적 혈관을 중심으로 앞뒤로 촉진하여 혈관의 압력, 혈관 직경, 석회화, 협착부의 경화, 떨림(thrill), 박동을 촉지한다(그림 3-120). 촉진 상 압력차를 확인할 수 있는 부위가 병변부위가 된다.

① 촉진(압력차로 병변부를 확인한다.)

⇩

② B 모드 스캔(병변을 초음파로 확인하고 기록한다.)
　장축, 단축스캔

⇩

③ 컬러 도플러 스캔(난류 확인으로 병변부 동정)
　장축스캔

⇩

④ B flow, ADF, 또는 dynamic eFlow 등(혈류가 흐르는 통로와 내막의 비후를 확인하고 기록한다.)
　장축, 단축스캔

혈관통로 상태가 좋지 않은 경우에 얻어진 데이터는 실제로 측정한 검사자만이 알 수 있는 정보이며, 반드시 그에 관한 의미를 기재해서 보고한다.

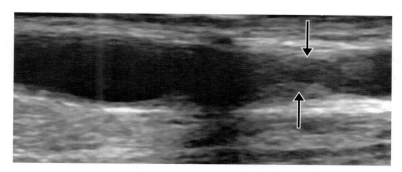

그림 3-121   B mode image

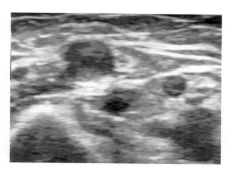

그림 3-122   B mode image

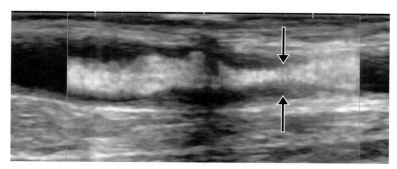

그림 3-123   Advanced dynamic flow, eFlow, B flow 등

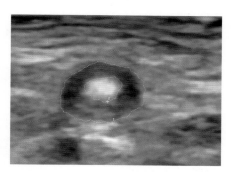

그림 3-124   Advanced dynamic flow, eFlow, B flow 등

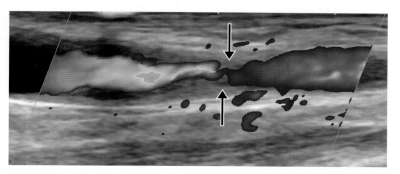

그림 3-125   Color Doppler image

1 | 혈관통로 초음파검사 시 주의할 점

본래의 혈류 관찰과 도플러 효과를 관찰하기 위해서 혈류량 측정 시 구혈대(토니켓 또는 지혈대)를 사용하지 않고 검사한다. 또, 혈관의 변형을 막기 위해서 초음파 gel을 충분히 많이 사용하고, 피부에 압력을 가하지 않도록 피부 접촉 압력은 가능한 작게 한다.

ONE POINT ADVICE
혈관통로에 대해 초음파검사를 시행할 때에는 구혈대(토니켓)를 사용하지 않는다. Gel을 충분히 도포해서 probe가 피부를 누르지 않고 살짝 닿도록 한다.

2 | 상완동맥의 혈류량 측정

상완동맥(brachial artery)의 혈류량 측정을 실시한다. 동정맥루라면 500~1,000 ml/min, 인조혈관이라면 600~1,500 ml/min이 정상범위라고 생각된다.

3 | 천자초 삽입 위치의 결정

경피적 혈관성형술(PTA) 술기를 원활하게 진행하기 위해서는 천자초(introducer)위치도 중요하므로, 초음파를 사용해서 신중하게 결정한다. Introducer의 길이, balloon의 길이, 목표병변부까지의 혈관 주행경로, 카테터의 전체 길이 등을 고려해서 천자위치를 결정하게 된다.

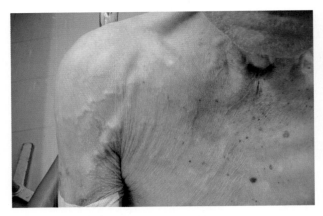

그림 3-126　중심정맥 협착에서는 체표의 정맥이 확장된다.

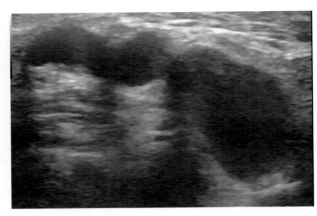

그림 3-127　초음파 영상(B mode)

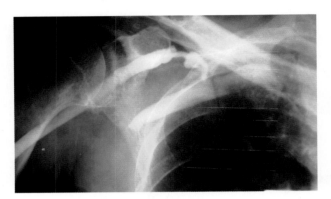

그림 3-128　쇄골하정맥 협착 증례(혈관조영술)

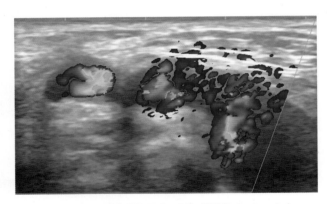

그림 3-129　쇄골하정맥 협착 증례 - 초음파영상(Color Doppler)

경피적 혈관성형술(PTA)에서는 천자초(introducer) 삽입을 위한 천자부터가 중요한 술기이다. 혈관의 크기, 사행, 피부로부터의 깊이, 분지에 존재하는 정맥 판막, 교통지(communicating vein) 등의 혈관 정보를 초음파를 이용하여 파악할 수 있으므로, 초음파 유도하에 확실하고 안전한 천자가 가능하다.

2 　증상별 point

1 　혈액유입 불량 (유입혈류량 부족)

압력차를 촉지해서 병변부를 확인한 뒤 초음파 장치를 사용해서 혈관내강의 변화를 스캔한다. B mode뿐 아니라 color Doppler mode, B-Flow (GE 헬스케어 재팬), Dynamic Flow (도시바메디칼시스템즈), eFlow (히타치 Aloka) 등을 병용하여 병변 부위를 동정하고 혈관의 직경을 기록한다(그림 3-121 ~125). 혈관 직경을 기록할 때에는 장축에서는 협착률의 측정시 오차가 나오기 쉽기 때문에 단축 스캔 초음파 영상에서

직경을 측정한다. 장축 스캔 영상에서는 협착 부위를 특정하고, 정확한 혈관의 직경을 구하려면 단축 스캔에서 측정하는 것이 바람직하다. 가이드라인에 의하면 협착률 50% 이상이 치료를 고려하는 증례가 된다.

MEMO

동정맥루(AVF)에서 협착 호발부위는 문합부로부터 5 cm 이내의 정맥이다. (Juxta-anastomotic stenosis)

ONE POINT ADVICE

문합부 자체 혹은 유입동맥에 협착이 생겼을 경우에는 촉진으로는 병변의 동정이 곤란하므로 초음파 영상을 참고한다.

2 　정맥압 항진

① 자가혈관 동정맥루

문합부로부터 중추 측의 쇄골하 부위까지 혈관의 압력차

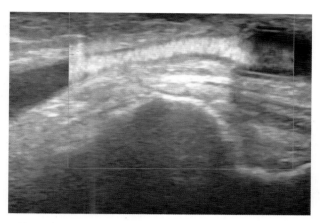

그림 3-130   인조혈관: 정맥문합부

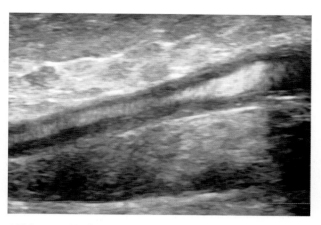

그림 3-131   인조혈관: 정맥문합부위 협착

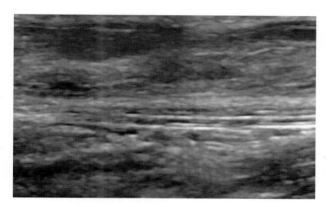

그림 3-132   인조혈관내 혈전: probe 압박(+)

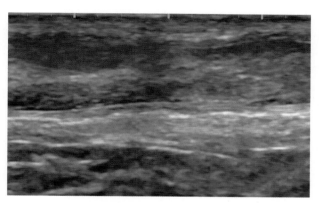

그림 3-133   인조혈관내 혈전: probe 압박(-)

및 혈액의 난류를 촉지하여 확인한다(그림 3-126). 가능한 넓은 범위에서 혈관의 압력차 부위를 확인한 후 초음파장치를 이용해서 병변 부위를 동정한다(그림 3-127). 쇄골하, 액와 등 심부의 정맥에서 혈관 촉지가 불가할 경우에는 초음파 영상에서 난류를 확인하여 동정 가능하다(그림 3-128, 129). 중심정맥 협착 증례에서는 동정맥루가 있는 팔 전체의 부종이나 어깨 주위의 피하정맥이 확장되었는지 관찰한다.

② 인조혈관

인조혈관 조성술 후 조기에 정맥압 상승을 일으키는 증례가 있는데, 정맥문합부 협착이 90% 이상을 차지한다. 본원에서는 정적 정맥압 측정법 GPI (graft pressure index)를 이용하여 격주로 감시하고 있다. GPI 감시는 인조혈관에서 정맥문합부나 정맥문합부 부위의 정맥에 발생하는 협착의 조기 발견에 도움이 된다. 상완의 요측피정맥(upper arm cephalic vein)에 정맥문합을 한 경우에는 요측피정맥궁(cephalic arch)이나 쇄골하정맥까지, 척측피정맥(basilic vein)에 정맥문합을 한 경우에는 액와정맥까지 촉진해서 병변부를 동정한다. 정맥문합

부의 단발성 협착뿐 아니라 유출정맥에 미만성 혹은 다발성 협착이 있는 경우도 많으므로 주의를 요한다(그림 3-130, 131).

GPI (Graft pressure index)

$$= \frac{\text{인조혈관 중간내압 (최고혈압+최저혈압)/2}}{\text{동맥 중간내압 (최고혈압+최저혈압)/2}}$$

3 | 폐색

자가혈관 동정맥루의 폐색 증례에서는 혈전자극에 의한 통증, 가벼운 피부발적을 동반하는 증례도 많다. 탐촉자(probe)에 의한 압박에서 정맥은 변형되지 않고 혈관 내의 echogenic clot을 확인할 수 있다.

자가혈관 동정맥루나 인조혈관에서 혈관내의 혈전은 탐촉자에 의한 압박으로 잘 변형되지 않는다(그림 3-132, 133).

Periferal Vascular Sonography							
Date		Name		SEX M · F	Department		
실시자		의뢰의사명					
주소	동맥압 저하	정맥압 상승	청진음	협착부촉지	천자곤란	지혈곤란	그 외
		동정맥루부	협착				협착율
			문합부 ~	c m		mm	%
			문합부 ~	c m		mm	%
			팔꿈치 ~	c m		mm	%
			폐색				
			문합부 ~	c m		mm	
			팔꿈치 ~	c m		mm	
			동맥류				
			문합부 ~	c m		mm	
			팔꿈치 ~	c m		mm	
		인조혈관					
			전	GPI			
			후	GPI			
			정맥문합부	Min	mm		
			동맥문합부	Min	mm		
		혈류량 (상완동맥)					
		PTA	전			ml/min	
		PTA	후			ml/min	
		Technique		B mode			
				B-flow			
				Color Doppler			
Impression							
Phot							

그림 3-134   보고서 양식

3   보고서

그림 3-134가 본원에서 혈관성형술(PTA) 시 사용하고 있는 보고서 양식이다. 모식도에 문합부, 병변부를 기입한다. 원인 병변부위는 촉진 시 피부 위에도 표시를 하고, 스캔 후 보고서에도 구체적으로 명기한다.

동정맥루에서는 목표 병변부위까지의 거리, 협착정도, 혈관직경을 기입한다. 인조혈관에서는 동맥과 정맥문합부의 최소 직경, 혈전의 유무, 협착부 최소 직경(복수의 협착이 있으면 각 부위)을 기입한다.

협착률은 혈관조영술 영상에서의 측정은 협착부(가장 좁은 부위)와 협착 전후의 정상적인 혈관 직경과의 비율로 산출하지만, 초음파 영상에서는 장축상과 단축상에 따른 측정값에 차이가 있다. 아직 가이드라인에서도 초음파에서의 협착률 측정법은 정해지지 않았고 각 센터마다 다르게 시행하고 있다.

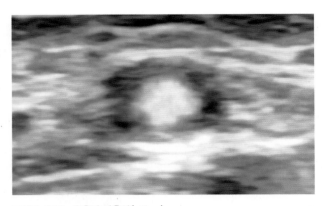

그림 3-135   초음파 단축상(eFlow)

혈관 직경을 정확하게 측정하기 위해서 B flow, eFlow, advanced dynamic flow 등의 기법을 사용하면 도움이 된다. Color Doppler mode에서는 컬러 시그널이 혈관벽의 바깥으로 번지는 artifact (blooming artifact)가 일어나기 때문에 정확한 직경 측정이 곤란한 경우가 많다(그림 3-135).

정리(Summary)

수술 또는 시술 전 초음파검사의 보고서는 이학적 소견과 비교할 수 있는 내용이 필요하다고 생각되며, 짧은 시간에 병변 부위를 정확하게 동정하고 상세하게 진단 및 치료의 내용을 전달할 수 있으면 바람직하다.

비침습적이고 조영제 부작용에 대한 우려없이 시행할 수 있는 초음파 진단법은 점점 많이 활용될 것이라고 예상된다. 단, 초음파 진단법에만 의존하지 말고 증상과 이학적 소견도 함께 고려하여 혈관성형술(PTA)이나 수술적 교정을 결정해야 한다. 혈관통로 초음파검사는 혈관성형술이나 수술적 교정을 계획할 때 구체적인 치료 계획과 내용을 결정하는 데에도 큰 도움이 된다.

● 참고문헌

1) 松尾汎, 佐藤洋編：月刊Medical Technology別冊／超音波エキスパート9　末梢動脈疾患と超音波検査の進め方・評価－腹部大動脈・腎動脈・下肢動脈を中心に－. 2009.

3 혈관초음파와 혈관통로(Vascular access)

3 리포트의 기재방법
보고서 작성의 포인트

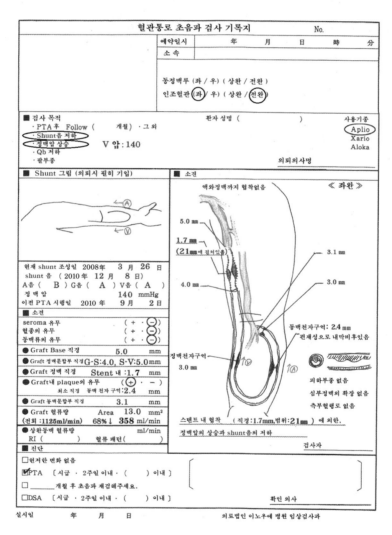

그림 3-136 보고서

---

1 보고서 양식의 필요성

• 검사나 치료 전에 혈관통로의 상태를 파악하기 쉽도록

해준다.

• 평가 부족이나 기입 누락을 방지하는 데 도움이 된다.

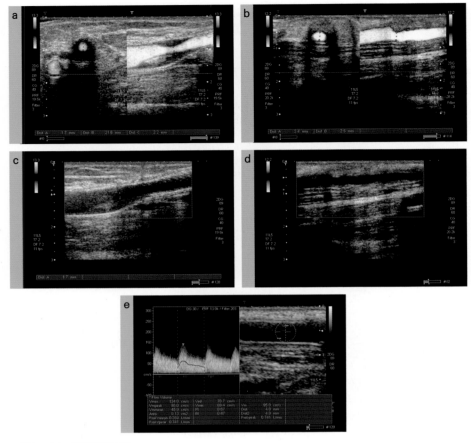

그림 3-137   첨부사진의 예
a: 스텐트 내의 협착(단축, 장축상), b: 혈액유입부(단축, 장축상), c: 스텐트 내의 협착(B 모드)
d: 혈액유입부(B 모드), e: 혈류량 측정

2   의뢰 내용에 맞는 보고서 작성

검사목적이나 이학적 소견을 이해한 뒤, 의뢰내용에 대해 답을 제공할 수 있고 모순없는 결과를 보고한다.

3   혈관통로 그림의 기재

검사에서 얻어진 모든 정보를 기입하면 보고서가 보기 힘들어지게 되므로 가능하면 충실히 그림으로 기재하고 기입하지 않은 정보를 그림 위에 표시한다.

일상적인 혈액투석 치료, 그리고 혈관통로에 대한 시술이나 수술에 활용할 수 있는 가치가 있는 정보를 제공한다.

- 상지 전체를 그리면 혈관통로 전체의 이미지가 전달되기 쉽다.
- 동맥과 정맥은 색을 다르게 하여 동정맥루, 인조혈관, 스텐트 등을 알아보기 쉽게 한다.
- 천자부위의 위치나 천자방향, 천자구역의 상태를 기입한다.

- 스캔 범위를 명확하게 표시한다.
- 초음파 관찰이나 평가가 곤란한 경우에는 그 의미를 기재한다.
- 주 병변을 알기 쉽게 기입한다.
- 간접 소견을 기입한다.
- 초음파검사가 아니면 얻을 수 없는 정보를 제공한다.
  천자부위의 상태, 폐색의 범위, 내막비후의 유무, 벽 재혈전의 유무 등
- 경과관찰의 경우 반드시 전회의 결과와 비교하여 코멘트를 기입한다.

4   사진의 첨부

- 병변부는 단축, 장축 2방향의 사진을 첨부한다.
- 병변부의 내강이나 벽 상태를 알 수 있는 설득력 있는 사진을 첨부한다.
- 필요하면 연속사진을 작성해서 첨부한다.

4 다른 화상진단과의 비교

1 혈관조영과의 비교

개요

본원에서는 혈관통로의 간편한 평가로서 시진, 촉진, 청진, 혈액유입불량, 정맥압상승 등의 항목을 조합한 shunt score 등을 이용하고 있다. 이러한 평가에 의해서 임상적으로 문제가 있을 때 혈관조영술을 시행하게 된다. 최근에는, 초음파에 의한 평가를 시행하는 센터도 많아지고 있다.

1 혈관통로 조영방법(그림 4-1)

전완에 조성한 동정맥루(AVF)의 경우 문합부로부터 멀지 않은 동정맥루에서 문합부를 향해 22G의 유치침을 천자하고 연장튜브에 연결한다. 혈압계 cuff를 상완에 감고 환자 혈압보다 20~40 mmHg 정도 높게 압력을 가하여 촬영을 개시한다. 희석한 조영제 10 cc 정도를 급속주입해서 조영제가 문합부에서 유입동맥까지 역류하는 것을 확인하고 압박을 해제해서 조영제가 동정맥루를 따라 흘러가는 것을 촬영한다.

요골동맥~문합부~동정맥루~상완의 정맥에 대해서 수회에 걸쳐 나누어 촬영한다. 유치침보다 하류 (downstream)를 평가할 때는 토니켓이나 혈압계를 이용한 압박은 필요하지 않다.

2 혈관조영검사에서의 평가 항목

요골동맥-요측피정맥 동정맥루(radio-cephalic AVF)에서 통상적으로 평가하는 범위는 요골동맥~문합부~동정맥루~상완의 정맥이다.

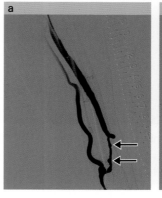
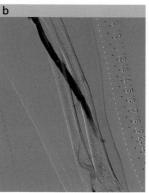

그림 4-1 혈액유입불량(80대, 남성)
a: 조영제 주입 직후, 문합부에서 유입동맥을 포함한 평가를 실시한다. 문합부에 가까운 동정맥루에 협착을 보이고 있다.(←)
b: 압박 해제 후 조영제가 동정맥루에서 흘러나가는 모습과 유출정맥까지 포함한 평가를 실시한다. 압박을 이용한 조작을 통해 다이나믹한 혈류평가를 실시하고, 한 시야에서 가능한 넓은 범위를 촬영하도록 한다.

평가 대상은 협착 직경, 협착 정도, 정맥 유출로, 폐색 부위, 문합부의 각도 등이 있다. 또, 요측피정맥의 분지(cephalic vein의 dorsal branch 등)의 발달 정도도 중요하다.

3 혈관조영검사와 초음파검사의 비교

1 │ 수기로서의 간편성, 재현성

혈관조영은 초음파와 비교했을 때 1회 촬영에서 넓은 시야를 확보할 수 있기 때문에 전체상을 파악하기 쉽다. 또, 검사의 재현성이 상당히 높고 검사시간도 일정해서 비교적 단시간에 완료된다.

초음파검사는 한번에 관찰할 수 있는 범위가 넓지 않고,

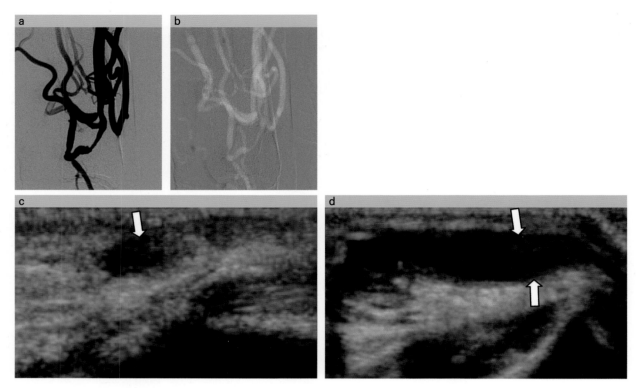

그림 4-2 투석 시 혈액유입불량(70대, 남성)

a: 요오드조영제에 의한 DSA. 혈관내강이 검게 묘출되고 있다.
b: 이산화탄소 주입에 의한 DSA. 혈관내강이 희게 묘출된다. 평가는 충분히 가능하나, 요오드조영제에 비해 contrast가 약해 약간 불명료하게 되어 있다.
c: 단축상, **d**: 장축상. 초음파 스캔에서 내막비후형의 협착을 나타낸다. 초음파검사에서는 단축면과 장축면을 함께 검사할 수 있어 병변부위에 대해 입체적으로 평가하기 용이하다(화살표: 비후내막)

정지 화면만으로 영상을 남기는 경우에는 재현성이 낮다. 비디오나 멀티프레임 DICOM 데이터 등의 동영상 정보를 이용한다면 재현성이 높게 되나, 시진, 촉진과의 일치도는 혈관조영과 비교하면 낮은 편이다. 단순한 증례에서는 짧은 시간 내에 검사를 끝낼 수 있으나, 복잡한 증례의 경우에는 전체상의 파악에 시간이 소요된다.

2 | 검사침습도의 비교

혈관조영은 바늘을 혈관에 천자할 필요가 있지만, 초음파검사는 gel을 도포한 뒤 탐촉자를 체표에 대면 검사가 가능하므로 초음파검사가 보다 비침습적이라는 것은 분명하다.

혈관조영의 경우 통상적으로 요오드조영제를 이용하나, 요오드조영제는 부작용 발생 가능성이 있고, 또 부작용의 기왕력이 있는 사람에서는 사용하기 어렵다. 또한, 만성신부전 환자에서 투석 시작 전에 혈관통로를 조성한 경우에도 요오드조영제는 신독성의 문제에서 자유로울 수 없다. 다만, 요오드조영제를 사용할 수 없는 경우, 요오드조영제의 대체로 CO_2 가스를 이용해 혈관조영을 시행하는 것이 가능하다(그림 4-2).

단기간에 반복해서 VAIVT (Vascular Access Interventional Therapy)를 하는 환자도 많다. 혈관조영을 이용한 VAIVT에서는 방사선 피폭량을 줄이기 위해 노력하는 것이 상당히 중요하다. 그러나 초음파검사를 주로 이용하여 VAIVT를 실시하는 경우에는 술자 및 피검자 모두 피폭량을 크게 감소시킬 수 있다.

MEMO

CO_2(이산화탄소)가스의 사용:
요오드조영제 사용이 금기인 환자에 대해서 CO_2를 사용한 DSA로 평가가 가능하다. CO_2는 혈액에 대해서 음성 조영제이기 때문에 보통의 요오드조영제를 사용한 경우와 동일하도록 평가하려면 영상을 반전할 필요가 있다. Contrast는 요오드조영제에 비해 열악하고 평가도 어렵지만 난이도가 높은 증례가 아니라면 CO_2만으로 VAIVT도 충분히 가능하다(그림 4-2).

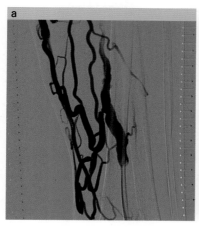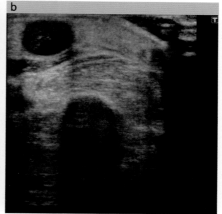

그림 4-3   벽재혈전
혈관조영 검사에서는 혈관 내강을 평가할 때 벽재혈전이 묘출되지 않는 경우가 있다.

3 | 협착병변의 평가

협착 진단의 민감도에 대해서 초음파검사와 혈관조영검사는 같은 정도라고 보고되고 있다[2].

혈관조영에서는 다발성 협착의 상태에 대한 전체적인 평가가 쉽다. 초음파검사에서는 혈관의 내강뿐만 아니라 혈관벽의 평가도 가능하기 때문에, 협착의 상태(정맥판막에 의한 협착, 내막비후형 협착 등)를 상세하게 평가하는 데에 적절하다. 혈관조영은 2차원의 화상이기 때문에, 1회의 조영에서는 평면적인 정보밖에 평가할 수 없다. 입체적으로 관찰하기 위해서는 두 방향에서의 평가가 필요하다. 또한, 촬영하는 각도에 따라 혈관끼리 중첩되는 경우에도 혈관을 분리하여 관찰하기 위해서는 다방향에서의 촬영이 필요하게 된다. 초음파검사에서는 장축상, 단축상을 순간적으로 평가할 수가 있어서, 특정 병변에 대해서 입체적으로 평가하는 것이 용이하다(그림 4-2).

벽재혈전에 대해 초음파검사에서는 평가가 용이하지만 혈관조영에서는 평가하는 것이 어렵다(그림 4-3). 굴곡, 사행이 심한 부위에서의 협착평가는 초음파보다 혈관조영 쪽이 보다 용이하다. 필요에 따라 두 가지의 검사를 함께 이용하여, 보다 상세하고 정확한 협착평가가 가능하다.

4 | 폐색병변의 평가(그림 4-4)

혈관조영검사에서는 혈류가 있는 경우에는 내강의 평가가 가능하지만, 폐색 부위에서는 조영결손으로만 나타나므로 혈관 내부 상태에 대한 평가는 어렵다. 단, 폐색 부위에서 좁아지는 모양에 따라 비혈전성의 폐색과 혈전성 폐색을 감별할 수 있고, 촉진 등을 함께 시행하여 평가할 수 있다. 초음파검사로는 혈전성 폐색에서 혈전을 직접 묘출할 수 있다. 혈전은 대부분이 경도의 저휘도(low echogenicity)로 되어 있다. 혈관 내강과 구별이 어려운 경우에는, 탐촉자 압박에 의해 혈관이 잘 변형되지 않는 것으로 혈전성 폐색을 용이하게 평가할 수 있다. 컬러 도플러를 사용하여 협착과 혈전을 평가하는 것도 도움이 된다. 최신 기계에서는 보통의 컬러 도플러에 기능을 추가하여 분해능을 떨어뜨리지 않고 artifact를 감소시키는 영상을 만들 수 있기 때문에 혈류를 상세하고 정확하게 관찰할 수 있다.

5 | 유속: 유량의 평가(그림 4-4, 4-5)

최신 초음파 장치에서는 파형(spectral waveform)의 묘출이 용이하고 파형 분석도 자동으로 가능하다. 많은 시설에서 지표로 이용되고 있는 것은 혈류량이나 RI (저항지수)이고, 이들은 혈관조영에서는 평가할 수 없다. 혈관조영에서는 국소적인 맥압을 측정하는 것이 가능하지만, 번거롭고 고비용이기 때문에 통상적으로 시행하는 시설은 많지 않다. 혈관통로가 적절하게 발달하면 혈류량이 증가하고 RI는 낮은 값이 된다. 문합부 주변에 유의한 협착이 있으면 상완동맥 혈류량이 저하되고 말초 저항이 상승하기 때문에 RI가 높아진다.

또한, 초음파검사에서는 혈류량의 증가 정도를 평가하여 과잉혈류의 혈관통로를 객관적으로 파악할 수 있다. 혈관조영에 있어서는 과잉혈류의 평가는 상당히 어렵다.

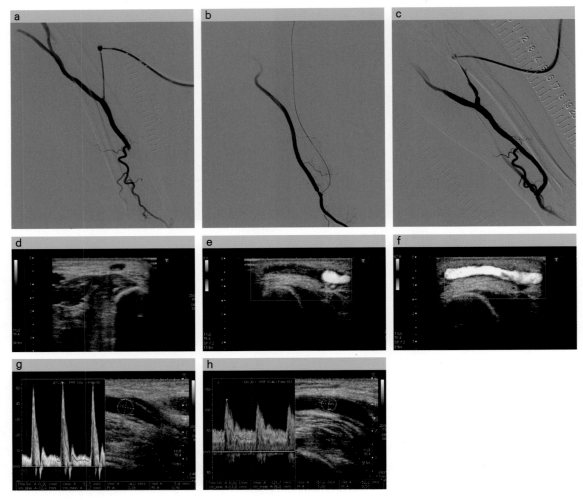

그림 4-4 혈전성 폐색

혈전성 폐색의 경우, 혈관조영술에서는 상류, 하류로부터 조영술을 각각 실시하지 않으면 정확한 폐색의 범위를 평가할 수 없는 경우도 많다.

a: 폐색 하류(downstream)로부터의 역행성 조영(retrograde angiography)

b: 문합부 상류 요골동맥으로부터의 순행성 조영(antegrade angiography). 폐색 병변의 전후에서 시행한 혈관조영 영상을 함께 관찰하면 폐색범위의 정확한 평가가 가능하지만 폐색 부위 자체는 조영결손으로만 나타난다.

c: 폐색 병변을 해결한 후의 혈관조영

d: 혈전성 폐색 병변 단축상. 저에코(low echogenicity) 영역으로 나타나고 있다.

e: 폐색 부위 ADF (advanced dynamic flow)

f: 폐색 병변 해결 후 ADF

g: 혈전성 폐색 시 상완동맥. RI = 0.96으로 높은 값을 나타내고 있다.

h: 폐색 치료 후 상완동맥. RI = 0.57로 개선되어 있다.

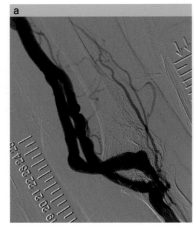

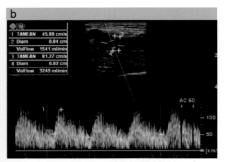

그림 4-5 과잉혈류, 상완동맥(brachial artery), (56세 여성)

a: 정맥의 확장은 뚜렷하지만 좌측 완두정맥(brachiocephalic vein)까지 유의한 협착은 없다.

b: 상완동맥에서 3 L/min을 초과하는 혈류량이 측정된다.

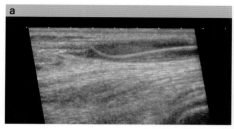
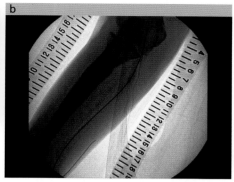

그림 4-6 혈관 폐색 병변에서 초음파 보조하 유도철사(guidewire) 조작

a: 유도철사 tip이 혈전성 폐색이 일어난 혈관내강을 진행하고 있는 것이 확인된다. 초음파검사에서는 혈전 내에
서 유도철사의 tip을 직접 묘출하는 것이 가능하고 유도철사가 혈관 밖으로 이탈하는 것을 피할 수 있다. 그러
나 한번의 스캔에서 관찰범위는 한정되어 있다.

b: 방사선 투시(fluoroscopy)를 이용하면 한 시야 내에서 넓은 범위를 관찰할 수 있다. 그러나 유도철사의 tip이
혈관 내에 있는지, 또는 혈관 밖에 있는 지에 대한 판단은 유도철사나 카테터(catheter)를 조작하는 손의 감
촉, 또는 유도철사 tip의 모양 등 간접적인 방법으로 평가된다.

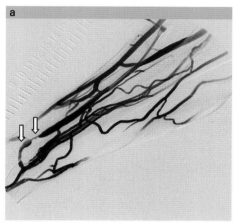
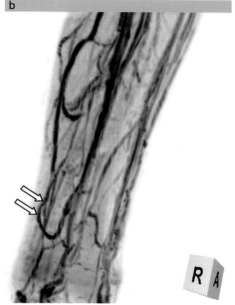

그림 4-7 비조영 MRA

a: 혈관조영검사 – 문합부 직후의 협착을 나타낸다(화살표).

b: 비조영MRA. 측부혈행로를 포함한 혈관이 양호하게 묘출되어 있지만, 협착 부위의 상태가 혈관조영술 이미지
와 다르고 협착 병변의 정확한 평가가 어렵다.

6 혈관통로 중재적 치료(VAIVT) 시의 유용성
(그림 4-6)

초음파를 이용한 VAIVT시 최대의 장점은, 혈관내강과 주
변조직, 그리고 유도철사(guidewire)를 동시에 직접 관찰할 수
있다는 것이다. 고도 협착부나 폐색부에서 유도철사의 tip이
올바르게 혈관 내에 있는 지를 직접 볼 수 있어서 유도철사의

혈관 밖으로의 이탈을 막을 수 있고, 적절한 혈관으로 진행시
키기 용이하다.

혈관조영의 이점은 넓은 범위를 한번에 관찰할 수 있는 것
이다. 사행, 굴곡, 다발성 협착 등이 있어서 유도철사나 카테
터의 진행이 어려운 경우에 전체상을 파악하면서 시술하기에
좋다.

MEMO

MRI에서의 VA평가:

  Gadolinium 조영제를 이용한 MRA (magnetic resonance angiography: 자기공명 혈관이미지)를 DSA나 US와 비교한 논문은 여러 가지가 있다. 그러나 신기능 저하 증례에서 Gadolinium 조영제 투여는 신성 전신성 섬유증(nephrogenic systemic fibrosis: NSF)으로 불리는 부작용을 일으킨 증례가 보고된 바 있어, 현재 투석환자에게 Gadolinium 조영제는 금기로 되어 있다[4].

  비조영 MRA의 기술도 상당히 발달되어 있지만, 국소적으로 정상이 아닌 혈류량 및 방향이 크게 달라지는 혈관통로를 바르게 평가하는 영상을 만들기 위해서는 많은 parameter의 조정이나 재촬영 등이 필요하다. Parameter 변동에 의한 영상의 변화로 인해 해석도 어렵기 때문에 아직까지는 동일한 형태를 유지하면서 간편하게 촬영할 수 있는 데까지는 이르지 못했다. 또한, 스텐트가 삽입되어 있는 경우에는 스텐트 부분이 artifact로 나타나 평가가 불가능하다. 현재까지는 대부분의 센터에서 초음파 검사를 대체할 수 있는 정도의 MRA 검사는 가능하지 않다(그림 4-7).

혈관조영하에서의 중재적 치료에서는 유도철사나 카테터의 tip을 시야에서 놓치지 않으면서 중재술을 시행할 수 있으며 전체상을 파악할 수 있기 때문에 유도 카테터(guiding catheter)나 풍선 카테터(balloon catheter)의 진행이 용이할 것인지에 대한 예상도 가능하다.

정리

혈관통로에 있어서 초음파검사는 상당히 유용한 검사이다. 혈관내강의 세밀한 성상을 평가할 수 있을 뿐 아니라 혈류량이나 RI 등을 측정하는 것도 가능하므로, 숙련되면 혈관조영술을 능가하는 정보도 얻을 수 있지만 시술자 간의 능력 차이가 커서 재현성이 다소 떨어진다.

혈관조영술과 초음파검사에는 각각 장점이 있으며 특히 진단이 어려운 증례에서는 혈관조영과 초음파검사를 상보적으로 이용하면 더욱 정확하고 상세하게 혈관통로를 평가할 수 있게 되고 올바른 치료 방침의 결정에도 도움이 된다.

● 참고문헌

1) 後藤靖雄：シャント造影の画像診断(1). 臨牀透析, 16(7)：107〜111, 2000.
2) Doelman, C. et al.：Stenosis detection in failing hemodialysis access fistulas and grafts：Comparison of color Doppler ultrasonography, contrast−enhanced magnetic resonance angiography, and digital subtraction angiography. J Vasc Surg, (421)：739〜746, 2005.
3) 壷井匡浩ほか：血管エコーパーフェクトガイド. 透析シャントのエコー検査, 中山書店, 148〜158, 2010.
4) NSFとガドリニウム造影剤使用に関する合同委員会(日本医学放射線学会・日本腎臓学会)：腎障害患者におけるガドリニウム造影剤使用に関するガイドライン(第2版). 2009.

4 | 다른 화상진단과의 비교

2 3D-CTA와의 비교

1 초음파와 3D-CTA의 비교

표 4-1은 초음파검사와 3D-CT Angiography (3D-CTA)의 비교를 나타낸 것이다.

혈관통로 진단에 있어서 초음파검사의 장점은 비침습적으로 bed side에서도 검사가 가능하다는 것과 real time으로 혈행동태를 확인할 수 있다는 것이다. 혈관통로의 기능과 형태평가는 조성 전, 유지 관리, 그리고 합병증 발생 등 모든 시점에서 중요하다. 3D-CTA는 MDCT로 촬영한 DICOM 데이터를 work station에서 3차원 영상으로 구성한 것이다. 촬영대상을 작은 입방체가 집합한 데이터로 간주하고, 각각을 그 입방체가 갖는 평균 CT 값으로 설정한 색과 불투명도로써 표시한다. 영상 구성법으로는 검사 목적에 따라 volume rendering (VR), maximum intensity projection (MIP), multiplanar reformation (MPR), curved planar reformation (CPR) 등이 있다. 3D-CTA의 장점은, 선택적으로 묘출시킨 대상을 임의의 방향에서 3차원적으로 관찰할 수 있다는 것이다. 혈관통로 합병증의 진단에 있어서 3D-CTA가 특히 유용한 것은, 동정맥문합부를 안쪽에서 보는, 즉 임의의 곡면을 따라 단면 이미지를 구축하여 virtual 시선으로 관찰이 가능한 점이다. 이러한 정보는 초음파검사에서는 진단할 수 없는 복잡한 입체구조의 혈관통로 교정술이나 비교적 크기가 큰 동정맥루 합병증의 경우에 중요한 정보를 제공해준다.

2 동일증례에 대한 초음파, 3D-CTA의 영상

초음파 소견(그림 4-8, 4-9)

좌측 전완에 요골동맥(radial artery)(②)과 요측피정맥(cephalic vein)(③)으로 동정맥루가 조성되어 있다.

요골동맥과 요측피정맥의 혈류량은 각각 396~443 ml/min, 370~413 ml/min이다. 동정맥문합부에는 석회화를 동

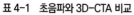

표 4-1   초음파와 3D-CTA 비교

	초음파	3D-CTA
침습성	비침습적	방사선 피폭, 요오드조영제 투여
차원	2차원	3차원
색	흑백 / 적청록	임의
계측	거리. 각도, 면적, 체적 속도	거리, 각도, 면적, 체적
골, 석회화의 영향	있음	없음
표재, 상세	적절(가능)	적절(가능)
심부, 전체, 뼈 음영	불가	적절(가능)
혈류량, 혈류방향	적절(가능)	불가

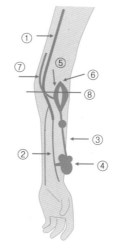

① 상완동맥(brachial artery)혈류
② 요골동맥(radial artery)혈류
③ 전완 요측피정맥(cephalic vein) 동정맥루 혈류
④ 동정맥 문합부 동맥류내 벽재 혈전의 두께
⑤ 주정중피정맥(median cubital vein)
⑥ 상완 요측피정맥 폐색
⑦ 상완 척측피정맥
⑧ 팔오금 부위 단면

그림 4-8   증례 1 초음파 소견

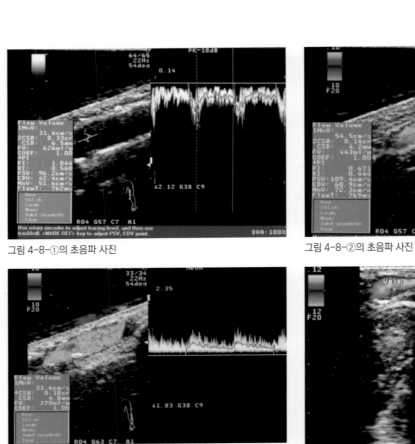

그림 4-8-①의 초음파 사진

그림 4-8-②의 초음파 사진

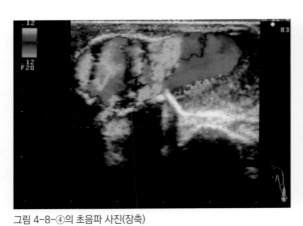

그림 4-8-③의 초음파 사진

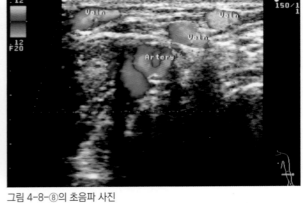

그림 4-8-⑧의 초음파 사진

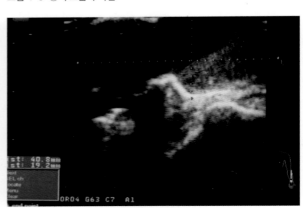

그림 4-8-④의 초음파 사진(장축)

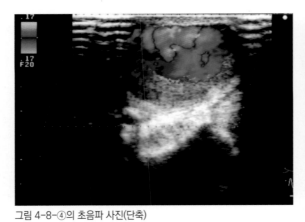

그림 4-8-④의 초음파 사진(단축)

그림 4-9 　증례 1 　초음파의 사진

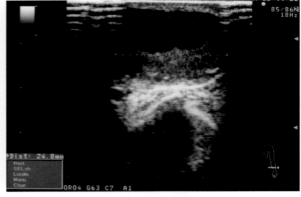

반한 문합부 동맥류 (④)가 형성되어 있고, 그 크기는 40.8 × 19.2 × 24.8 mm, 동맥류 벽내에 7 mm의 벽재혈전이 있다.

전완 요측피정맥은 팔오금 부위에서 주정중피정맥(median cubital vein) (⑤)과 합류하고, 그보다 중추의 요측피정맥 (cephalic vein)은 폐색(⑥)되어 있다. 팔오금 부위의 횡단에 코상(⑧)에서 요측피정맥, 주정중피정맥, 척측피정맥(basilic vein), 상완정맥(brachial vein)이 모두 청색으로 묘출되어 있으므로 이들 정맥은 모두 중추를 향한 순행성의 방향으로 흐르고 있는 것을 확인할 수 있다.

3D-CTA 소견(그림 4-10~4-12)

그림 4-10은 증례1의 좌측 전완 전체의 3D-CTA영상과 디지털 카메라로 촬영한 육안 사진(흰색 테두리, 청색 바탕)을 나타낸다. 3D-CTA의 영상 구성법은 VR 3종류의 정면, 좌측 전면 30도, 60도의 세 방향의 이미지가 있고, 왼쪽으로부터 2, 4번째의 3D-CTA 영상 위에는 육안 사진을 함께 배치하였다. 왼쪽 끝 갈색의 이미지는 피부, 지방, 근육의 CT값을 불투명도 15% 전후의 갈색으로 표시하고 혈관을 불투명도 28% 전후의 백색으로 묘출하고 있다. 혈관이 투시 가능하고 전체의 상을 파악하기 쉬운 이미지이다. 오른쪽 마지막 사진은 혈관, 뼈만 묘출하고 피부, 지방, 근육은 제거한 상태이다. 혈관주행을 상세하게 쫓을 수 있기 때문에 동정맥루의 임상적 문제의 원인 파악과 수술 방법 결정에 유용하다. 오른쪽에서 두 번째는 체표의 상태를 재현할 뿐만 아니라 표재정맥을 판명하기 쉽게 묘출한 것이다.

그림 4-11은 증례1의 팔오금 부위를 확대한 것이다. 동맥을 적색, 표재정맥을 하늘색, 심부정맥을 남색으로 나타내고 있다. 가장 왼쪽 사진에서 몸의 심부에서 체표를 향하는 시선의 이미지를 보면, 주정중피정맥의 말초와 중추 측으로부터 관통정맥이 한 줄기씩 분지(흰색 화살표)하고, 그들이 상완정맥에 연결되어 있는 것을 알 수 있다. 전술한 그림 4-8 (⑧)의 초음파 이미지에서, 팔오금 상부에서 요측피정맥, 주정중피정맥 모두 중추 측이 폐색되어 있음에도 불구하고 순행성으로 흐르고 있는 것은, 이 관통정맥이 동정맥루의 혈류를 심부정맥으로 유출하고 있기 때문이라고 생각된다.

그림 4-12는 증례1의 동정맥문합부 동맥류 부위의 영상이다. 가장 오른 쪽 그림에서 요골동맥을 따라 재구성한 MPR 이미지를 살펴보면, 동정맥문합부 직경, 즉 문합부 동맥류 유입구는 장축방향으로 11.1 mm이다. 이 거리라면, 석회화 동맥류 적출시 요골동맥을 한 덩어리로 적출했다 하더라

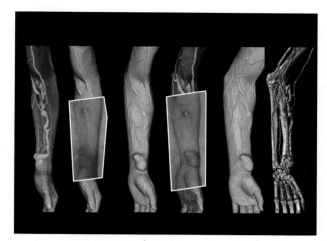

그림 4-10 　증례 1 　3D-CTA+실사(전완)

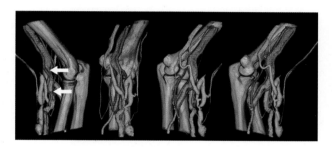

그림 4-11 　증례 1 　3D-CTA(주부)

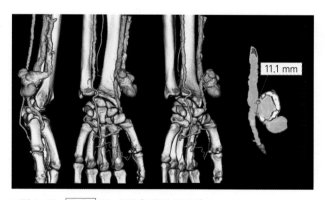

그림 4-12 　증례 1 　3D-CTA (문합부 동맥류)

도, 요골동맥 단단문합에 의한 혈행재건술은 가능하다고 생각된다. 그러나 만약 재건 불가능한 경우에도, 얕은 수장동맥궁과 깊은 수장동맥궁(superficial palmar arch and deep palmar arch) 모두 주행은 정상적으로 유지되어 있기 때문에, 손끝이 말초순환부전에 빠지지는 않을 것으로 판단된다.

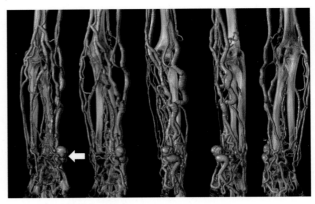

그림 4-13 [증례 2] 3D-CTA (복잡한 주행의 혈관통로)

3 | 3D-CTA의 유용성을 살린 영상

1 | 복잡한 혈관주행의 추적

[증례 2]

그림 4-13은, 우측 전완에서 요골동맥(radial artery)과 요측피정맥(cephalic vein)의 측측문합으로 조성되어있는 동정맥루이다. 동맥을 적색, 정맥을 청색으로 나타내고 있다. 동정맥루 혈류는 동맥류를 형성하고 있는 동정맥문합부(흰색 화살표)로부터 다수의 표재정맥(superficial vein)으로 유출되고 있기 때문에 복잡한 혈관주행으로 되어 있으나, 입체영상을 계속 회전해서 관찰하면 혈관의 연결, 중첩, 분지합류의 모양을 순차적으로 쫓을 수 있다.

2 | 동정맥 문합부를 안쪽에서 관찰

[증례 3]

그림 4-14는 우측 전완을 확대한 동정맥루의 술전 3D-CTA 영상이다. 동정맥문합부(흰색 화살표)의 상태를 확인하기 위해서 심부로부터 체표를 향한 시야로 본 이미지가 가운데 있는 이미지이고, 수술 중 사진과 3D-CTA를 나열한 것이 왼쪽의 그림이다. 실제를 충실히 재현한 이미지를 얻을 수 있기 때문에 술전 시뮬레이션에 유용하다.

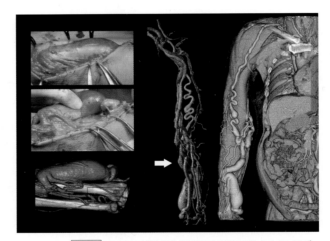

그림 4-14 [증례 3] 3D-CTA (확대한 혈관통로 동맥류와 수술 중 사진)

3 | 뼈로 가려진 부분의 관찰

[증례 4]

그림 4-15는 혈관통로가 있는 좌측 팔에 정맥고혈압이 발생한 증례의 3D-CTA영상이다. 좌측 상완의 확장된 동정맥루와 흉부에서 어깨 부위의 발달된 측부정맥이 관찰된다. 그림 중 A는 상대정맥, B는 상행대동맥, C,D는 완두정맥, E는 쇄골하정맥이다. 정맥고혈압의 원인은 좌측 완두정맥(brachio-cephalic vein) C가 대동맥 B에 눌려서 협착되어 있기 때문인 것을 알 수 있다.

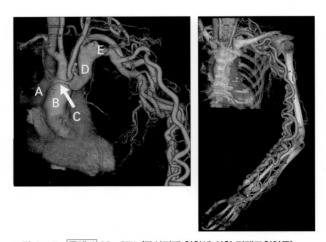

그림 4-15 [증례 4] 3D-CTA (중심정맥 협착에 의한 정맥고혈압증)

4 | 긴급수술시의 파열부위 술전진단

[증례 5]

그림 4-16은 우상완에 이식된 인조혈관(녹색)의 동맥측문합부 파열 이미지이다(적색이 상완동맥, 청색이 척측피정맥과 상완정맥, 분홍색이 파열된 문합부의 가성동맥류).

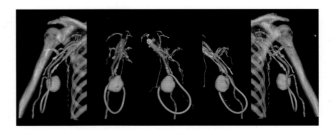

그림 4-16 [증례 5] 3D-CTA (인조혈관 동맥문합부 파열)

파열부위의 압박지혈대를 제거하지 않고 촬영한 3D-CTA 이미지에서 혈관주행을 확인해서 수술에 임할 수 있으므로 안전하고 신속한 수술적 교정 수술을 시행할 수 있다.

● 참고문헌

甲田英一・伊藤勝陽編：3Dボリュームデーターやさしく臨床に直結
ー. 金原出版, 2006.

5 | 술전의 혈관평가
1 상지의 동정맥 해부

1 혈관통로 조성에 이용하는 동맥, 정맥의 종류와 주행

그림 5-1에 상지의 동맥, 심부정맥(deep vein), 표재정맥 (superficial vein)의 개념도를 표시했다.

동맥(이하, 그림 안의 적색)은 근육 층, 근막하를 주행한 다. 심부정맥(남색)은 동명의 동맥의 양측에 한쌍으로 있고, 동맥의 주위에 사다리상으로 연결되면서 주행한다. 표재정맥 (하늘색)은 근막보다 얕은 층의 피하조직을 주행한다.

2 혈관통로 양식과 이용되는 동맥, 정맥의 종류

혈관통로에는 자가혈관 동정맥루(AVF), 인조혈관(AVG), 상완동맥 표재화가 있다(그림 5-2).

동정맥루는 동맥과 표재정맥을 문합하고, 피하의 얕은 곳 을 주행하는 표재정맥으로부터 혈액이 유입되도록 조성하는 것이다. 표재정맥은 혈관벽이 얇고 신전성이 있기 때문에 유 입되어 들어오는 기세가 좋은 동맥혈의 부하에 의해 서서히 혈관경이 커지고 혈류량도 증가해서 혈관통로로써 사용될 수 있도록 발달한다.

상완동맥 표재화(brachial artery superficialization)는 근막에 절개를 가해, 본래 근막하에 있는 상완동맥을 피하의 얕은 곳 으로 들어올려서 동맥천자를 하기 쉬운 상태로 만든 것이다. 혈류의 유입을 위해서는 표재화 동맥을 천자하고, 혈액반환 을 위해서는 수술조작을 하지 않은 표재정맥을 이용하게 된 다. 혈관의 주행위치는 변하지만 혈행동태적으로는 술전과 변화없고 심부하의 증가가 없다.

인조혈관은 동맥과 표재정맥, 혹은 동맥과 심부정맥 사이 에 인조혈관을 이식하여 연결하는 것이다. 동정맥루를 만들 수 있는 표재정맥을 찾을 수 없는 증례에 적용하며, 드물게는

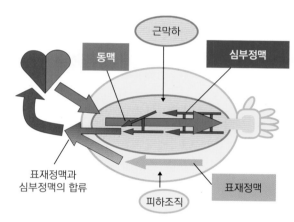

그림 5-1 동맥, 심부정맥, 표재정맥의 개념도

심한 비만과 같이 구혈해도(근위부를 압박해도) 표재정맥을 확인할 수 없는 경우에도 선택된다.

3 혈관통로 조성 시 수술에 이용되는 동맥의 주행

그림 5-3에서 적색으로 표시한 것은 혈관통로 조성 시 문 합에 이용하는 동맥이다. 상완동맥(brachial artery)은 팔꿈치 관절부위에서 약 2 cm 말초에서 요골동맥(radial artery)과 척 골동맥(ulnar artery)으로 분지된다. 요골동맥, 상완동맥은 그 전체의 주행을 초음파로 확인할 수 있다. 척골동맥(ulnar artery)은 전완 중앙부에서는 깊은 부위를 주행하기 때문에 초음 파로 주행을 확인할 수 없는 경우가 있다.

전완에서 동정맥루를 조성할 때에는 요골동맥 또는 척골동 맥을 이용한다. 팔오금 부위의 동맥은 동정맥루, 인조혈관, 상완동맥 표재화를 조성할 때에 이용된다.

상완동맥은 상완동맥 표재화, 인조혈관 조성술을 시행할 때 이용한다.

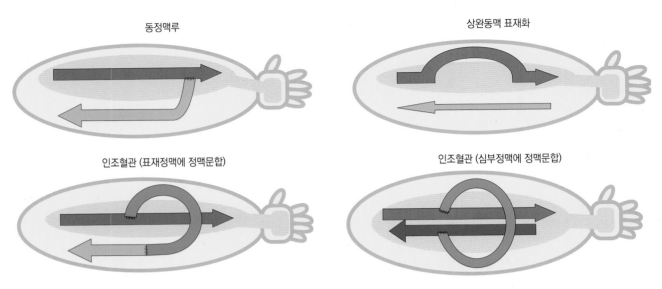

동정맥루

상완동맥 표재화

인조혈관 (표재정맥에 정맥문합)

인조혈관 (심부정맥에 정맥문합)

그림 5-2 동맥, 표재정맥을 이용해 조성하는 혈관통로 문합과 혈관주행

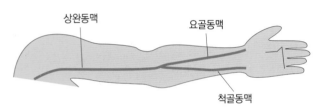

상완동맥   요골동맥

척골동맥

그림 5-3 혈관통로 조성 시 수술조작을 직접 가하는 동맥의 주행

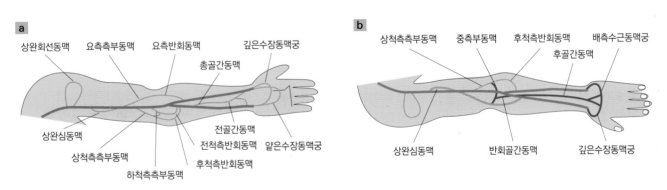

a

상완회선동맥   요측측부동맥   요측반회동맥   깊은수장동맥궁

총골간동맥

상완심동맥   전골간동맥

상척측측부동맥   전척측반회동맥   얕은수장동맥궁

하척측측부동맥   후척측반회동맥

b

상척측측부동맥   중측부동맥   후척측반회동맥   배측수근동맥궁

후골간동맥

상완심동맥   반회골간동맥   깊은수장동맥궁

그림 5-4 상지 동맥의 측부동맥 a: 손바닥측, b: 손등측

상완동맥보다 상류는 대원근 하연보다 중추가 액와동맥, 그리고 제1 늑골 외측연보다 중추는 쇄골하동맥이다(그림 5-8 참조).

4 **혈관통로에 임상적 문제가 발생했을 때 말초가 허혈에 빠지지 않기 위한 순환을 담당하고 있는 측부동맥의 주행**

그림 5-4-a, b의 분홍색과 갈색으로 표시한 동맥은, 혈관 통로 조성에 직접 이용하는 동맥은 아니지만 상완동맥(bra-

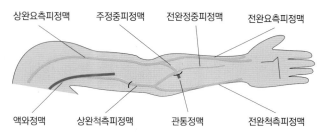

그림 5-5 표재정맥

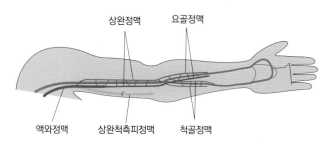

그림 5-6 심부정맥

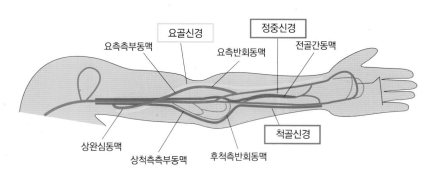

그림 5-7 신경

chial artery)이 폐색된 경우에도 손끝이 괴사에 빠지지 않기 위해 중요한 우회로의 역할을 하는 측부동맥이다. 예를 들면, 표재화한 상완동맥이 폐색되거나 감염으로 상완동맥을 결찰하지 않을 수 없는 경우에도 상지절단을 피할 수 있는 증례가 많은 것은 상완심동맥이나 그 외 측부동맥이 말초순환을 담보하고 있기 때문이다. 이들 측부동맥은 상완심동맥(deep brachial artery)이 상완동맥(brachial artery)으로부터 분지하는 곳, 요골반회동맥(radial recurrent artery)이 요골동맥(radial artery)에 합류하는 곳 이외에는 초음파로 확인하기 어려운 경우가 많지만 혈관통로 합병증 발생 시에는 중요한 의미를 갖는 혈관이다.

5 혈관통로 조성에 이용하는 상지 표재정맥의 주행

그림 5-5에 하늘색으로 표시한 것은 혈관통로 조성 시 이용하는 표재정맥이다.

전완으로부터 상완에 걸쳐 요골 측에 요측피정맥(cephalic vein)이 주행한다. 이 정맥은 동정맥루를 조성할 때 제1 후보가 된다.

척골 측에는 전완 척측피정맥(basilic vein)이 있으며, 그것에 이어지는 상완 척측피정맥(basilic vein)은 상완의 하위 1/3

의 부근에서 근막을 관통해서 심부로 들어가 상완정맥(brachial vein)과 합류한다.

팔오금 부위의 정중피정맥의 주행은 개체차가 다양하고 변이가 많다.

주정중피정맥(median cubital vein)은 주와부(팔오금 부위)에서 요측피정맥, 척측피정맥과 Y자의 주행을 이룬다. 주정중피정맥에서는 수직으로 아래를 향해 관통정맥이 나오고 심부정맥과 교통한다. 표재정맥은 동정맥루 조성 시에는 천자정맥으로서, 인조혈관 조성 시에는 유출정맥으로서 혈관통로 조성에 이용된다.

6 심부정맥의 주행

그림 5-6의 남색으로 표시한 것은 심부정맥이다.

요골동맥(radial artery), 척골동맥(ulnar artery), 상완동맥(brachial artery)의 양쪽에는 1대 1로 요골정맥, 척골정맥, 상완정맥이 존재하고, 그 정맥은 사다리 모양으로 이어지며 동맥을 휘감듯이 주행한다. 상완정맥은 상완 하위 1/3의 근처에서 근막을 관통해서 심부로 주행해온 척측피정맥(basilic vein)과 합류해 액와정맥(axillary vein)이 된다.

심부정맥 중 혈관통로 조성에 이용하는 것은, 팔오금 부

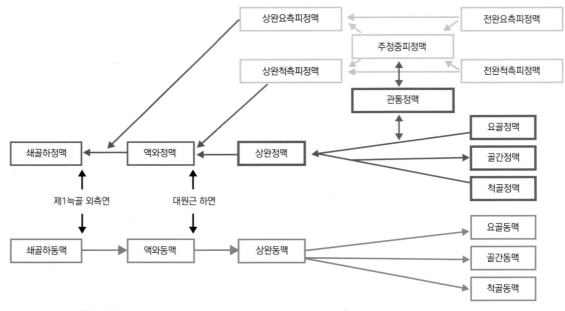

그림 5-8 상지 혈관 흐름의 순서

위보다 중추쪽의 상완정맥, 액와정맥인 경우가 많고, 인조 혈관의 유출정맥으로 이용한다. 심부정맥은 근막하에 있기 때문에 이들 정맥을 직접 천자하는 형태로 동정맥루를 조성하는 경우는 드물다(단, 상완동맥-척측피정맥 문합 후 척측 피정맥을 표재화하는 transposed basilic AVF의 경우에는 표재화한 척측피정맥에 직접 천자한다).

7 상지의 신경(그림 5-7)

요골신경(그림 내, 황색)은 상완동맥~상완심동맥~요측 측부동맥~요측반회동맥~요골동맥을 따라, 정중신경(보라 색)은 상완동맥~전골간동맥을 따라, 척골신경(녹색)은 상완 동맥~상척측측부동맥~후척측반회동맥~척골동맥을 따라 주행한다.

● 참고문헌

1) Moore, K. L. ほか著, 佐藤達夫・坂井建雄監訳：臨床のための 解剖学. メディカル・サイエンス・インターナショナル, 2008.
2) 岡本道雄監訳：Sobotta 図説人体解剖学. 医学書院, 2006.

5 | 술전의 혈관평가

2 이학적 검사

개요

혈관통로를 조성함에 있어서 양측 상지의 진찰은 상당히 중요하다. 어떠한 혈관통로가 조성 가능한 지는 진찰로 거의 결정된다고 해도 과언이 아니다. 그 때문에 수지로부터 상완, 액와까지 충분히 진찰할 필요가 있다. 또한, 단순히 혈관통로 조성에 대한 가능성 여부만을 생각하는 것이 아니고, 그 후 장기간에 걸쳐 안정되게 사용할 수 있는 혈관통로를 조성하는 것을 염두해 두고 진찰할 필요가 있다. 혈관통로는 조성할 수 있었으나 천자가 쉽지 않거나 혹은 합병증이 발생해서 새로운 혈관통로를 조성하지 않으면 안되는 상황을 회피하는 것도 상당히 중요하다.

여기서는 혈관통로 조성 전에 필요한 이학적 검사(주로 시진, 촉진)에 대해 서술하겠다.

1 | 시진

우선 피부 상태를 관찰한다. 말기신부전으로 혈관통로를 조성하는 상황에 있는 환자에서는, 부종이나 영양장애에 동반되는 피부의 이상, 가려움으로 인한 소파(搔破, 긁는 행동)에 의한 상처나 감염을 갖고 있는 경우가 있다. 또한, 투석 도입 직전에는 부종이 심한 경우도 있어서, 이와 같은 경우에는 이뇨제의 투여나 도관(catheter)에 의한 투석 개시 후에 부종이 경감될 때까지 기다린 후 새롭게 진찰하는 것도 필요하다. 첫 번째 혈관통로 조성은 그 만큼 신중하게 치료방침을 결정할 필요가 있다.

1 | 피부의 상태

말기신부전 환자는 피부의 건조, 영양상태의 악화로 피부에 문제가 있는 경우가 적지 않다. 또 고령자의 경우에는 피부가 취약해서 창상치유가 더욱 연장되기 쉽고 혈관통로 천자시에도 내출혈을 초래하기 쉽기 때문에 장기적인 사용이 곤란하게 되는 등 조성 후의 상황도 고려할 필요가 있다. 따라서 수술을 실시하는 부위의 확인 뿐만 아니라 장래에 천자를 실시하는 부위의 상황까지도 신경쓸 필요가 있다.

2 | 감염

감염되기 쉬운 상태가 되는 것은 말기신부전 환자의 특징 중 하나이다. 그 때문에 혈관통로를 조성하는 부분의 감염 뿐만 아니라 이후 천자를 실시할 가능성이 있는 부분의 감염도 문제가 될 수 있다. 신부전의 진행에 따라 피부의 가려움이 증가한다. 그에 따라 피부를 긁게 되고 그 부분이 만성적으로 감염이 반복될 수 있다. 또한, 모낭 내에 이미 존재하고 있던 MRSA가 반복적인 감염의 원인이 되기도 한다. 의심되는 경우에는 배양검사를 실시하는 것도 고려한다. 동정맥루는 물론이고, 인조혈관이 감염된 경우에는 생명이 위험한 경우까지도 발생할 수 있음을 인식해야 한다.

3 | 말초순환

우선 손가락의 색조를 확인한다. 손톱의 색조는 말초의 순환을 보는 방법으로서 중요하다. 핑크색의 순환상태가 좋은 경우는 문제없으나 청색증이 있는 경우에는 말초순환부전을 고려할 필요가 있다. 수술 전부터 말초순환이 나쁜 경우에는 동정맥루나 인조혈관 조성에 의해 말초순환이 악화될 가능성

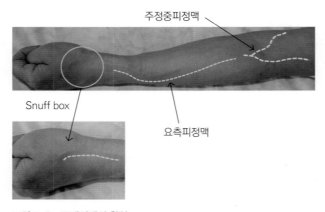

그림 5-9 표재정맥의 확인

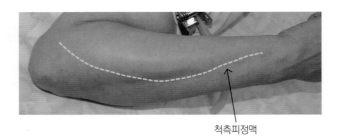

그림 5-10 척측피정맥(basilic vein)의 확인

이 있다. 단, 혈액투석 도입 전의 경우 폐울혈이나 심부전에 동반해서 생기는 저산소혈증도 있으므로, 흉부X선 사진이나 심장초음파 검사 등을 참고해야한다. 다음으로는 상지에서 구혈(압박)을 실시하여 표재정맥을 확장시켜서 관찰한다. 동정맥루 조성에 가장 유용한 표재정맥은 요측피정맥(cephalic vein)이다. 만일 이 혈관을 진찰로 인지할 수 없는 경우에는 척측피정맥(basilic vein)이나 팔오금 부위의 정중정맥, 혹은 상완부의 요측피정맥의 확인도 실시한다.

2 촉진

전술한 바와 같이 진찰로 혈관통로 조성의 기본방침이 거의 결정된다고 해도 과언이 아니다. 촉진은 그중에서 가장 중요하다. 촉진을 실시함에 있어서 우선 동정맥루 조성술이 가능한지 검토한다. 만일 좌우의 상지 모두 동정맥루의 조성이 곤란하다고 판단될 경우에는 인조혈관 혹은 동맥 표재화술의 가능성을 검토한다. 그를 위해 처음에 표재정맥의 확인을 실시하고, 그 다음으로 동맥계의 확인을 실시한다.

1 표재정맥

① 요측피정맥(cephalic vein)의 확인

상박을 압박하여 정맥을 확장시킨 상태에서 표재정맥의 촉진을 실시한다. 전완부부터 상완부까지 요측피정맥(cephalic vein)의 촉진을 실시한다. 요측피정맥은 손목관절보다 말초의 snuff box까지 양호하게 발달해있는 경우가 있으므로(그림 5-9) 상박의 압박 후 혈관을 가볍게 두드려서 확장을 기다린 다음 진찰하는 것이 중요하다.

요측피정맥이 있는 것을 확인했을 경우에는 다음으로 혈관

의 확장정도, 경도, 협착의 유무를 확인한다. 더불어, 적어도 두 군데(투석 시의 혈액유입, 혈액반환)의 천자가 가능한지 관찰한다. 또한, 입원가료의 기왕력이 있는 경우에는 전완부의 요측피정맥이 이전에 수액투여 부위로 사용된 경우가 많으므로 혈관이 황폐해져 있을 가능성도 염두에 둔다. 정맥이 피하 속 깊이 위치하고 있는 경우에도 촉진으로는 확인되는 경우가 많다. 그 경우 피부표면으로부터의 깊이에 주목한다. 상박을 압박하여 정맥을 확장시킨 상태에서도 촉지가 어려우면 당연히 동정맥루 조성 후에도 천자의 어려움이 예상된다. 물론, 동정맥루가 발달하면서 상태가 변하기도 하지만, shunt 음(bruit)에 비해 천자가 어려워서 투석에 이용하기 힘들어지는 상황은 피하는 것이 좋다.

② 척측피정맥(basilic vein)의 확인

요측피정맥(cephalic vein)에서의 동정맥루 조성이 곤란하다고 판단되는 경우에는, 전완 척측피정맥(basilic vein)을 확인한다(그림 5-10). 척측피정맥은 요측피정맥과 비교해서 좀 더 구불구불하게 주행하는 편이다. 또한, 조성 후에 혈액투석을 위해 천자를 시행할 때 팔꿈치를 굽혀서 시행하지 않으면 안되고 혈관이 움직이기 쉽기 때문에 천자가 다소 어렵다는 단점이 있다. 따라서, 수술 전 진찰 시에 천자의 용이성도 함께 고려하여 동정맥루를 조성하는 것이 중요하다.

③ 주와부(팔오금 부위) 정맥의 확인

척측피정맥(basilic vein)에서의 조성이 곤란한 경우에는 다음으로 주와부에서의 동정맥루 가능성에 대해 검토한다. 팔오금 부위의 정맥은 요측, 척측의 2개로 나뉘어져 있는 경우가 많다(그림 5-9). 또한, 팔꿈치 관절보다 2횡지 정도 말초에서 한 개로 되어 있다. 상박 압박에 의한 말초정맥 확장이 충분하다면 촉진으로 충분히 촉지된다. 요측, 척측의 두

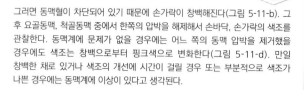

MEMO

Allen test

Allen test는 손의 동맥궁(palmar arch)의 개존성 및 요골동맥(radial artery), 척골동맥(ulnar artery)의 개존성을 확인할 수 있는 간단하고 중요한 검사이다. 그림 5-11-a의 적색선으로 나타낸 부분에 요골동맥, 척골동맥이 주행하고 있다. 이 동맥의 박동을 촉지해 압박하는 장소를 확인한다. 다음으로 주먹을 쥔 상태에서 이들 요골동맥, 척골동맥을 손가락으로 압박하고 이어서 몇 번 손을 쥐었다 폈다한다(그림 5-11-b). 다음으로 동맥을 압박한 상태에서 손을 편다.

그러면 동맥혈이 차단되어 있기 때문에 손가락이 창백해진다(그림 5-11-b). 그후 요골동맥, 척골동맥 중에서 한쪽의 압박을 해제해서 손바닥, 손가락의 색조를 관찰한다. 동맥계에 문제가 없을 경우에는 어느 쪽의 동맥 압박을 제거했을 경우에도 색조는 창백으로부터 핑크색으로 변화한다(그림 5-11-d). 만일 창백한 채로 있거나 색조의 개선에 시간이 걸릴 경우 또는 부분적으로 색조가 나쁜 경우에는 동맥계에 이상이 있다고 생각된다.

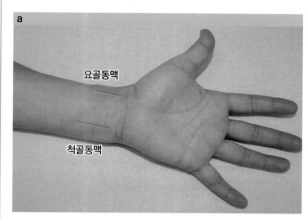

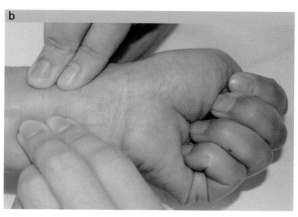

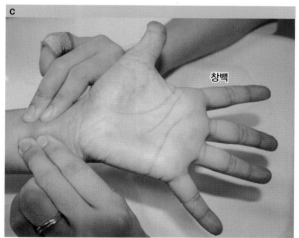

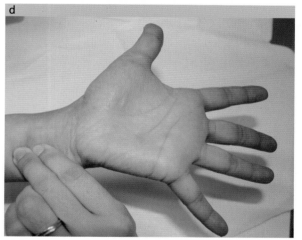

그림 5-11 Allen test

개의 정맥이 확인되는 경우에는 이 부근에서의 동정맥루 조성이 가능하지만, 어느 한 개만 확인되는 경우에는 팔오금 부위에서 동정맥루를 조성하는 경우 혈액을 반환할 수 있는 정맥 천자부위가 충분히 확보되어야 한다. 혈액 반환을 위한 정맥 천자구역의 확보가 곤란한 경우에는 팔오금 부위에서의 동정맥루 조성은 보다 엄격하게 적용되어야 한다.

또 심기능의 저하나 그 외의 이유로 상완동맥(brachial artery)의 표재화술을 선택하는 경우에도 정맥계의 확인이 상당히 중요하다.

④ 동맥 표재화에서의 정맥확인

표재화동맥은 투석할 때는 기본적으로 혈액유입용으로 사용한다. 그 때문에 혈액반환을 실시하는 혈관(정맥)이 필요하다. 특히, 상완동맥 표재화(brachial artery superficialization)의 경우에는 수술 후 정맥계의 발달을 기대할 수 없으므로, 처음에는 문제가 없더라도 차후에 계속된 표재정맥 천자에 의해 정맥이 황폐화되어 혈액반환 정맥의 확보가 곤란하게 되는 경우가 적지 않다. 그 때문에 비교적 장기적으로 사용가능한 정맥을 미리 확인해 둘 필요가 있다.

2 | 동맥계

정맥계 진찰에 이어서 상박 압박을 시행하지 않은 상태에서 동맥계의 확인을 실시한다. 상지에서 확인을 실시하는 주된 동맥은 요골동맥(radial artery), 척골동맥(ulnar artery), 상완동맥(brachial artery)이다. 또 snuff box에서 조성하는 경우에는 정맥의 바로 아래에서 동맥을 촉지 할 수 있다.

① 손목관절 부위 동정맥루 조성

손목관절 부위에서 동정맥루를 조성하는 경우에는 요골동맥(radial artery), 척골동맥(ulnar artery)의 주행이나 박동을 확인해서 Allen test를 실시한다. 예를 들어, 요골동맥의 압박을 제거했을 때에는 손가락 색조의 개선이 양호하지만 척골동맥의 압박을 제거한 경우에는 색조의 개선이 나쁘다면, 요골동맥의 혈류는 양호하고 척돌동맥의 혈류에는 문제가 있다고 생각할 수 있다. 이 경우 요골동맥을 사용하여 동정맥루를 조성하면 손가락의 허혈을 초래할 가능성이 있고, 척골동맥을 사용하여 동정맥루를 조성하면 동정맥루 혈류량 부족을 초래할 가능성이 생긴다.

② 팔오금 부위에서의 동정맥루 조성

전완부에서의 동정맥루 조성이 곤란하다고 판단되어 팔오금 부위에서의 조성을 고려하는 경우는, 주관절(팔꿈치 관절) 부위에서의 동맥을 확인한다. 보통 주관절로부터 2횡지 말초 근처까지 상완동맥이 이어져 있다. 다시 말하면 2 횡지 말초 부위에서 요골동맥과 척골동맥으로 분지한다. 문합하려고 하는 정맥과의 위치관계를 고려하면서 주의깊게 동맥의 촉진을 실시한다. 상완부에서 상완동맥의 확인이 필요한 경우는 상완부에 인조혈관 조성을 시행하는 경우나 상완동맥의 표재화 술을 시행하는 경우이다. 상완 부위에서 상완동맥은 팔뚝의 내측에 위치해 있다. 그러므로 상완이두근을 외측으로 밀면서 촉진하거나 팔꿈치 관절에서 위쪽으로 더듬어 가는 등의 요령이 필요하다. 무엇보다도 혈관통로 조성 전의 혈관진찰 시에는, 수술 전 혈관 상태뿐 아니라 조성 후의 천자도 고려하면서 실시하는 것이 중요하다고 생각된다.

VA | 5 | 술전의 혈관평가

3 초음파검사를 이용한 술전 혈관평가

1 수술 전 초음파 검사의 목적

혈관통로를 조성할 때에는 시진, 촉진, Allen test 등의 동맥기능검사에 더해 초음파검사에 의한 동정맥 mapping이 유용하다. 이들 술전 초음파 검사의 주된 목적은 다음의 세 가지로 분류할 수 있다.

① 적절한 조성 위치를 선택해 수술의 초기 성공률을 높일 것
② 사용하기 쉬운 혈관통로가 되도록 정맥지도를 그릴 것
③ 혈관통로의 장기 개존에 연관된다고 생각되는 요소를 검증할 것

상기 목적을 위해서 평가해야할 항목은 다음과 같다.

• 수술의 초기 성공률을 높이기 - 문합 예정부위의 혈관의 상태, 동맥의 개존성, 유출로가 되는 정맥의 개존성
• 사용하기 쉬운 혈관통로가 되기 위해 - 표재정맥의 천자 가능 범위, 직경과 깊이
• 개존을 장기 유지하기 위해 - 분지의 존재와 관통정맥 (perforating vein)의 개존성, 수장 동맥궁(palmar arch)의 개존성

많은 초음파 검사자들은 직접 수술에 참여할 기회가 거의 없기 때문에 초음파검사에 임하기 전에 문합 방법의 대표적 양식(표 5-1)에 대해 알아둘 필요가 있다.

2 검사의 순서

① 정맥의 평가

초음파검사 시에는 실내가 춥다고 느끼지 않는 적절한 온도로 설정한다. 사지의 혈관은 신경분포가 풍부하기 때문에 자극에 대해 민감하게 반응해서 추운 장소에서의 혈관직경 측

표 5-1 주요 문합 방식

동정맥루(AVF)	Snuff box 혹은 수관절부	요골동맥(radial artery) – 요측피정맥(cephalic vein)
	전완부 (forearm)	요골동맥(radial artery) – 요측피정맥(cephalic vein), 척골동맥(ulnar artery) – 척측피정맥(basilic vein)
	주와부 (cubital region)	상완동맥(brachial artery) – 요측피정맥(cephalic vein), 요골동맥(radial artery) 기시부-요측피정맥(cephalic vein)
	상완부 (upper arm)	상완동맥(brachial artery) – 척측피정맥(basilic vein) transposition
인조혈관(AVG)	전완부 (forearm)	상완동맥(brachial artery) – 문합가능한 정맥
	상완부 (upper arm)	상완동맥(brachial artery) – 상완정맥(brachial vein) 상완동맥(brachial artery) – 액와정맥(axillary vein) 상완동맥(brachial artery) – 척측피정맥(basilic vein)

정은 과소평가로 연결된다. 마찬가지로, 초음파 gel 온도에도 유의할 필요가 있다. 더욱이 피하를 주행하는 정맥은 탐촉자를 대는 정도의 압력에도 쉽게 변형되어버리기 때문에 섬세한 술기가 필요하다. cuff나 토니켓을 이용한 상박의 압박은 초음파 스캔을 용이하게 하고 정맥의 신장성도 평가할 수 있게 하므로 표재정맥의 mapping 시에 사용하는 것을 권장한다. 단, 상박의 압박은 아주 약한 압력으로도 충분하다. 혈관초음파 평가는 주로 쓰는 팔의 반대쪽이나 마비가 없는 쪽 부터 검사를 시작하고, 문합에 적절한 정맥이 눈에 띄지 않는 경우에는 반대측 팔도 평가한다. 혈관의 초음파 스캔은 반드시 횡

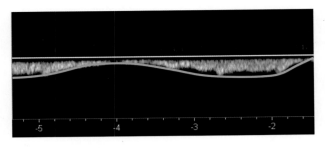

그림 5-12 혈류 파형
정맥 혈류 파형에서는 동맥의 박동과는 다른, 호흡에 따른 완만한 파가 관찰된다.

단상(단축상)부터 시작한다. 장축상에서는 대상 혈관의 전체상이나 주위 혈관과의 관계를 파악하기 어렵기 때문이다.

우선 팔오금 부위에서 관통정맥(perforating vein: 심부정맥과 표재정맥을 교통하는 정맥)을 동정해서 폐색 또는 역류의 유무를 확인한다. 팔오금 부위에 있는 관통정맥(perforating vein)은 차후에 요측피정맥에 협착이나 폐색이 발생하는 경우에도 심부정맥(deep vein system)으로 동정맥류 혈류가 흘러 나갈 수 있는 outflow로서 기능하게 되어 혈류의 유지에 도움을 준다. 한편 역류를 나타내는 경우에는 중추 측 심부정맥인 상완정맥(brachial vein)과 액와정맥(axillary vein) 영역의 환류장애를 의심하고 더욱 주의깊게 조사할 필요가 있다. 심부정맥의 유출정맥로(outflow)가 보존되어 있지 않으면 혈관통로가 있는 팔의 정맥압이 항진해 팔 부종을 일으킬 위험성이 있다.

다음으로, 표재정맥(superficial vein)은 팔오금 부위부터 말초 측, 그리고 중추 측으로 스캔하고, 분지의 유무, 혈관 벽의 상태, 내경, 피부로부터의 깊이 등을 확인한다. 검사의 시작을 팔오금 부위부터 하면 요측피정맥의 본줄기를 파악하기 쉽다. 요측피정맥의 관찰범위는 손목에서 어깨까지, 척측피정맥(basilic vein)은 겨드랑이 부위의 상완정맥과의 합류부부터 전완부까지로 한다. 기록해야 하는 소견을 얻었을 경우, 환자의 팔에 있는 탐촉자의 위치를 확인하고 손목 관절 또는 팔꿈치 관절을 기준으로 거리를 측정하여 보고서에 기재한다 (예: '수관절부터 5 cm 중추에 요측피정맥 협착있음').

문합에 필요한 정맥의 내경은 동정맥루의 경우 2.0~2.5 mm 이상, 인조혈관의 경우에는 3.0~3.5 mm 이상이라는 보고가 많다. 또한 깊이에 관해서는, 예외적으로 확장되어 있는 정맥이 아닌 한, 보통 6 mm를 넘으면 천자가 곤란하다고 생각되고 있다. 깊이에 관해서는 피하의 얕은 위치에 혈관을 전위시키는 '표재화'라는 수술법으로 천자곤란 문제를

해소할 수 있는 경우도 있다. 쇄골하정맥(subclavian vein)으로부터 완두정맥(brachiocephalic vein)은 상지의 정맥혈류의 거의 전부가 최종적으로 도달하는 부위이다.

따라서, 이 영역의 개존성 확인도 잊지말아야 한다. 단층법(B mode)과 함께 컬러 도플러 또는 펄스 도플러를 이용해 정상적인 호흡변동성이 관찰되는지 확인한다(그림 5-12). 도관(catheter)이나 중심 정맥 라인이 유치되어 있었던 기왕력이 있는 경우에는 특히 주의해서 관찰하고 혈전이나 정맥의 퇴축 등 환류를 저해하는 요소가 있는지를 확인할 필요가 있다. 완두정맥(brachiocephalic vein)은 쇄골상와(쇄골위 오목한 부위)부터 접근하여 스캔하지만, 많은 경우 심부를 주행하기 때문에 묘출이 어렵고 특히 좌측에서는 가장 원위부의 관찰범위로 제한되는 경우가 많다. 이 경우 주파수가 낮은 부채꼴 탐촉자(sector probe)를 이용하여 보다 넓은 범위를 평가할 수 있다.

② 동맥의 평가

상완 압박을 제거하고 단층법(B mode) 단축상에서 상완동맥(brachial artery)부터 요골동맥(radial artery), 척골동맥(ulnar artery)까지 각 동맥의 plaque, 석회화, 사행, 분지 이상의 유무를 확인한다. 상완동맥의 고위분지는 12~18% 정도의 빈도로 존재하므로 일상적 검사에서도 종종 우연히 발견되며, 요골동맥 측의 직경이 작은 경우가 많아서 혈류량이 척골동맥보다 크게 못미치는 예도 있으므로 주의가 필요하다. 다음으로, 컬러 도플러를 이용해서 협착에 의한 aliasing 또는 폐색에 의한 signal 결여가 있는지를 확인한다. 난류를 나타내는 부위에서 PSV (수축기최고혈류속도)가 2배 이상의 상승을 나타내는 경우는 협착이 존재한다고 간주되므로 병변위치를 기록한다. 각 동맥의 말초 측에서 펄스 도플러에 의한 혈류파형을 기록하는데, 반대측 사지와 비교하여 PSV의 저하, acceleration time (AcT)의 연장, 확장기 음성 파의 소실 등 상류 협착을 시사하는 파형 변화(그림 5-13)의 유무를 확인하여 스캔 부위보다 중추 측(proximal) 동맥의 개존성을 확인한다. 신체검사와 초음파검사로 수장동맥궁(palmar arch)의 개존성을 확인함으로써 혈관통로 조성 후의 스틸 증후군(steal syndrome)발생 위험성을 사전에 인지할 수가 있다. 더불어, 수장동맥궁(palmar arch)을 통한 back flow가 동정맥루의 장기 개존율을 향상시킨다는 연구도 있다. 이것을 평가하기 위해 Allen test가 일반적으로 이용되지만, 다음과 같은 방법을 통해 초음파법으로 간략하게 확인할 수도 있다. Snuff box에서 요골동맥 종말부(terminal part)를 장축단면으로 묘출하고 컬러 도플러 혹은 펄스 도플러를 이용해 말초방향으로의 혈류를 확인한다. 그

정상 파형

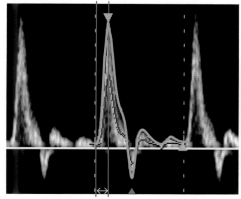

협착 후 파형 (협착부보다 하류의 파형)

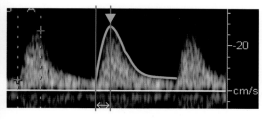

그림 5-13 협착에 의한 파형변화

협착부보다 말초(downstream)에서의 혈류파형에서는 다음과 같은 소견이 나타난다. PSV (수축기최고혈류속도)(▼)의
저하, acceleration time(↔)의 연장, 확장기음성파(▲)의 소실

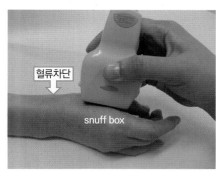

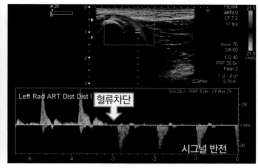

그림 5-14 수장동맥궁 (palmar arch)의 개존성 확인

snuff box에서 요골동맥(radial artery) 종말부를 장축단면에서 묘출하고, 손목 관절에서 요골동맥을 손가락으로 눌러 혈
류를 차단한다. 펄스 도플러의 혈류파형이 반전되어 역행성 혈류가 관찰되면 수장동맥궁(palmar arch)이 개통되어있는
상태라고 평가할 수 있다.

다음, 손목 관절에서 요골동맥을 손가락으로 눌러 혈류를 차
단한다. 압박 후에 도플러 시그널이 반전하여 역행성의 혈류
를 확인할 수 있으면 손바닥을 경유하는 혈류의 존재가 확인
된다(그림 5-14). 또한, 손을 꼭 쥐고나서 개방했을 때의 요
골동맥 또는 척골동맥의 확장기 혈류속도의 증가를 관찰하여
혈관확장의 반응성이 양호하다고 판단하는 방법도 있다(reac-
tive hyperemia test).

③ 문합에 적합한 부위의 선정

정맥 mapping과 동맥 개존성의 정보를 기초로 문합가능한
부위를 선택한다. 동정맥루 문합의 위치는 가능한 말초부터
고려한다. 차후의 혈관통로 조성술이 가능한 혈관 영역을 남

겨놓을 수 있는 이점이 있고 수술적 재건술이 필요한 경우를
대비하기 위한 것이다. 문합 예정 부위에 정맥의 판막이 존재
하는 경우에는 동정맥루의 발달을 방해할 가능성이 있으므로
보고서에 포함하도록 한다. 선택된 부위에서 동정맥의 단축
상을 기록하고 혈관경을 측정한다. 동맥의 직경은 2 mm 이
상인 경우가 바람직하다. 동정맥루의 경우, 가능하면 동일한
화면 내에 원하는 동맥과 정맥을 묘출하여 위치관계를 알 수
있도록 한다.

④ 보고서의 작성

모식도를 이용하여 알기 쉽고 정확한 정보를 제공할 수 있다.

3 마치면서

혈관통로의 조성 시에는 혈관의 상태 외에도 동반 질환, 연령, 생활 양식 등 환자 개개인에 대한 폭넓은 검토가 필요하므로, 초음파 mapping검사를 하기 전에 혈액투석 도입까지의 예상 기간이나 혈관통로의 종류 등에 대해 담당의와 상의하는 것이 필요하다.

더불어, 외과의사의 입회 하에 초음파검사를 시행하면 검사자는 문합부 선정 방법에 대해 실제적인 관점에서 배울 수 있으므로 한층 더 적절한 혈관통로의 조성이 가능해진다.

● 참고문헌

1) Zierler, R. E. (ed.) : Strandness's Duplex Scanning in Vascular Disorders(4th ed.) Chapter 28 : Dialysis Access Procedures. Lippincott Williams & Wilkins, 350∼383, 2010.

6 초음파를 이용한 혈관통로의 일상 관리

총론

개요

초음파를 이용한 혈관 검사의 장점으로는 단층법(B mode)을 이용하여 혈관의 내강이나 벽의 상태 등의 형태 평가가 가능하고 컬러(파워) 도플러법을 이용하여 혈류의 표시가 가능하며 펄스 도플러법을 병용하여 혈관 내를 흐르는 혈류 속도, 혈류량, 혈관 저항 등의 혈류동태를 수치화하여 평가할 수 있다는 것이다.

또한 단층법은 한 개의 단면 뿐 아니라 여러 단면의 형태 진단이 가능하고 도플러를 병용하면 혈류의 방향을 확인할 수 있다. 혈전으로 폐색된 경우에는 도플러로 혈류신호의 소실을 확인할 수 있어 혈류가 없다는 것을 바로 알 수 있다.

이 장에서는 이러한 초음파검사의 특징을 활용하여 일상에서 어떻게 효율적으로 혈관통로(VA)를 관리할 수 있을지에 관해 기본적인 사항을 정리하고자 한다.

1 혈관통로의 일상 관리 방법

혈액투석 치료가 필요한 만성신부전 환자에게 혈관통로를 장기간 양호한 상태로 유지하는 것은 투석치료를 지속하는데 있어서 중요한 문제이다. 그러나 주 3회 연간 150회 이상의 투석 치료를 받고 1회 투석치료에서 적어도 2곳에 천자를 받는 투석환자에게 혈관통로 합병증은 피할 수 없는 문제 중 하나이다. 그러므로 투석치료 현장에서 **표6-1**에 열거한 신체검사 소견을 확인하고 이상 증상이 확인된 경우에는 신속하게 초음파검사를 시행하는 시스템이 필요하다. 특히 혈액유입불량, 혈관통로 청진음 감소 등의 임상증상을 동반하는 경우에는 혈관성형술(PTA)이나 외과적 재건술이 필요한 경우가 있는 데, 초음파검사를 시행하면 혈전성 폐색의 원인 감별이 가능하고

표 6-1 천자 시 확인해야 하는 신체검사소견

- 혈액유입량 저하
- 혈관통로 떨림(thrill)의 변화
- 혈관통로 청진음(bruit)
- 혈관통로 정맥 전체의 촉진(협착부위의 확인)
- 혈액투석 중 pillow나 동맥압의 상태
- 지혈시간의 연장
- 혈관통로가 있는 팔의 부종

외과적 수술의 필요성 여부를 쉽게 판단할 수 있는 경우가 많다. 또한, 혈액유입불량 등의 증상이 나타나지 않아서 의료진이 신체검사에서 발견하지 못했던 혈류량의 뚜렷한 감소 및 심한 협착을 확인함으로써 폐색 등의 문제를 미연에 예방할 수도 있다. 이러한 경우가 발생하는 이유는, 투석실 의료진은 혈관통로를 '투석의 도구'로써 문제없이 사용할 수 있으면 '기능 양호'라고 판단하는 반면, 초음파검사로는 형태 뿐 아니라 혈류량 등의 기능도 함께 평가하여 판단하기 때문이다. 예를 들면 상완동맥(brachial artery)의 혈류량(QB)이 250 ml/min이고 협착부위 직경이 1 mm로 분명하게 기능저하가 있더라도 평소 혈류 속도 150 ml/min으로 혈액투석을 시행하는 환자는 혈액유입에 문제가 없을 수도 있기 때문에 갑자기 혈관통로가 막히기 직전까지도 기능이 양호하다고 오판할 수가 있다(**그림 6-1, 패턴1**).

또한, 협착부위가 문합부보다 하류에 있는 경우에는, 협착부위보다 상류인 문합부 근방에서 혈액이 유입되므로 혈관통로의 혈류량이 100 ml/min 이하인데도 불구하고 혈류 속도 250 ml/min으로 투석치료를 시행할 수도 있기 때문에, 혈전증으로 혈관통로가 폐색될 수 있는 상황임에도 투석실 의료진은 '기능 양호'라고 오인할 수 있다(**그림 6-1, 패턴2**). 이와 같이 급성 혈전증의 위험을 간과할 수 있는 경우에도 초음파검

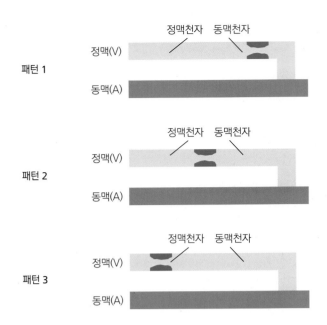

패턴 1

정맥(V)　정맥천자　동맥천자

동맥(A)

패턴 2

정맥(V)　정맥천자　동맥천자

동맥(A)

패턴 3

정맥(V)　정맥천자　동맥천자

동맥(A)

그림 6-1　혈관통로의 협착부위와 천자부위와의 관계
협착부위의 혈관내경은 1 mm로 좁아져 있고, 상완동맥(brachial artery) 혈류량(QB)은 모두 250 ml/min으로 저하되어 있다고 가정

표 6-2　초음파를 이용한 혈관통로의 일상 관리

• 협착의 국소 진단과 중증도 평가
• 혈액유입불량 등의 기능진단
• 천자곤란의 원인 조사
• 지혈곤란의 원인 조사
• 폐색의 진단과 치료법의 선택
• 과잉 혈류의 평가
• 통증의 원인 감별 진단(스틸 증후군, sore thumb, 혈전 등)
• 정맥압 상승의 원인 조사
• 동맥류와 가성 동맥류 진단과 동맥류내 혈전의 평가
• 혈청종(seroma)에 의한 인조혈관 압박 유무의 평가

사를 이용하면 협착으로 인한 기능저하를 파악하는 것이 가능하기 때문에 초음파검사는 혈관통로의 일상 관리(surveillance)에 매우 유용하다.

각 센터마다 장비의 차이로 혈관통로 관리방법도 다양하다. 중재시술치료가 가능하지 않은 혈액투석 클리닉의 경우엔 즉각적인 혈관통로 합병증의 치료가 어렵기 때문에 혈전증이나 폐색을 예측할 수 있는 진단적 수단이 필요하다.

2　혈관통로의 일상 관리에 필요한 초음파검사의 기본 지식

초음파검사를 이용하면 선별적으로 혈관통로의 기능을 평가할 수 있고 협착의 진행으로 발생할 수 있는 혈관통로의 문제를 예측할 수 있다. 또한, 문제 발생 시 국소적 병변의 진단, 병변의 범위 및 원인 파악, 그리고 치료 방법의 선택에도 이용될 수 있다. 표 6-2에 일상에서 발생할 수 있는 여러 종류의 혈관통로 문제와 초음파검사의 이용에 대해서 제시하였다. 다양한 혈관통로 합병증 중에서도 가장 많은 빈도를 차지하는 것은 협착과 그로 인한 기능불량, 폐색이고 전체의 약 78%로 보고되어 있다. 일단 폐색되면 혈관통로를 이용할 수 없으므로 계획된 혈액투석 치료를 안정적으로 유지할 수 없다. 따라서, 이러한 기능불량과 폐색을 예측하여 예방할 수 있다는 면에서 초음파검사법은 이용가치가 크다고

할 수 있다.

오히라[2] 등은 혈관통로의 개존율에 관해서, 자가혈관은 1년 후에 80.6~89.1%, 3년 후 70.4~81.0%, 5년 후 59.9~76.5%인 반면, ePTFE 인조혈관은 1년 후 68.7~88.0%, 3년 후 50.8~52.3%, 5년 후 33.9~45.5%로 보고하였다. 초음파를 이용한 관리가 개존율을 어느 정도까지 향상시킬지는 향후 검토가 필요하지만, 적어도 혈관통로의 합병증을 예측할 수 있다는 점에서 지금까지의 신체 검사보다는 우수하다고 생각된다. 한편, 초음파검사를 이용한 혈관통로 평가법과 그 유용성에 대한 다수의 보고를 정리한 노토 등의 발표에 따르면, 초음파검사의 특성을 이용하여 수술 전 mapping 검사를 하고 조성된 혈관통로의 감시에 B 모드, 컬러 도플러, RI (resistive index), 그리고 혈류량 측정을 활용하여 조기에 의미있는 협착을 진단 및 치료하는 것으로 혈관통로의 개존율을 높일 수 있다고 하였다. 향후에도 초음파검사는 혈관통로의 일상 관리와 감시에 유용한 도구가 될 것으로 기대된다.

3　형태평가를 이용한 혈관통로 관리

협착은 그 자체로 혈액유입불량 등 기능부전의 위험인자일 뿐만 아니라, 심한 협착의 경우 혈전성 폐색의 발생위험도 높아진다. 따라서, 일상에서 초음파검사를 이용하여 협착의 국

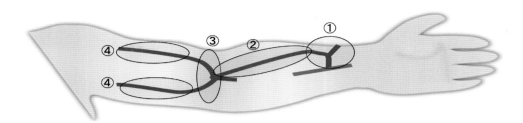

손목 부위에 조성된 자가혈관 동정맥루 103례				
협착 발생	44예 (42.7%)			
협착 발생 부위	47부위 (2개소 발생: 2예 / 3개소 발생: 1예)	① 문합부 근방 굴곡부 : 33예 (70%)	② 전완부: 6예 (13%)	③ 주관절부: 5예 (11%) ④ 상완부: 3예 (6%)
협착 직경	2.12 ± 0.43 mm			
NASCET 협착율	60.0 ± 8.9%			

그림 6-2 동정맥루 협착의 발생 부위와 빈도

표 6-3 초음파검사가 유용한 형태평가

- 협착의 국소진단과 협착의 정도
- 동맥류의 국소진단과 크기
- 혈관통로의 직경, 깊이 및 주행
- 측부혈관의 국소진단과 직경
- 천자부위의 혈관 직경과 혈관 벽의 상태
- 비혈전성 폐색의 국소진단과 범위
- 혈관 석회화 및 내막 비후의 정도
- 혈전의 국소 진단과 상태
- 판막(valve) 구조의 영상화

소진단과 협착의 정도를 평가하는 것이 중요하다. 실제적인 협착의 진단에서는 가운데가 좁아진 요철형이나 양 끝이 좁아진 방추형 협착에서 병변의 시작과 끝의 굴곡지점을 확인하는 것이 필요하며, 혈관내막이 비후되어 있는지, 병변의 범위가 미만성으로 광범위한지, 그리고 이러한 병변들이 함께 동반되어 있는 지를 파악해야 한다. **그림 6-2**에 전완 손목부위에 조성된 동정맥루에서의 협착 호발 부위를 표시하였다. 이와 같이 동정맥루에서의 협착 병변은 문합부로부터 약 5 cm 이내의 굴곡진 부위(swing point)에 많이 발생하고, thrill 등의 신체검사가 진단에 도움이 되는 경우가 많다. 초음파검사로 평가가 유용한 형태의 항목을 **표 6-3**에 제시하였다. 이러한 형태 이상을 투석치료 현장의 의료진에게 알기 쉽게 전달하는 것이 중요한데, 그 방법으로 혈관의 상태를 그림으로 도식화하여 회신하는 것이 바람직하다. 이렇게 하면 검사자 뿐만 아니라 투석실 의료진도 혈관통로를 평가하는 도구로 유용하게 사용할 수 있다. 그렇게 하기 위해서는 협착을 놓치지 않고 진단하는 것이 중요하며, 한정된 시간 내에 상지 전체의 형태를 평가하기 위해 초음파 검사자는 B 모드 뿐 아니라 도플러법도 병용해서 협착부에서 발생하는 제트류를 컬러 신호의 aliasing 현상으로 나타내거나 협착 하류의 혈관벽의 움직임(vibration)을 분해능이 좋은 advanced dynamic flow (ADF)나 eFlow 등을 이용하여 motion artifact 로 나타내는 방법을 통해 검사시간을 단축하고 진단률을 높일 필요가 있다.

그림 6-3-a는 혈액 유입이 불량한 증례에서 시행한 초음파 단층 영상이다. B 모드에서는, 화살표 부분 전체가 비슷한 정도로 좁아 보여서 국소적인 협착을 발견하는 것이 쉽지 않다. 그러나 **그림 6-3-b**와 같이 ADF나 eFlow 등을 병용하면 협착부 하류의 vibration을 artifact로 파악하는 것이 가능하고 그

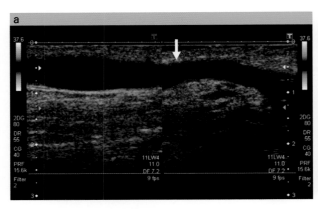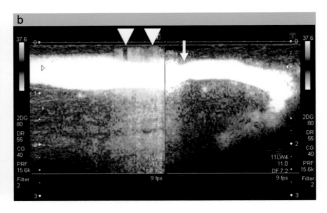

그림 6-3 협착병변의 초음파영상(⇨)
a: B 모드. B 모드법으로는 의미있는 협착 부위를 나타내기 어렵다.
b: Advanced Dynamic Flow (ADF). 협착부위의 하류에서 발생하는 vibration을 artifact로 시각화(▽)가 가능하고, 바로 상류에 있는 협착도 진단이 용이하다.

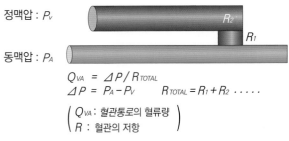

그림 6-4 혈관통로의 혈류 동태

상류에 존재하는 협착부위도 쉽게 알 수 있다. 이와 같이 떨림(thrill)에 의한 혈관벽의 vibration을 artifact로 시각화하면 협착병변을 빠뜨리지 않고 쉽게 진단할 수 있다. 단, 이러한 현상은 굴곡이 현저한 부분과 문합부 바로 위에서도 발생하기 때문에 반드시 B 모드에서도 협착의 유무를 확인해야 한다.

4   혈류량을 이용한 혈관통로 관리

동맥과 정맥을 인위적으로 문합하면 혈류량(Q_{VA})은 동맥압(P_A)과 문합된 정맥압(P_v)의 압력차(ΔP)에 비례하고 문합부에서 하류까지의 정맥저항(R_{total})의 총합에 반비례한다고 생각하면 된다(그림 6-4). 따라서, 문합부 직경이 크거나 혈관이 피부 바로 밑으로 주행하는 경우에는 정맥의 저항이 작아져 혈류량이 증가한다. 또한, 고혈압, 심기능의 항진, 체중 증가(건체중보다 체중이 증가한 경우), 문합부가 중추 쪽에 가까운 경우 등에서도 동맥압이 상승하여 정맥압과의 압력차가 커지기 때문에 혈류량이 증가하게 된다.

반대로, 문합부 직경이 작거나 협착이 존재하면 혈관 저항(R)이 증가하여 혈류량이 감소하고, 혈압이나 심기능 저하, 탈수 상태에서도 혈류량은 감소한다. 이와 같이 혈관통로에 변화가 없어도 여러 요인들에 의해 혈류량이 변동될 수 있다는 점에 주의해야 한다.

혈관통로는 250~300 ml/min 이상의 혈류량 유지가 가능한 혈액유입이 필요하다. 많은 보고에서, 혈액유입에 문제가 없는 혈관통로에서 초음파검사법으로 측정된 혈류량은 800~1,200 ml/min 으로 나타났다. 단, 초음파검사를 이용한 혈류량 측정은 재현성이 낮다는 문제점이 있다. Weitzel 등의 보고[5]에서 측정오차는 혈관통로 혈류량 800 ml/min 이하에서 4%, 801~1,600 ml/min 에서 6%, 1,600 ml/min 이상의 경우에는 11%로 혈류량이 많을수록 오차도 커짐을 알 수 있다.

따라서 과잉혈류의 경우에 측정값의 오차가 커질 것으로 쉽게 예상할 수 있고, 측정된 혈류량은 어디까지나 참고치로만 삼아야 할 수도 있다. 반대로, 혈액유입불량 등 기능부전 발생 시에는 혈류량도 감소하기 때문에 초음파검사를 이용한 혈류량 측정이 좋은 진단 방법이 될 수 있으며 시간 경과에 따른 혈류량의 변화를 확인하는 것도 초음파검사를 통한 혈

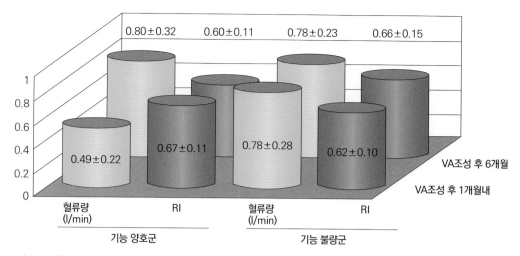

그림 6-5 혈관통로의 혈류 변수(parameter)의 변화

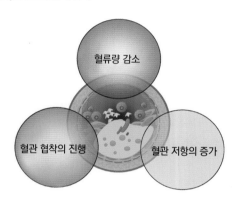

그림 6-6 혈류불량 발생의 3가지 위험인자
혈류량의 감소, 혈관 협착의 진행, 혈관 저항의 증가

류량 측정법에 신뢰도를 높일 수 있다. 혈관통로 조성 후 5년 간의 경과 관찰 중에 혈관통로 문제가 없는 환자군을 기능 양호군, 혈관 성형술 (PTA)을 시행했거나 폐색이 생겼던 환자군을 기능 불량군으로 정의하여 두 군의 예후를 조사해 본 결과, 조성 후 6개월에 시행한 검사에서는 기능 양호군과 불량군의 혈류량과 RI 값이 유의한 차이가 없었다(그림 6-5). 그러나, 장기간의 추적 관찰시 기능 양호군의 경우 조성 후 점차 혈류량이 증가하고 RI는 감소하지만, 기능 불량군에서는 혈류량의 증가나 RI의 저하가 없는 경우가 많았다.

따라서, 새로 혈관통로를 조성한 환자에서 조성 후 6개월 이내의 예후 판단은 신중할 필요가 있다고 생각된다(역자 주: 최근에는 동정맥루 조성 4~6주 이내의 혈류량 변화 등이 동정맥루 성숙 여부를 판단할 수 있는 지표가 될 수 있다는 보고도 있다).

5 혈관통로 기능 평가 방법의 현황과 전망

혈관통로의 기능을 예측하기 위한 중요한 인자로, '혈류량의 감소', '혈관 협착의 진행', '혈관 저항의 증가'를 생각할 수 있다(그림 6-6). 이러한 3가지 요소는 독립적인 위험인자인 동시에 상호 연관성을 가지며 혈관협착의 진행, 혈관 저항의 증가에 의해 혈류량은 감소한다. 초음파검사는 이러한 요인들을 모두 평가하는 것이 가능하다. '혈류량의 감소'는 상완동맥(brachial artery)이나 요골동맥(radial artery)의 혈류량을 측정하거나, 혈액이 유입되는 인조혈관을 직접 측정하는 방법으로, 또는 혈관통로가 있는 팔의 상완동맥 혈류량에서 반대측 팔의 상완동맥 혈류량을 뺀 값을 계산해서 평가할 수도 있다. '혈관의 협착'은 협착부 혈관직경을 직접 측정하거나 협착율을 구하는 방법, 협착 부분과 정상 부분의 혈류 속도비를 측정하는 방법, 수축기 최고혈류속도(peak systolic velocity)와 확장말기 혈류속도(end diastolic velocity)를 측정하는 방법으로 평가할 수 있다. '혈관 저항의 증가'는 PI (pulsatility index), RI (resistive index) 등 혈관저항지수를 구하거나 수축기 혈류의 감속 시간 (deceleration time: DcT)이나 상승 시간 (acceleration time: AcT)을 측정해서 평가할 수 있는데, 이러한 항목들은 상완동맥(brachial artery), 요골동맥(radial artery), 인조혈관 등 다양한 부위에서 측정할 수 있다. 이와 같이 초음파를 이용한 혈관통로 평가는 다양한 측정 부위 및 방법이 존재하고 각각의 측정값이 혈관통로의 기능을 반영한다고 생각되므로, 측정부위와 방법을 통일하여 평가기준을 일정하게 만들 필요가 있다. 최근에는 이러한 여러 항목 중, 혈류량의 감소와 혈관저항의 증가를 평가하는 방법으로 상완동맥(brachial artery)의 혈류량과 RI를 이용하고, 혈관 협착을 평가하는 방법으로 협착부의 내경을 측정하는 방법이 많이 사용된다. 상완동맥(brachial artery)이 주로 이용되는 이유는 재현성이 우수할 뿐 아니라 펄스 도플러법 이용시 각도 보정이 용이하기 때문이다. 이상과 같이, 혈관통로에 대해 초음파검사를 시행하면 외관상으론 알기 어려운 혈관통로의 이상을 조기에 발견할 수 있다. 2006년 NKF-KDOQI 지침에서는 추가 조사나 치료를 고려하는 혈관통로 혈류량의 기준을 다음과 같이 제시하고 있다.

- AVF : 혈류량 < 400-500 ml/min
- AVG : 혈류량 < 600 ml/min,

　　　　또는 혈류량이 1,000 ml/min 이상이어도 지난
　　　　4개월 간 혈류량이 25% 이상 감소한 경우

일상적인 혈관통로 감시(surveillance)가 보편적으로 일반화되어 시행되어야 하는 지에 대해서는 아직 논란의 여지가 있으나, 혈관통로의 개존율을 높이고, 문제를 조기에 발견하게 해주어 혈관통로 합병증을 감소시킬 수 있는 방법으로 추천되고 있다.

● 참고문헌

1) 尾上篤志ほか：超音波検査における前腕内シャント狭窄の検出とシャント機能不全の予測. 大阪透析研究会会誌, 20：65～68, 2002.
2) 大平整爾ほか：ブラッドアクセスの長期化開存性および関連する危険因子. 臨牀透析, 12：931～941, 1996.
3) 能登宏光ほか：血液透析患者のバスキュラーアクセス管理における超音波の有用性. Jpn J Med Ultrasonics, 35：641～661, 2008.
4) Strauch, B.S. et al.：Forecasting thrombosis of vascular access with Doppler color flow imaging. Am J Kidney Dis, 19：554～557, 1992.
5) Weitzel, W.F. et al.：Analysis of variable flow Doppler hemodialysis access flow measurements and comparison with ultrasound dilution. Am J Kidney Dis, 38：935～940, 2001.
6) 尾上篤志ほか：バスキュラーアクセス機能モニタリングとしての超音波パルスドプラ法の有用性. 医工学治療, 19：256～262, 2007.

6 초음파를 이용한 혈관통로의 일상 관리/각론

1 동정맥루(AVF)
① 신체검사

개요

일본투석의학회의 [만성혈액투석용 혈관통로의 조성 및 치료에 관한 가이드라인][1] [제 8장 혈관통로의 기능감시]에서는, '동정맥루(AVF)는 유출정맥이 표재성이기 때문에 신체검사 소견이 매우 중요하다. 떨림(thrill), 잡음(bruit), 투석혈관 전체의 촉진(협착부 확인), pillow 상태평가(투석 중 동맥압 상태평가), 지혈시간의 연장, 혈관통로의 부종 등의 소견을 매주 관찰해야 한다.' 라고 권고하고 있다. 또 제 10장에서는 시진, 촉진, 청진의 중요성에 대해서 설명하고 있다. 혈관통로에 대한 올바른 기능 평가의 기본이 되는 것은 신체검사 소견이다. 본 장에서는 환자의 혈관통로 평가방법으로 시진, 촉진, 청진을 중심으로하여, 이후의 초음파를 이용한 검사에 참고가 될 소견에 관해 서술하겠다. 또한 투석 시의 혈류상태 등으로 알 수 있는 신체검사 소견도 서술하고자 한다.

1 환자로부터 얻을 수 있는 신체검사 소견

1 | 시진(표 6-4)

다리에 혈관통로를 조성하지 않는 것은 아니지만 일반적이지 않기 때문에 여기서는 팔에 조성된 혈관통로에 관해서 기술하고자 한다. 외래에서 신체검사 시 상의를 탈의한 상태에서 쇄골 부위까지 관찰하는 것이 바람직하다. 우선은 혈관통로가 있는 부위를 확인한다. 일차적으로 고려하는 혈관통로는(그림 6-7) 엄지손가락에 가까운 부분의 코담배갑(snuff box) 또는 손목보다 약간 중추쪽의 요골동맥(radial artery)-요측피정맥(cephalic vein)을 이용한 혈관통로이다. 그 외 전완의 중간부위, 척측, 또는 팔오금 부위에 조성되는 경우도 있다.

표 6-4 시진, 촉진 시의 주의사항과 고려할 수 있는 병태

혈관통로 조성부위	그림 6-7처럼 snuff box, 요골동맥(radial artery)-요측피정맥(cephalic vein) 혈관통로가 흔하다. 혈행동태에 따라 다른 부위에 조성하거나 수술적으로 재건한 경우도 고려한다.
양 팔의 피부색	검은 피부색: 울혈(정맥고혈압), 동맥 혈행 장애 붉은 피부색: 울혈(정맥고혈압), 감염
손가락 끝의 색조 변화	검거나 불량: 울혈(정맥고혈압) 창백, 청색증: 스틸 증후군
양 팔 두께 차이	울혈(정맥고혈압), 특히 중심정맥협착증
쇄골 근처 흉벽 표재혈관의 발달 및 확장	중심정맥협착증
혈관통로의 경도	돌 같은 경도: 특히 문합부에서 촉지되는 경우는 혈관의 석회화 강한 탄력의 박동: 중추(downstream)측 협착(후부하 증가) thrill이 약하고 촉지가 어려움: inflow 부족(전부하 감소), 협착 후 혈관 밧줄 또는 새끼줄처럼 촉지: 만성완전폐색(비혈전성), 심한 협착

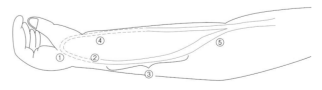

① Snuff box 혈관통로
② 요골동맥(radial artery)-요측피정맥(cephalic vein) 혈관통로
③ 요골동맥(radial artery)-요측피정맥(cephalic vein) 혈관통로 (근위부 요골동맥-요측피정맥 문합)
④ 척골동맥(ulnar artery)-척측피정맥(basilic vein) 혈관통로
⑤ 팔오금 부위 혈관통로

그림 6-7 혈관통로 조성 부위

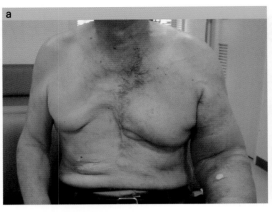
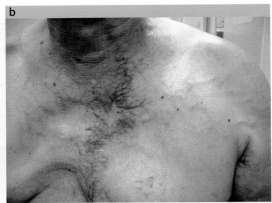

그림 6-8 중심정맥협착증의 증례

a: 오른 팔에 비해 혈관통로가 있는 왼팔이 뚜렷하게 부어 있다.
b: 좌측 흉벽을 중심으로 혈관이 뚜렷하게 확장되어 있고 피하의 표재정맥이 관찰된다(측부정맥).

(사진제공: (医) 大誠会・松岡哲平先生)

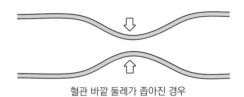
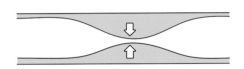

혈관 바깥 둘레가 좁아진 경우   혈관 내막이 비후된 경우

그림 6-9 정맥협착의 종류

혈관통로 조성 시에 생긴 수술 흉터도 수술력을 조사하는 데 중요하다. 혈관통로의 위치가 확인되었다면 양 팔을 비교하여 피부의 색, 특히 손가락 끝의 색조 변화와 팔의 두께 차이 등을 관찰한다. 양 팔 사이의 색조나 두께의 현저한 차이는 이상 소견을 의미하는 경우가 많고, 향후의 신체검사 시행 시에도 다양한 정보를 준다(표 6-4). 쇄골 근처의 흉벽에 표재정맥이 확장되어 있는 것은 중심정맥의 협착이나 폐색을 의미한다(그림 6-8). 시진에서는 혈관통로 주행도 중요한 소견이 되며, 누운 자세에서 관찰이 어려운 경우에는 앉은 자세를 취하여 동정맥루의 확장을 관찰해볼 수 있다. 그래도 혈관의 주행을 알기 어려운 경우에는 가볍게 상완을 압박하여 혈관을 팽창시키는 것도 주행을 확인하는데 유용하다. 명백하게 협착이 존재할 경우 시진만으로도 그 위치를 추정할 수도 있지만, 혈관 내막비후로 인한 협착의 경우에는 일견 혈관이 굵게 관찰되는 경우도 있기때문에 주의가 필요하다(그림 6-9). 또한 정상 혈관의 기본적인 주행을 고려하여 동정맥루의 주행을 추정하는 것도 필요하다. 이러한 방법으로 혈관이 잘 보이지 않는다면 비혈전성 폐색을 예상하고 검사를 진행한다.

2 │ 촉진

혈관통로의 조성 부위 및 주행이 시진으로 어느 정도 확인된 후에는 실제로 촉진에 의한 진단이 중요하다.

우선 팔 전체를 가볍게 촉진해본다. 혈관통로가 있는 팔이 반대팔보다 명백하게 부어 있는 상태에서는 정맥 고혈압을 의심해 볼 수 있다. 협착의 위치에 따라 팔 전체에 부종이 생기지 않는 경우도 있기 때문에 부종의 범위는 협착 부위를 추정하는 데 중요한 소견이 된다. 다음으로, 혈관통로의 주행을 따라 촉진을 진행한다. 문합부는 강한 떨림(thrill)으로 촉지되는 경우가 많으므로, 문합부에서 떨림이 촉지되지 않는 경우에는 유입동맥으로부터의 혈류(inflow)가 감소된 경우를 고려해야 한다. 반대로, 떨림(thrill)보다는 강한 박동이 촉지되는 경우가 있는 데, 이 경우는 유입혈류량의 과잉이나 유출로협착을 생각할 수 있다. 일반적으로 협착이 없는 혈관통로는 전체적으로 부드럽고 유연하며 문합부에 가까운 부위에서는 맥박에 맞춰 떨림(thrill)을 느낄 수 있다. 문합부로부터 점차 중추 쪽(하류 방향)으로 촉진해가면 갑자기 혈관의 탄력이나 경도가 변화되는 부위를 느낄 수 있는 경우가 있다. 이 부위에는 협착이 존재할 가능성이 있고, 이후의 검사에서 중점적으

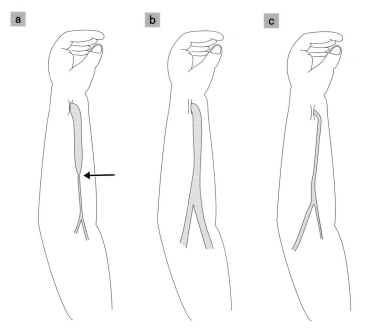

그림 6-10 팔을 위로 올려서 관찰(Arm elevation test)
a: 문합부에서 동정맥루의 중간까지는 혈관이 확장되나 화살표 지점부터 중추 쪽으로
   는 허탈되고 박동에 맞춰 간헐적으로 흐르는 혈류를 관찰할 수 있다.
b: 동정맥루 전체에서 탄성이 있는 혈관을 촉진할 수 있다.
c: 문합부에서 맥박에 맞추어 간헐적으로 폭포처럼 흘러내리는 혈류를 확인할 수 있다.

로 관찰할 필요가 있다. 때로는 요골동맥-요측피정맥 동정맥루(radiocephalic AVF)에서 전완의 중간부위나 요측피정맥의 손등쪽 가지(dorsal branch)가 분지하는 지점부터 동정맥루가 갑자기 촉지되지 않거나 새끼줄처럼 촉지되면서 혈류가 확장된 측부정맥(collateral vein)으로 흘러나가는 것이 관찰되는 경우가 있는 데, 이러한 경우는 대개 전완의 심한 협착이나 비혈전성 만성완전폐색이 원인이다. 이와 같은 경우에는, 초음파검사를 통해 다시 개통할 수 있는 지, 하류의 어느 혈관으로 혈류가 유출되고 있는 지를 조사해야 한다. 또한, 혈관통로가 있는 팔은 반드시 위로 올린 상태에서도 관찰해야 한다(Arm elevation test) **그림 6-10**. 만약 혈관통로에 협착이 없는 경우에는 혈관저항이 거의 동일하고, 후부하가 작기 때문에 **그림 6-10-c**와 같이 동정맥루의 허탈이 관찰되며 박동에 맞춰 문합부부터 폭포처럼 흘러내리는 혈류를 확인할 수 있다. **그림 6-10-a**와 같은 경우에는 어떠한 혈류 방해 요인이 있는 것을 의미하고 임상적으로는 화살표 부분에 협착이 있다고 생각할 수 있다. **그림 6-10-b**의 경우에는 언뜻 보기에 혈관통로를 전체적으로 확인할 수 있고 촉진으로 압력차를 느낄 수 없기 때문에 정상이라고 판단할 수도 있다. 그러나 물은 위에서 아래로 흐르는 것이 정상이고 혈류가 혈관 내에 머물러

있는 상태를 정상이라고 하기는 어렵다. 이와 같은 증례에서는 종종 중추 부위에 협착이 있어서 혈류 진행을 방해하고 있다고(후부하 증가) 보는 것이 타당하다. 반면, 혈류가 과도하게 유입되는 경우(과잉혈류에 의한 전부하 증가)에서도 이와 같은 소견을 보일 수 있기 때문에 혈관통로의 혈류량 측정으로 확인하는 것이 필요하다. **그림 6-10-c**의 경우에도, 혈류량 측정을 통해서 유입 혈류량 저하로 인한 전부하 감소의 가능성을 배제할 필요가 있다. 이와 같이 유사한 소견이라도 병인이 다른 경우가 있기 때문에 주의할 필요가 있다.

3 │ 청진(그림 6-11)

기능이 좋은 혈관통로의 청진음은 낮은 연속성의 소리로서 맥박이나 심음의 청진과는 다르다. 혈관통로 청진음은 심장에서 박출된 동맥혈이 보다 압력이 낮은 정맥으로 흘러들어갈 때 생기는 잡음(bruit)이며 수축기부터 확장기까지 항상 동맥압이 정맥의 압력보다 높기 때문에 연속적으로 들리는 것이 정상이다. 하지만, 동정맥루에 협착이 있는 경우에는 협착 부위에 높은 압력이 발생하여 확장기에 혈류가 중단되므로, 청진음이 끊기는 단속음으로 변화하고 협착 지점에서는 유속이

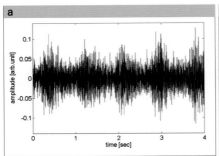 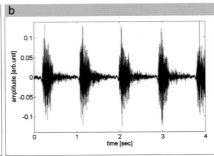 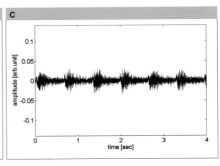

그림 6-11   혈관통로 청진음의 시간에 따른 파형

a: 정상음 – 파가 끊기지 않고 연속된 소리임을 알수 있다. 심장박동에 따라 수축기에는 크고 확장기에는 작은 연속음이 된다.
b: 단속음 – 심장수축기에는 혈류를 얻을 수 있지만(혈관통로에서 청진가능), 확장기에는 청진음이 현저히 감소하는 것을 볼 수 있다. 따라서, 수축기 압력에서는 혈류가 있지만 확장기 압력에서는 혈류 장애를 보이는 협착이 있다고 판단된다.
c: 작아진 음 – 전체적으로 혈류 진행에 장애가 있기 때문에 청진음이 약해져 있으며, 수축기 압력에서도 혈류가 방해받고 있는 상태. 이것이 더욱 진행하면 확장기에는 전혀 소리가 없게되고 폐색 직전의 상황이 된다.

(음향분석 : 山梨大学 · 鈴木 · 裕氏)

증가하여 고음의 청진음이 들리게 된다. 혈관통로 청진음은 협착 지점과 청진 부위의 관계에 따라 달라지는 데, 일반적으로 협착 지점에서는 고음, 협착부보다 상류 쪽에서는 단속음, 하류 쪽에서는 약한 연속음을 청진할 수 있다. 선별검사로서 청진하는 경우에는 협착 지점의 정확한 특정은 요하지 않는다 하더라도 이상 소견을 발견할 수 있도록 평소에 정상적인 동정맥루 청진음을 듣고 기억해두는 것이 중요하다. 연속성으로서는 경찰차의 사이렌 소리와 같은 연속음은 정상이고, 행진 시의 구두소리 같은 단속음은 자세한 확인이 필요하다. 주파수로는 바다의 잔물결과 같은 저음은 정상이지만 휘파람 같은 고주파의 소리는 협착에 대한 평가가 필요하다고 할 수 있다.

2 │ 투석치료 중에 알 수 있는 신체검사 소견

1 │ 투석 중 동맥압(pillow 형태)

혈관통로를 통해 혈액을 투석기(dialyzer)로 끌어들일 때, 계기판의 동맥압을 확인하거나 동맥 라인의 pillow를 관찰한다. 설정된 혈류 속도에 맞춰 충분한 혈류량을 얻을 수 있는 경우에는 pillow가 확장된 상태로, 동맥압이 적절한 범위 내에서 유지된다. 그러나 혈류량이 설정값보다 작은 경우에는 pillow가 허탈되어 찌그러지고 동맥압이 부적절하게 저하된다. 이러한 경우에는 천자바늘 직경의 문제일 수도 있으나 혈관통로의 혈류량이 충분하게 확보되지 않은 경우를 고려해야하며, 설정된 투석혈류속도를 유지하지 못하는 상태가 되어 투석효율이 저하될 가능성이 높다. 최근에는 혈액투석 회로 내

의 실제 혈류량을 측정할 수 있는 초음파 희석법을 이용한 기구나 혈류량 측정이 가능한 투석기계가 보급되어 임상 현장에서 쉽게 실제 혈류량을 측정할 수 있게 되었다.

2 │ 정맥압

혈액투석 중 정맥압이 상승하는 경우 정맥 라인이나 chamber에 원인이 있는 지, 또는 혈관통로를 통한 혈액반환에 문제가 있는 지 감별해야한다. 일본투석의학회의 가이드라인[1]에는, 혈관통로의 협착으로 인해 '정맥압이 50 mmHg 이상 상승하는 경향을 보이거나 상시 150 mmHg 이상의 정맥압이 지속되는 경우에는 지혈시간의 연장도 동반되는 경우가 많다'고 기재되어 있다. 즉 항상 같은 조건에서 투석을 시행함에도 불구하고, 협착이 없는 상태(예를 들면 PTA 시행 후의 상태)에 비해 정맥압이 순차적으로 상승 경향을 보이는 경우에는 협착을 의심해야한다. 또 순차적으로 상승하지 않더라도 정맥압이 지속적으로 150 mmHg 이상 높게 유지되는 경우에도 협착을 의심하고 검사를 진행할 필요가 있다(역자 주: 한국에서는 일본보다 혈액투석 혈류속도가 더 높은 경향이 있으므로 150 mmHg의 정맥압 수치를 그대로 적용하는 것은 어려운 점이 있으며, NKF-K/DOQI 지침에서는 투석 중의 동적 정맥압으로 혈관통로의 협착을 진단하는 것은 추천되지 않고 있다). 하지만, 동정맥루의 정맥압과 혈액유입량의 관계에서 협착의 위치에 따라 임상증상이 다양하게 나타날 수 있다는 점을 고려해야한다. 그림 6-12에서 협착과 천자의 위치관계를 표시하였다. 그림 6-12-a의 경우, 협착이 존재하지 않기 때문에 A의 혈액유입은 양호하고 V의 혈액반환압(정맥압)도 양호하다. 그림 6-12-b도 그림 6-12-a와 마찬가지로

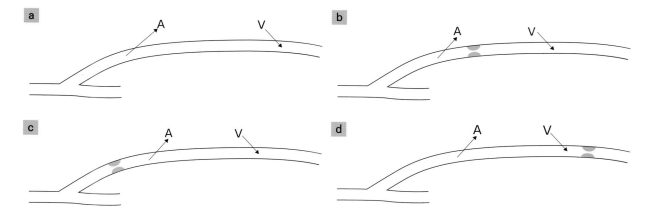

그림 6-12 협착의 위치에 따른 혈액유입, 혈액반환의 차이

혈액유입 전의 협착은 없고, 또 혈액반환 후에도 협착은 없기 때문에 양호하게 혈액유입, 혈액반환이 가능하다. **그림 6-12-c**에서는, 원활하게 혈액이 유입되지 않지만 정맥압은 정상이 된다. **그림 6-12-d**에서는, 반대로 혈액유입은 양호하지만, 정맥압은 상승한다. 이와 같이 협착의 위치에 따라 임상적인 소견이 다르기 때문에 혈액유입이나 정맥압 등의 단독 소견으로 판단하는 것은 오판할 가능성이 높아 주의가 필요하다. 특히 **그림 6-12-b**의 경우에는 어느 날 갑자기 혈관통로가 폐색될 때까지 문제없이 혈액투석이 가능한 경우도 있으므로 주의가 필요하다. 즉, 정맥압의 관찰이 유용한 경우는 **그림 6-12-d**의 패턴에만 국한되고 **그림 6-12-b, c**의 경우에서는 유용하지 않다. **그림 6-12-d**의 경우에는 혈관 내로 반환된 혈액이 협착에 의해 하류로 흐르지 못하고 혈관 내에서 역류하여 다시 A측으로 유입되는 재순환이 발생될 수 있고, 이것은 투석 효율의 저하로 이어질 수 있다.

3 │ 재순환

재순환은 협착이 혈액반환 지점보다 하류에 존재하는 경우(그림 6-12-d), 혈압 저하나 유입혈류의 감소에 의한 경우(그림 6-12-c), 또는 A 천자와 V 천자 지점의 거리가 너무 가까

운 경우에도 발생할 수 있다. 천자에 문제가 없는 상태에서 재순환율이 10% 이상인 경우 협착을 의심하는 것이 권고되고 있다[1]. 재순환율은 CritLine, 요소희석법, 또는 초음파 희석법 등으로 측정이 가능하다. 일반적인 방법으로, 투석 종료 시 A측 회로에서 채혈한 값과, 반대측의 정맥에서 채혈, 혹은 10초 정도 혈류를 흐르게 한 뒤 A측 회로에서 채혈하는 slow sampling 법으로 BUN(혈중요소질소), creatinine(크레아티닌)을 측정하여 재순환 정도를 검사하는 방법이 있다. 또한, 예상된 혈액투석 효율과 실제의 투석효율을 비교 검토해서 재순환의 유무를 판단하는 오노[2]가 제시한 Cl gap (clearance gap)의 유용성에 대한 보고도 있어 참고할 만하다(역자 주: 최근 한국에서는 Transonic사의 HD03을 이용한 재순환율의 측정, 또는 재순환율을 측정할 수 있는 옵션이 있는 투석 기계가 보급되고 있어 더욱 간편한 측정이 가능해지고 있다).

● 참고문헌

1) 日本透析医学会：慢性血液透析用バスキュラーアクセスの作製および修復に関するガイドライン. 透析会誌, 38(9)：1491～1551, 2005.

2) 小野淳一ほか：Ureakinetic Modelを応用した透析量の質的検討法(CL-Gap法)の意義. 第4回クリアランスギャップ研究会抄録集. 14～18, 2009.

개요

혈관통로는 혈액투석 환자의 생명선이며, 임상증상이 나타나기 전에 선별검사를 통해 문제를 조기발견하여 시기적절하게 치료하는 것이 필요하다. 이상적인 선별검사의 조건은 민감도 및 특이도가 모두 높고, 비침습적이며, 비용이 낮고, 재현성은 높은 것이다. 또한, 표준 검사법으로 자리매김하기 위해서는 특별한 장비를 이용하지 않고 수치를 이용하여 객관적으로 혈관통로 기능을 평가할 수 있는 것도 중요하다.

1 일상 관리에서 초음파검사의 종류

혈관통로 관리 및 치료시 초음파검사의 적용은 크게 나누어 ① 형태학적 평가에 유용한 B모드 단층상 ② 기능적, 혈역학적 평가에 유용한 펄스 도플러(PWD)법, ③ 형태학적, 혈역학적 평가에 효과적인 컬러 도플러(CDI)법이 있다(표 6-5, 그림 6-13).

2 선별검사(screening)

1 RI 측정법

우선 시진을 통해 문합부의 위치, 정맥고혈압 유무, 발적이나 종창 등 염증 소견의 유무, 동맥류 형성 등을 관찰한다.

다음으로, 문합부부터 혈류를 따라 청진을 실시하여 혈관

표 6-5 혈관통로 관리 , 치료에 있어서 초음파검사의 활용

B모드 단층상-형태학적 관찰	• 천자나 도관 삽입 시 이용 • 조영 검사의 대용 • 혈관성형술(PTA) 시술 전후의 평가와 초음파 유도 혈관성형술(PTA)에 응용
펄스 도플러(PWD)법-기능적, 혈역학적 관찰	• 일상적인 단, 중·장기적 혈관통로 관리에 이용(surveillance) • 수치를 이용한 객관적인 평가: 상완동맥 혈류량, RI (resistive index) 등
컬러 도플러(CDI)법-형태학적, 혈역학적 관찰	• 혈류의 방향, 속도, 난류 등을 시각적으로 평가 • 조영 검사의 대용

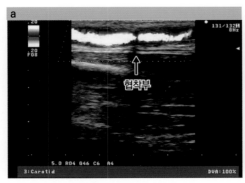
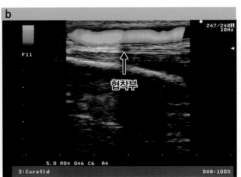

a: 컬러 도플러
방향을 색상으로, 속도를 밝기로, 난류의 정도를 분산으로 표시할 수 있다.

b: 파워 도플러
혈류의 방향과 속도에 대한 정보는 알 수 없으나 도플러 신호의 강도를 밝기로 표시한다. 각도 의존성과 aliasing이 적고, 느린 혈류나 미세한 혈류의 평가에 유용하다.

그림 6-13　Color Doppler Imaging (CDI)법

① 7.5 MHz의 linear probe를 선택하고, 모니터 화면에 B mode 및 pulse wave Doppler mode가 나타나도록 설정한다.
② 상완동맥(brachial artery)을 장축상(long-axis view)으로 묘출한다.
③ 샘플볼륨(sample volume) ①을 상완동맥(brachial artery) 중앙에 놓고, 혈관벽을 포함하지 않는 한도 내에서 최대폭이 되도록 설정한다. 각도보정을 하여 혈류와 초음파빔이 이루는 각도 θ②가 60도 이하가 되도록 조정한다.
④ Doppler gain을 조정하여 상완동맥 혈류파형이 확실히 표시되도록 설정하고, 이미지를 정지(freeze)시킨다.
⑤ 혈류 파형을 trace하여 RI, 평균 혈류 속도 등을 표시한다. (auto-tracing이 권고되지만 artifact가 있는 경우 등에서는 manual 조작을 하기도 한다.)
⑥ 상완동맥의 직경을 측정하고 상완동맥 혈류량(ABF)을 산출한다.

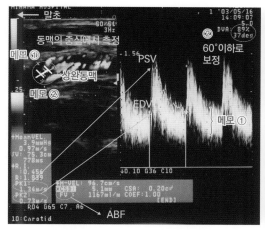
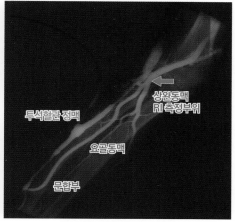

그림 6-14   상완동맥 혈류량(ABF)과 저항지수(RI) 측정법
메모 ① (붉은 색): sample volume의 폭으로 설정된 영역에서의 유속성분 분포를 나타내며, 도플러 신호의 강도를 밝기로 나타낸다.
메모 ② (붉은 색): 투석혈관 내 유속분포는 parabolic pattern을 보이므로 혈관의 중앙의 유속 성분이 가장 속도가 빠르다. 따라서, sample volume은 혈관의 중앙에 위치시킨다.

통로음의 상태를 평가한다. 마지막으로 촉진으로 혈관의 장력(팽창상태), 떨림(thrill)의 상태와 박동의 유무를 확인한다(p.106 신체 검사 항을 참조).

신체검사를 끝낸 후 초음파검사를 시행한다. 투석 전이나 후에 검사를 할 수 있지만, 가능한 환자가 안정된 상태에서 평가하는 것이 바람직하다. B mode법으로 탐촉자를 혈관에 대해 수직으로 피부에 대고 문합부부터 순차적으로 장축 및 단축상의 관찰을 하면서 동정맥루의 형태학적 검사를 시행한다. 혈관의 사행이 현저하거나 협착이 의심되는 경우에는 단축상에서 자세히 관찰하거나 컬러 도플러 스캔을 함께 이용한다. 협착 병변의 존재가 의심되는 경우에는 펄스 도플러법을 통해 PSV (수축기 최고속도)를 이용하여 평가를 실시한다. 다음으로, 펄스 도플러법으로 혈류량과 RI 등을 측정한다(그림 6-14).

표 6-6   측정부위가 상완동맥(brachial artery)인 이유

① 촉지가 가능한 부위이다.
② 동맥이므로 탐촉자(probe)에 의한 압박변형의 영향이 적다.
③ 직경이 크다.
④ 각도보정이 용이하다.
⑤ 요골동맥 뿐만 아니라 척골동맥을 이용한 동정맥루에서도 평가가능하다.

MEMO
층류상태의 혈관통로에서는 parabolic velocity profile을 갖기 때문에 혈관 중앙에서 가장 유속이 빠르다. 따라서, sample volume의 크기에 따라 평균유속과 PI(pulsatility index)가 변한다. (PSV와 RI는 sample volume의 크기에 따라 변하지 않는다.)

2 | RI 측정부위

표 6-6에 제시한 바대로 재현성을 높이는 것이 가능하기 때문에, 상완동맥(brachial artery)에서 RI를 측정하도록 한다.
측정부위와 문합부가 근접하는 경우에는 난류에 의해 도플

MEMO

저항지수(resistive index)와 박동지수(pulsatility index)
　모두 펄스 도플러 파형 분석에서 얻어지는 말초혈관저항을 반영하는 지수이다. RI는 PSV-EDV / PSV로 나타내고 심박수의 영향을 받지않는다. PI는 PSV-EDV / M-VEL로 표시되고, EDV가 0인 경우에도 평가가능하다는 특징이 있다.
　PSV: 수축기최고유속, EDV: 확장기말유속, M-VEL: 평균혈류속도, FV: 혈류량(이 경우, 상완동맥 혈류량 ABF를 나타낸다. 혈관직경을 측정하여 혈관단면적(CSA)을 구하고 혈류량을 산출한다.)

메모: 상완동맥(brachial artery)에서의 측정은
　　　문합부가 요골, 척골 동맥 중 어디에 있어도 평가가능

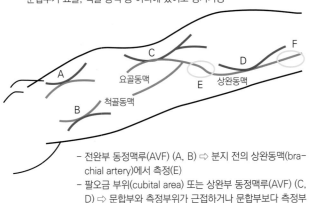

- 전완부 동정맥루(AVF) (A, B) ⇨ 분지 전의 상완동맥(brachial artery)에서 측정(E)
- 팔오금 부위(cubital area) 또는 상완부 동정맥루(AVF) (C, D) ⇨ 문합부와 측정부위가 근접하거나 문합부보다 측정부위가 하류이기 때문에 E에서의 측정은 곤란하다. 따라서, 보다 중추 측의 상완동맥(F)에서 측정하게 되며, 이 경우 초음파 입사각도의 보정에 더욱 주의가 필요하다.

그림 6-15　RI 측정 부위에 관한 설명

러 검사가 곤란할 수 있으므로 보다 상완부에서 측정하는 것을 권한다. 또한, 측정 부위에 따라 동맥의 주행이 다르므로, 체표에 대해 거의 평행하게 주행하는 경우에는 초음파 입사각도를 적절히 보정하기 위해 노력해야 한다(그림 6-15).

MEMO

　펄스 도플러법에서 혈류량 측정 시 각도보정은 60도 이하

3 ｜ 펄스 도플러 파형의 분류

　동정맥루(AVF)의 협착정도가 심해짐에 따라 파형은 확장기말 유속이 저하되어 폭이 좁은 peak 형태가 되며, negative 성분이 나타나고, 혈관통로 혈류량은 감소된다(그림 6-16).

4 ｜ 협착부에서 PSV를 이용한 평가

　협착부에서는 유속이 증가하기 때문에 수축기 최고유속(PSV)의 비가 2배 이상이면 협착이 있다고 판단된다. B mode 법에서 협착이 의심되는 부위에 적용하면 유용하다(그림 6-17).

상완동맥 혈류량(ABF)은 엄격하게 말해서 혈관통로의 혈류량을 측정한 것은 아니지만, 동정맥루(AVF)를 통하지 않는 혈류량은 작기 때문에 다음과 같이 추정할 수 있다.
　　　　　　　혈관통로 혈액유량 ≒ ABF

동정맥루(AVF)가 없는 상완동맥(brachial artery) 도플러 파형과 유사. 말초혈관저항이 높기 때문에, 수축기에서 빠른 유속을 갖는 전향적 혈류 후, 짧은 역방향의 혈류를 보임. 확장기에 혈류유속이 제로가 되는 순간을 볼 수 있다.

정상 AVF

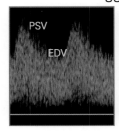
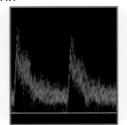
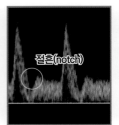

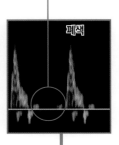

→ 말초 혈관 저항의 증가-RI 상승, 상완동맥 혈류량(ABF) 저하

수축기는 flat velocity profile
확장기는 parabolic velocity profile

그림 6-16　도플러 파형의 분류

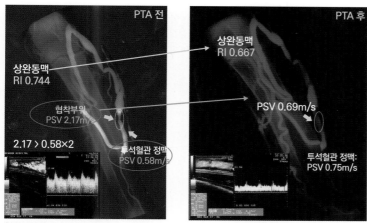

협착부위에서 유속이 증가하기 때문에 정상부위에 비해서 PSV가 2배 이상 상승하였으며 협착이 있다고 판단

그림 6-17 PSV를 이용한 협착부위의 평가

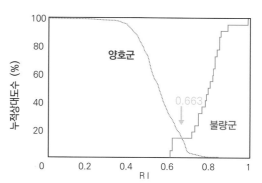

AVF 기능 불량군: 투석 중에 원활하게 혈액을 유입하지 못했거나, 차후에 투석혈관이 폐쇄된 군

대상: 228예(381회 측정)

AVF 기능 양호군: 359회 측정
AVF 기능 불량군: 22회 측정

	RI	
	평균	표준편차
AVF 기능 양호군	0.550	0.097
AVF 기능 불량군	0.784	0.089

P< 0.001

그림 6-18 동정맥루(AVF)기능 양호군과 불량군의 판별

> **MEMO**
>
> 직경 2~6 mm 정도의 동맥에서 혈류속도의 정상치는, 20~50 cm/s

3 RI를 이용한 혈관통로 기능 평가의 유용성

1 동정맥루(AVF) 기능 양호군과 불량군의 판별

투석 중에 혈액유입속도가 평소보다 비정상적으로 감소한 증례와 동정맥루(AVF) 폐색이 발생한 증례를 동정맥루(AVF) 기능 불량군(20례, 22회 측정)으로, 그 외를 동정맥루(AVF) 기능 양호군(359회 측정)으로 정의하여, 양 군의 RI를 이용하여 분석해보았다. 양군의 판별점의 RI값은 0.663로, 기능 불

량군의 하한 RI는 0.605였다. 전체의 RI 평균치는 0.56 ± 0.11이었고 동정맥루(AVF) 기능 양호군, 불량군의 두 군의 RI 평균치는 각각 0.550 ± 0.097, 0.784 ± 0.089로 유의한 차이를 보였다(p < 0.001).

이상에 의해, 선별검사에 사용되는 RI 값의 판별점이 > 0.600 이면 민감도 100%, 특이도 69%이고, 판별점을 0.663으로 했을 경우에는 민감도 86.4%, 특이도 86.1%로 위음성을 감소시킬 수 있었다(그림 6-18).

RI 측정은 ① 측정자간 재현성이 양호하고 ② RI의 변화율과 혈압의 변화율 및 제수량(ultrafiltration) 사이에 명백한 관계가 없고 ③ RI와 혈압 수치간에 명확한 관계가 보이지 않았다. 즉 투석 전후 모든 경우에 시행가능하며 측정기술에 익숙한 검사자가 시행하면 선별검사로 사용될 수 있다.

종료시점: AVF 기능부전 또는 폐색되어 시술이나 수술(PTA, 혈전제거술, 수술적 재건술)이 필요한 시점

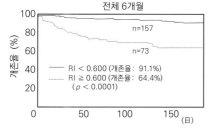
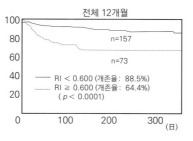
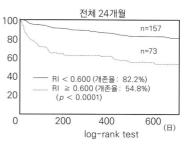

메모: RI 또는 절흔의 유무로 분류한 경우의 12개월 개존율
① RI < 0.600, 절흔 없음 90.4% ② RI < 0.600, 절흔 있음 76.2% ③ RI ≥ 0.600, 절흔 없음 74.4% ④ RI ≥ 0.600, 절흔 있음 52.9%
RI 에 절흔 유무를 추가하여, 선별검사의 정밀도를 높일 수 있다(같은 방법으로 상완동맥 혈류량 400~500 ml/min을 추가하는 방법도 있음).

그림 6-19 RI < 0.600 군과 RI ≥ 0.600 군의 개존율

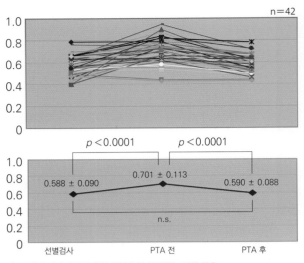

메모: 선별 검사 시의 수치를 기준으로 생각하는 것이 중요

그림 6-20   스크리닝 값, 혈관성형술(PTA) 전후의 RI값의 비교

> ONE POINT ADVICE
>
> 특이도를 보다 높이려면, 수축기 후기 절흔의 유무, ABF < 400~500 ml/min 등을 병행해서 검토하는 방법도 있다.

2 | RI에 따른 개존율

임의의 기간동안 동정맥루(AVF) 개존율을 기능부전 혹은 폐색으로 인하여 시술이나 수술(혈관성형술, 혈전제거술, 재건술)을 시행한 시점을 종점(end point)으로 하여 검토해보면 RI < 0.600 군이 RI > 0.600군보다 6개월, 12개월, 24개월 모든 기간에서 유의하게 우수하였다($p < 0.0001$) (그림 6-19)[2].

또한, 새로 만들어진 동정맥루(AVF)에서 수술 후 RI 평균치는 0.64 ± 0.13, ABF 평균치는 617.26 ± 357.56 ml/min 이었다.

동정맥루(AVF)조성 후 6개월 이내에 혈관성형술(PTA), 재건술 등의 치료가 필요했던 군과 그렇지 않은 군의 비교에서는 수술 후 RI는 치료군 0.70 ± 0.13, 대조군 0.62 ± 0.12로 유의한 차이를 보였다($p < 0.05$).

수술 후 혈류량도 치료군 479.65 ± 282.54, 대조군 659.60 ± 369.28 ml/min 으로 유의한 차이를 보였다.($p < 0.05$) 개존율에 관해서도 RI < 0.600군과 RI > 0.600군에서 술후 6개월에서 전자는 92.3% 후자는 69.6%로 유의한 차이를 보였다[4,5]. 이상의 결과를 종합하면 새롭게 만들어진 동정맥루(AVF)의 예후 추정을 위해 RI를 유용하게 사용할 수 있을 것으로 생각된다.

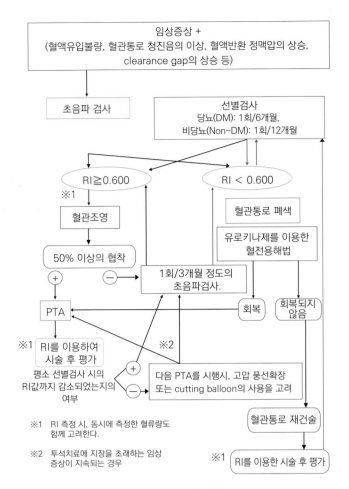

그림 6-21   본원에서의 혈관통로 관리의 실제

3 | RI > 0.6 이지만 치료가 필요없는 경우

선별검사에서 RI > 0.6 이지만 혈관통로 기능에 이상이 없어 적극적인 치료의 대상이 되지 않는 경우도 있다(그림 6-22).

4 | 혈관성형술(PTA) 후 평가

134회의 혈관성형술(PTA)을 검토한 결과에 따르면 RI 평균치는 시술 전 0.701 ± 0.113에서 시술 후 0.590 ± 0.088로 의미있게 감소하였다($p < 0.0001$). 따라서, 평소 선별검사 시 측정한 RI는 혈관성형술의 필요성을 판단하는 데 도움을 주고, 시술 후 평가의 도구로도 이용될 수 있어 유용하다고 생각한다(그림 6-20).

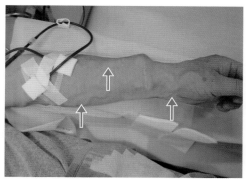
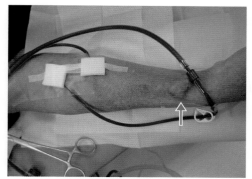

RI 0.624 , ABF 2,451 ml/min
중심정맥협착이 없어도, 손등으로 우회로가 발달하여 사행이
저명한 경우

RI 0.645 , ABF 517 ml/min
문합동맥, AVF의 석회화가 뚜렷한 경우

그림 6-22   협착 등 혈관통로 부전이 없어도, RI > 0.600이 되는 예

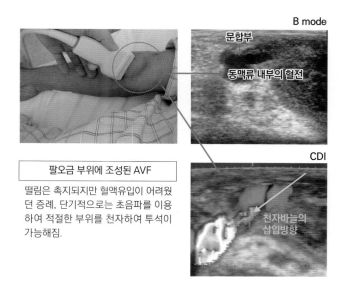

B mode
문합부
동맥류 내부의 혈전

CDI

팔오금 부위에 조성된 AVF

떨림은 촉지되지만 혈액유입이 어려웠
던 증례, 단기적으로는 초음파를 이용
하여 적절한 부위를 천자하여 투석이
가능해짐.

천자바늘의
삽입방향

그림 6-23   혈전형성을 동반한 AVF 증례

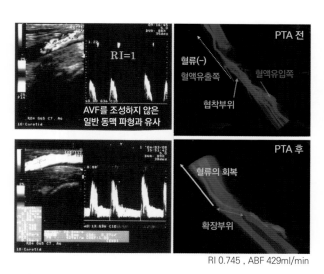

RI=1

AVF를 조성하지 않은
일반 동맥 파형과 유사

PTA 전
혈류(-)
혈액유출쪽   혈액유입쪽
협착부위

PTA 후
혈류의 회복

확장부위

RI 0.745 , ABF 429ml/min

**그림 6-24   동정맥루(AVF) 폐색을 선별검사로 발견, 혈관성형술(PTA)로
조기에 치료한 증례(비혈전성 폐색)**

4 초음파를 이용한 혈관통로의 일상관리

최적의 투석 효율을 유지하기 위한 동정맥루(AVF)의 필요
조건은 ① 재순환이 없이 혈류가 원활하게 흐를 것(RI가 반
영), ② 혈관통로 상류에 협착이 없어 필요한 혈류량의 확보
가 가능해야 할 것이다(RI, ABF가 반영).

혈관통로 관리에서 펄스 도플러를 이용한 초음파검사법은
① 동정맥루(AVF) 조성 후의 단,중기적 예후의 예측 ② 선별
검사로 동정맥루(AVF)의 중·장기 관리와 조기 혈관성형술
(PTA)의 결정 (RI > 0.600를 기준으로 하면 비당뇨(NDM) 환
자는 12개월, 당뇨(DM) 환자는 6개월에 1회로 측정하는 등),

③ 혈관성형술(PTA) 전후 평가에 이용할 수 있다. 참고로 본
원에서 시행하는 혈관통로 AVF, AVG 관리의 실제를 그림으
로 제시하였다(그림 6-21).

또한 RI의 상대적 상승이 관찰되면, 측정부위보다 하류,
즉 전완부 동맥, 문합부, 투석혈관 정맥, 중심정맥유입부 등
에 협착이 있을 가능성을 의심해야 하며, 이 경우 혈액유입불
량이나 재순환 등으로 투석 효율이 저하될 수 있다. 그러므
로, 임상적으로 문제가 있는 경우에는 동정맥루(AVF)의 예후
측면에서도 적극적인 치료를 고려해야 한다.

5 증례

그림 6-23은, 팔오금 부위(cubital area)에 동정맥루(AVF)를 조성한 증례로, 떨림은 촉지되지만 충분한 혈액유입이 되고 있지 않았기 때문에 현장에서 초음파검사를 시행하였다. 동맥류 내에 혈전이 생기고 있었으나 실시간으로 확인하면서 천자가 가능하였다.

그림 6-24는, 동정맥루(AVF) 폐색을 선별검사로 진단하여 혈관 폐색이 더욱 진행하기 전에 혈관성형술(PTA)을 시행하여 치료한 증례이다.

정리

정기적으로 RI를 측정하면 동정맥루(AVF)의 상태(기능적 측면)를 그 이전과 비교해서 객관적으로 평가하는 것이 가능하다. 또 B mode scan과 Doppler mode를 적절하게 이용하면 혈관통로의 문제를 조기에 찾아내고, 혈관조영술의 빈도를 낮추며, 장기 개존율을 높이는 데 도움이 될 것으로 기대한다.

● 참고문헌

1) 村上康一ほか：シャント管理における超音波パルスドプラ法の有用性について．腎と透析55巻別冊アクセス，39〜43，2003.
2) 村上康一ほか：血管抵抗指数 Resistance Index(R.I.)を指標としたシャント開存率について．腎と透析57巻別冊アクセス，67〜70，2004.
3) 村上康一ほか：血管抵抗指数 Resistive Index(R.I.)を指標としたシャント管理について．腎と透析59巻別冊アクセス，169〜172，2005.
4) 村上康一ほか：新規造設バスキュラーアクセスの開存期間と血管抵抗指数 Resistance Index(R.I.)の関係についての検討．腎と透析65巻別冊アクセス，201〜203，2008.
5) 村上康一ほか：血管抵抗指数 Resistive Index(R.I.)を指標としたシャント管理について．腎と透析63巻別冊アクセス，184〜188，2007.

개요

기본이 되는 신체검사 소견은 동정맥루(AVF)의 항목(p. 105)을 참조하기 바란다. 여기에서는 동정맥루(AVF)에 비해서 인조혈관(AVG)의 고유한 소견에 관해서 설명하고자 한다. 보통 인조혈관이라고 통칭하여 부르고 있지만, 소재에 따라서 다소의 차이가 있다. 일본에서 사용 가능한 인조혈관은 ePTFE제, 폴리우레탄제, Grasil™ 등이 일반적이다. PTFE제는 굴곡 부위에도 사용 가능하고, 관절을 넘어 삽입하여 사용하는 것도 가능하다. 따라서, 직선 또는 루프 상태로 자유롭게 삽입 가능하고, 초음파검사로 인조혈관 내강의 관찰이 용이하다. 일반적으로 부드럽고(일부에서는 링이 삽입된 경우도 있다) 유연성이 좋아서 촉진 시에 부드러운 탄력이 느껴질 수 있다. 폴리우레탄제는 굴곡을 막기 위해서 나선형의 구조물이 있어 촉진 시에는 약간 딱딱한 느낌을 준다. 초음파검사에서는 내강의 관찰이 어렵다. 장기간 사용하거나, 지혈 시에 과도한 압박이 반복되면 구조를 유지하기 위해 삽입되어 있는 필라멘트가 변형이 되어 인조혈관벽이 타원형으로 변화되는 경우가 있고 천자곤란의 원인이 되기도 한다. Grasil™은 더욱 단단하게 촉지되고 천자시에 독특한 저항감이 있다. 인조혈관(AVG)에서는 협착, 혈전증, 감염 등과 같은 합병증이 더 흔히 발생하므로 동정맥루(AVF)보다 더 엄격한 관리가 필요하다.

1 환자에서 얻을 수 있는 신체검사 소견

1 │ 시진·촉진

인조혈관(AVG)은 동정맥루(AVF)와 비교하여 대부분 피하에 얕게 매몰되어 있기 때문에 혈관통로의 존재를 피부에서 쉽게 인식 가능한 경우가 많다. 고리형 인조혈관의 경우에는 종종 환자들이 자신의 인조혈관 혈류의 방향을 모르는 경우가 있으므로, 타 시설 환자의 투석치료 초기에는 환자의 말에만 의존하지 말고 초음파검사 등으로 혈류의 방향을 확인할 필요가 있다. 확인 방법은 인조혈관의 임의의 부분을 검사자의 손가락으로 압박하고 양 쪽의 박동 또는 압을 다른 손가락으로 촉진하여 확인한다. 압력이 느껴지는 쪽이 동맥 쪽이고 압박에 의해서 압이나 박동이 소실되는 쪽이 정맥 쪽이다(그림 6-25). 시진으로 천자부위와 가성동맥류의 유무를 관찰한다. 빈번하게 동일한 곳을 집중적으로 천자하는 경우에는 인조혈관의 섬유구조가 파괴되고 가성동맥류가 발생하여 부풀어 오를 수도 있다. 급성 파열의 위험성 등도 확인할 필요가 있다. 피부가 얇아져 있는 상태에서 검푸른 혹은 붉은 색조를 띠거나 혈류에 의한 진동이 피부 바로 아래에서 촉지되는 경우에는 급성 파열의 위험이 크기 때문에 긴급조치가 필요할 수 있다. 또 PTFE의 경우, 문합부 주위에 동맥류 모양의 종창이 관찰될 때가 있는데 문합 수술 시 기계적 조작이 가해지기 쉬운 부분에서 혈청이 새어나와 덩이를 형성하는 경우이며 seroma(혈청종 혹은 장액종)라고 한다. 이러한 경우에 앞서의 동맥류와는 다르게 박동을 느낄 수 없고 탄력이 느껴진다. 최종적으로는 초음파검사에 의한 감별이 필요하다.

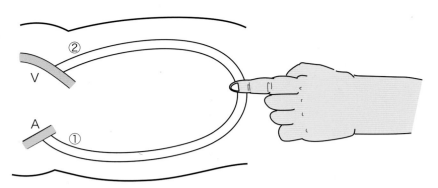

그림 6-25　동맥측과 정맥측 문합부의 판정
인조혈관의 임의의 부분을 압박하면, 혈류가 차단된다. 이때, ①에는 박동이 느껴지지만 ②에서는 박동이 없어진다.

인조혈관(AVG)의 경우에 대부분 협착은 정맥유출부, 즉 인조혈관에 문합된 자가정맥에 생기는 경우가 많다. 이런 이유로 촉진, 시진, 이후에 청진을 포함하여 먼저 혈류의 방향을 확인하고 협착을 관찰한다. 협착의 동맥쪽(상류 측) thrill이 약해지거나 박동상태로 되는 경우가 많다. 이것에 비해서 협착의 정맥쪽(하류 측)에서는 오히려 떨림(thrill)이 강하게 느껴지는 경우가 있다. 특히 상완의 정맥에 문합한 경우에는 문합된 혈관의 직경이 크기 때문에 강하게 느껴지는 경우가 많다. 상완에 있는 경우 혈관이 깊게 주행하기 때문에 시진으로는 관찰이 어렵고 촉진으로 떨림(thrill)의 변화를 확인할 수 있다.

2 │ 청진

인조혈관의 내강은 자가정맥에 비해서 일정하기 때문에 문합부이외에서는 혈관통로의 소리가 별로 크게 청진되지 않는 경우도 있다. 그런 경우에는 문합부에서의 청진에 주의를 기울여야 한다. 특히 앞서 말한대로 협착의 호발부위는 유출로의 자가정맥이기 때문에 유출정맥 측은 점차 위치를 변경하며 세심하게 청진해야한다. 청진음의 이상은 동정맥루(AVF)와 동일하여 좋은 혈관통로 청진음은 낮은 연속성의 음이고, 협착부위에서는 단속음 및 고음으로 청취된다. 비교적 직경이 작은 자가혈관에 맞추어 문합하기 위해서 한 쪽이 가늘어지는 인조혈관(tapered graft)을 사용한 경우에는 고주파 음이 청진되나 임상적으로 유의한 협착증상을 보이지 않는 경우도 있기 때문에 시간에 따른 변화를 확인하는 것이 중요하다.

2 　투석 시에 나타나는 신체검사 소견

1 │ 정맥압

인조혈관은 일정한 형상을 갖고 있는 인공물이고 분지하는 혈관이 없기 때문에 유출로에 협착이 생기는 경우 직접적으로 정맥압이 상승할 가능성이 높다. 인조혈관에 비해서 동정맥루(AVF)에서는 흔히 분지가 있어서 유출로에 협착이 있어도 정맥압이 유의한 변동을 보이지 않는 경우도 있다. 투석 중 기계장치에서 보이는 정맥압의 관찰은 투석치료 현장에서 일상적으로 살펴보기에 어렵지 않고, 특히 시간 경과에 따른 정맥압의 변화는 협착을 찾는 단서가 될 수 있다. 이러한 투석 중의 정맥압은 혈류가 환자의 혈관 내로 반환되어 들어가며 생기는 압력이고 동적 정맥압을 의미한다. 하지만, 이러한 변동을 절대치로 삼아서 다른 환자와 비교하는 것은 곤란하다. 압력센서보다 하류의 혈관 상태, 투석 라인의 굵기 또는 chamber의 그물(mesh) 상태, 천자바늘의 두께, 혈류속도, 혈액점도 등에 의해서 다르게 나타나기 때문이다. 이러한 조건이 동일한 각 개인에서 시간에 따른 변동을 관찰하는 것은 의미가 있다.

일본투석의학회의 혈관통로 지침에서는 정적 정맥압의 측정을 추천하고 있다. 혈액반환바늘에 튜브를 장착할 때 어디까지 물기둥이 올라가는 지를 측정한 값이며, 중심정맥도관 삽입 시 정맥압을 측정하는 것과 기본적으로 유사한 방법이다. 하지만, 투석 시행 중에 이러한 방법을 사용하는 것은 현실적으로 불가능하기 때문에 투석회로에서는 정맥측 압력 모니터를 이용한다(그림 6-26). 회로를 환자에게 연결하고 회로가 전부 혈액으로 채워지고 안정된 후 혈액펌프와 초여과를 일시 정지시키고, 정맥 chamber와 투석막 사이(A)를 잠근다.

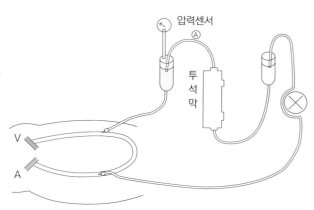

그림 6-26　정적정맥압의 측정

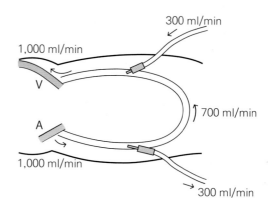

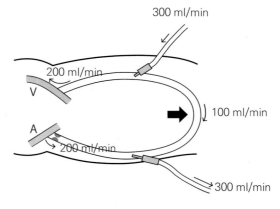

그림 6-27　재순환의 모식도

유입혈류가 충분하지 않아 재순환이 되는 경우에 외관상으로는 혈류량이 감소한 것으로 보이지 않을 수도 있다. 화살표 부분을 압박하면 역행하는 혈류가 소실되어 혈액유입불량을 확인할 수 있다.

약 30초 정도 지나면 인조혈관 정맥내강에 생기는 정맥압을 측정할 수 있다. 이 압력을 정적 정맥압이라고 한다. 이것은 동적 정맥압과는 다르고 천자부위에서 정맥에 부하된 압력을 의미한다. 이 정적 정맥압이 상승하는 것은 말초 쪽 부위에 협착의 존재 또는 혈액 과잉에 의한 동맥의 압력을 반영한다고 할 수 있다. 하지만, 한 개인에서 비교적 단기간에 급격한 과잉혈류가 생기지는 않기 때문에 유출로의 협착을 진단하는데 이용된다. 즉, 인조혈관에서는 기타 유체역학적 요소를 배제한 정적 정맥압의 시간에 따른 변화의 정도가 유출로의 협착 정도를 예측할 수 있는 지표가 될 수 있다.

2 ｜ 재순환

재순환은 동정맥루(AVF)와 마찬가지로 여러 가지 상황에서 발생할 수 있다. 정맥측에 협착이 있는 경우, 혹은 동맥천자부(A측)와 정맥천자부(V측) 사이의 거리가 가까운 경우, 혈압저하 또는 동맥측에서 유입되는 혈류량의 감소 등으로 나눠 생각해 볼 수 있다. 인조혈관은 거의 대부분 일정한 원통형태의 인공구조물로 되어 있기 때문에 유출로에 협착이 발생한 경우에는 인조혈관 내로 반환된 혈액이 인조혈관 내에서 역류하여 혈액유입바늘을 통해 유입되는 재순환이 발생할 가능성이 있다(그림 6-27 재순환의 모식도). 재순환은 유입혈류량이 부족하거나 유출로에 협착이 있는 경우에서 모두 발생할 수 있는 데, 인조혈관에서는 다음과 같은 방법으로 감별이 가능하다.

혈액펌프 속도를 실제 투석 시보다 높게 설정(300 ml/min 정도)하고서 유입바늘과 반환바늘의 사이를 검사자의 손으로

압박하여 혈류를 차단시켜 본다. 이런 조작으로 정맥압이 상승하는 경우에는 유출로에 협착이 존재할 가능성이 높음을 시사하고, 역으로 혈액유입이 불량하게 되는 경우에는 유입혈류량의 저하 즉 동맥측의 협착을 의심할 수 있다.

검사기기(Crit-Line 이나 HD03 등)를 사용하지 않아도 이와 같은 신체검사소견으로 협착의 존재 여부를 어느 정도 판단하는 것이 가능하며, 이어서 초음파검사 등의 검사기기를 이용하여 정확한 평가를 할 수 있다.

● 참고문헌

1) 日本透析医学会：慢性血液透析用バスキュラーアクセスの作製および修復に関するガイドライン. 透析会誌, 38(9)：1491～1551, 2005.

6 초음파를 이용한 혈관통로의 일상 관리/각론

2 인조혈관(AVG)
② 초음파검사

개요

인조혈관(AVG)은 동정맥루(AVF)에 비해서 협착, 폐색, 또는 감염 등이 발생하는 빈도가 높다. 그중에서도 가장 많이 발생하는 합병증은 협착이다. 협착은 치료가 늦으면 혈관통로 기능부전의 원인이 되기 때문에 인조혈관(AVG)의 일상관리에서 초음파검사의 최대목적은 이러한 합병증을 조기에 발견하고 혈관통로 기능부전을 미연에 방지하는 것이다. 초음파검사는 형태평가 뿐만 아니라 기능평가도 가능하기 때문에 인조혈관(AVG)의 일상관리에 유용하다. 본 장에서는 인조혈관(AVG)의 일상관리에서 초음파검사의 역할과 중요성에 대해서 설명하고자 한다.

검사를 시행하고, 그 결과에 따라 추적 검사 방법이 결정된다. 그 후 혈액투석 중에 매회 시행하는 신체 검사 및 협착, 혈전성 폐색에 대한 VAIVT (Vascular Access Interventional Therapy)의 기왕력과 개존 기간 등에 따라서 추적 관찰(follow up) 방법을 변경하는 등 각 환자에게 맞는 개별화된 인조혈관 감시 프로그램이 확립되어 있다(그림 6-28). 적절한 관리를 시행하기 위해서는 검사와 시술을 담당하는 의사와 투석실 의료진 간의 긴밀한 협조가 필요한데, 실제로는 물리적 거리가 있는 경우가 많고 환자 정보의 공유/전달이 어려운 경우가 있다. 이를 보완하기 위해서 환자의 신체검사소견, 검사결과, 치료 이력, 추적 관찰 방법 등을 기록하는 '인조혈관 관리 sheet'를 환자마다 작성하여 정보를 공유하고 누가 보더라도 혈관통로의 정보를 알기 쉽도록 하고 있다(그림 6-29).

1 초음파검사를 이용한 인조혈관 관리 프로그램의 수립

보통, 혈관통로에 협착이 발생하면 thrill (혈관통로의 진동이나 떨림)의 감소, bruit (혈관통로의 청진음)의 저하, 또는 높은 주파수의 협착음 등의 신체검사소견이 나타난다. 하지만, 인조혈관(AVG)의 경우, 문합에 사용된 정맥 및 문합 방식에 따라 신체검사소견으로 반영되기 어려운 경우도 있기 때문에 협착 병변을 조기에 발견하지 못하거나 갑자기 폐색되는 일이 많다. 일본투석의학회의 [만성혈액투석용 혈관통로의 조성 및 치료에 관한 가이드라인]에서는 '혈관통로의 기능을 모니터링하는 확실한 프로그램을 확립해야 한다'라고 권고하고 있으며, 신체검사소견의 평가 외에 초음파검사를 이용한 혈관통로 혈류량의 측정 필요성에 대해서도 제시되어 있다. 본원에서는 인조혈관 관리 프로그램으로서 인조혈관 이식수술 후, 조기 합병증이 없는 경우에는 1개월 후 초음파

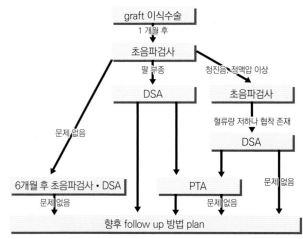

* 매 투석 시 혈관통로 청진음, 정맥압 등 모니터링을 실시하여 문제가 있으면 수시로 점검 시트에 기록하고 의사에게 보고한다. DSA (Digital Subtraction Angiography)

그림 6-28 인조혈관(AVG) 관리 프로그램

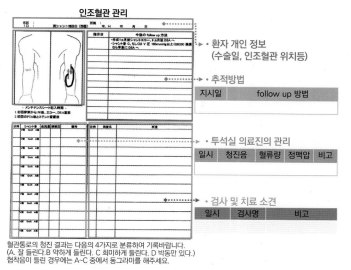

혈관통로의 청진 결과는 다음의 4가지로 분류하여 기록바랍니다.
(A. 잘 들린다. B 약하게 들린다. C 희미하게 들린다. D 박동만 있다.)
협착음이 들린 경우에는 A~C 중에서 동그라미를 해주세요.

그림 6-29   인조혈관 관리 sheet

표 6-7   검사 전에 알아두어야 할 환자 정보

① 투석실 의료진으로부터 제공받은 신체검사 소견	• 청진음 • 협착의 유무 • 혈액 유입 상태 • 정맥압 • 재순환 및 지혈 시간 • 혈관통로 측 팔의 이상
② 수술 기록	• 동정맥 문합 방식 • 사용된 인조혈관의 종류 등
③ 초음파검사 결과	• 혈관통로 모식도 확인 • 혈류량 • 합병증의 유무, 위치, 형태 등
④ DSA 결과	• 혈관통로의 주행(전체적인 모양) 등
⑤ VAIVT 치료 이력	• 협착의 위치 • 개존기간 • 혈전폐색의 기왕력 등

표 6-8   시진, 청진, 촉진에 의한 혈관통로의 관찰

시진	상지 전체	• 부종, 발적의 유무와 범위 • 측부정맥
	천자부	• 천자 위치 및 천자 방향의 확인 • 발적 유무 • 동맥류나 혈종의 유무, 크기, 색조 등
	문합부 / 만곡부	• 장액종(seroma), 혈종의 유무, 크기 등
	손가락	• 색조
청진	혈관통로 전체	• 청진음의 크기와 패턴(연속음/단속음) • 협착음의 유무 등
촉진		• Thrill 및 박동의 유무 • 딱딱하게 굳은 결절의 유무
	그 외	• 부종, 감염 • 손가락의 냉감 등

2 인조혈관의 종류와 초음파 영상

인조혈관은 자가혈관과 달리 벽이 인공적인 층상 구조로
되어 있기 때문에 쉽게 감별이 가능하다. 인조혈관벽의 초음
파영상은 인조혈관의 종류에 따라 다르다. PTFE graft는 벽이
이중선으로 나타나고 폴리우레탄 graft의 경우 graft 이식술 직
후에는 피부쪽 graft의 벽은 확인 가능하지만 내강은 음향 음
영에 의해서 확인되지 않는다. 하지만, 천자를 시행하면서 시
간이 흐르면 인조혈관 벽의 기포(air)가 없어지고 내강과 아래
쪽 벽이 확인된다. 또한, graft 주위에 보강제가 있는 경우
(ringed graft)에는 보강제(ring structure)를 반영하는 점상의 음
영이 같은 간격으로 나타난다.

3 초음파검사를 시작하기 전에

검사를 시작하기 전에 반드시 투석실 의료진으로부터 제공
받은 신체검사소견, 수술기록, 검사결과, 치료이력, 인조혈관
의 유지상태, 협착이 호발하는 부위, 혈류량 등을 확인해야
한다. 그리고 검사자가 시진, 청진, 촉진을 시행하여 상지전
체를 관찰하고 문진한다. 이와 같이 초음파검사 전에 혈관통
로의 전체적인 모양과 상태를 파악하면 검사를 효율적으로 진
행할 수 있다(표 6-7, 8).

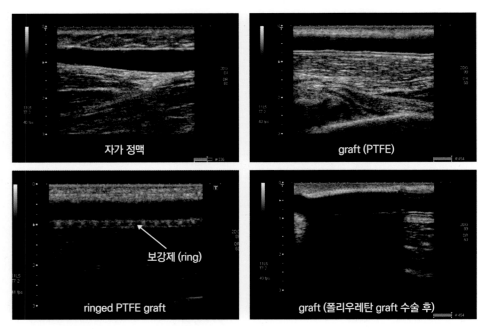

자가 정맥	graft (PTFE)
ringed PTFE graft	graft (폴리우레탄 graft 수술 후)

보강제 (ring)

그림 6-30 인조혈관의 종류와 초음파 영상

표 6-9 인조혈관(AVG)의 일상관리에서 초음파검사의 목적에 따른 분류

분류		목적
일상관리	1. 정기검사	• 기능의 감시(surveillance) • 혈관통로 전체의 형태평가 • 합병증의 경과관찰
	2. 문제시 검사	• 문제의 원인에 대한 검사 • 합병증의 형태평가 • 기능평가 • 외과적치료 및 유지혈액투석 시 필요한 정보의 제공

표 6-10 정기검사의 평가항목

① 기능평가		• 혈류량 측정 및 기능 감시
② 형태평가	혈관통로 전체	• 협착, 폐색의 유무 • (가성)동맥류, 장액종 (seroma), 혈종 (hematoma)의 유무 등 • 혈관통로 전체 주행을 파악
	협착부	• 위치, 직경, 범위 • 벽 상태: 내막비후 및 석회화 등
	천자부	• 벽 상태: 손상상태, 석회화, 내막비후 등 • 피하혈종의 유무
③ 경과관찰	graft 가성동맥류 혈종(hematoma) 장액종(seroma)	• 이전의 크기와 비교 가성동맥류: 벽 상태, 혈전, 직경 등 혈종, 장액종: 혈관통로 압박 소견
	협착	• 이전 결과와 비교(협착 정도와 범위)

4 　초음파검사를 이용한 일상관리

초음파검사를 이용한 인조혈관의 일상관리는 크게 나누어 ① 혈관통로의 기능을 모니터링하고 협착 등의 합병증을 조기에 발견하기위한 정기검사, ② 투석 중 발생한 문제의 원인을 평가하는 문제 발생시 검사로 나눌 수 있다(표 6-9).

1 　정기검사

정기검사시에는 혈관통로의 기능평가 및 전체의 형태평가를 시행한다. 기능평가는 혈류량과 기능적 지표의 감시를 시행하고, 형태평가는 협착의 유무와 천자부의 상태를 평가한다. 정기검사에서 주로 평가하는 항목을 표 6-10에 요약하였다(표 6-10).

① 기능평가

인조혈관(AVG)의 정기검사에서 가장 중요한 것은 혈류량의 측정과 기능적 지표의 감시로 혈관통로 기능부전을 미연에 방지하는 것이다. 인조혈관 기능부전의 주요 원인은 유출정맥의 협착인데, 인조혈관에서는 문합 정맥이 깊이 존재하는 경우가 많아서 협착이나 기능 저하가 신체검사소견으로 반영

표 6-11 본원에서의 인조혈관 혈관성형술(PTA)의 적응

	긴급하게 혈관성형술(PTA)	2주 이내의 혈관성형술(PTA)	경과관찰
초음파 혈류량	< 400 ml/min	400~600 ml/min	600 ml/min 이상
기저상태와 비교한 혈류량의 변화	30% 이하	30~50%	50% 이상
정맥압 (투석기계 혈액펌프속도 Qb 200 기준)	180 mmHg 이상	160 mmHg 이상	160 mmHg 이하
기저상태와 비교한 정맥압의 변화	50% 상승	30~50% 상승	30% 이하
청진음	C or D	B~C	A~B

A: 잘 들린다. B: 들린다. C : 희미하게 들린다. D : 들리지 않는다.

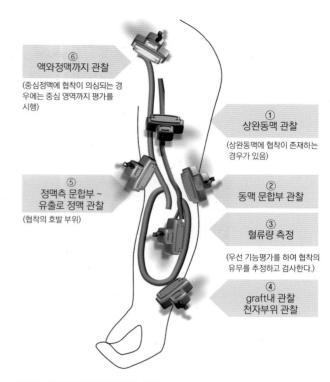

그림 6-31 평가범위와 조작 순서

⑥ 액와정맥까지 관찰
(중심정맥에 협착이 의심되는 경우에는 중심 영역까지 평가를 시행)

① 상완동맥 관찰
(상완동맥에 협착이 존재하는 경우가 있음)

② 동맥 문합부 관찰

③ 혈류량 측정
(우선 기능평가를 하여 협착의 유무를 추정하고 검사한다.)

④ graft내 관찰
천자부위 관찰

⑤ 정맥측 문합부 ~ 유출로 정맥 관찰
(협착의 호발 부위)

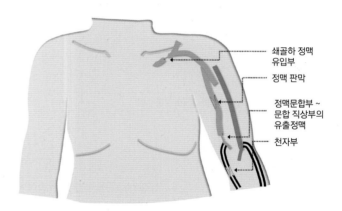

그림 6-32 인조혈관(AVG)에 있어서 협착의 호발부위

쇄골하 정맥 유입부
정맥 판막
정맥문합부 ~ 문합 직상부의 유출정맥
천자부

되기 어려운 경우가 있다. 또한, 협착에 의해 인조혈관이 갑자기 폐색되는 경우도 흔하다. 따라서, 초음파검사로 인조혈관의 기능을 정기적으로 감시하는 것이 매우 중요하다고 할 수 있다. K/DOQI 가이드라인에서는 '혈류량 600 ml/min 이하 또는, 이전의 검사에서 1,000 ml/min 이상으로 안정적이었던 경우에는 혈류량이 25% 이상 감소한 경우에 혈관 조영을 시행하여 협착의 유무를 조사'하도록 권고하고 있고, CSN (Canadian Society of Nephrology) 가이드라인에서는 '혈류량 650 ml/min 미만 또는 20% 이상의 혈류량 저하를 추가 검사의 기준'으로 하고 있다. 이렇게 시간 경과에 따른 혈관통로 혈류량의 변화를 감시하는 것은 혈관통로 기능저하를 조기에 발견하는데 유용하다. 하지만, 인조혈관(AVG)의 경우에는 각 환자마다 인조혈관의 부위, 문합형식, 인조혈관의 종류, 문합에 사용되는 동맥과 정맥에 차이가 있기 때문에, 절대치를 결정하는 것은 곤란하다. 본원에서는 인조혈관 이식 후 1개월에 측정한 혈류량 또는 혈관성형술(PTA) 후의 혈류량을 각 환자의 기준값으로 정하여 혈류량 및 혈류량 변화율에 의한 평가를 시행한다. 더불어, 정맥압과 청진음도 포함하여 혈관성형술(PTA)의 적응 기준을 마련하여 관리하고 있다(표 6-11).

② 형태평가

혈관통로 전체: 상완동맥(brachial artery)부터 혈관통로 전체를 검사하고, 협착, 폐색, 동맥류, 장액종, 혈종 등의 존재 여부와 함께 혈관통로 전체의 주행을 파악한다(그림 6-31).

협착부: 협착부의 내경 및 위치, 범위를 평가한다. 또한, 내막 비후, 석회화 등에 대해서도 평가를 시행한다.

협착 직경은 압박에 의한 오차를 방지하기 위해서 장축·단축의 2방향으로 측정하는 것이 바람직하다. 혈관통로 기능저하를 확인한 경우에는 협착을 의심하고 형태 평가를 시행하는 데, 액와정맥까지 협착이 없는 경우에는 협착 호발부위인 쇄골하정맥 유입부를 포함하여 가능한 중심부까지 검사를 시행한다(그림 6-32). 하지만, 혈류량 저하의 원인에는 협착 외에도 혈압저하, 탈수, 심장기능저하 등의 전신상태가 원인인 경우도 있다는 것을 알아 둘 필요가 있다.

천자구역 혈관벽의 형태평가: 인조혈관벽은 반복된 천자로 인하여 여러가지 형태변화가 일어난다(그림 6-33). 천자부의 손상이 현저한 경우에는 보고서에 손상의 정도를 기재하고 천자 구역의 변경을 검토할 필요가 있다.

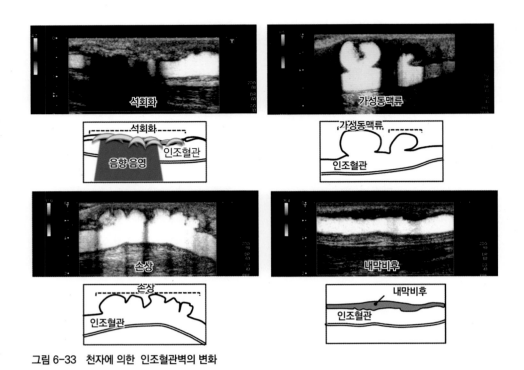

그림 6-33 천자에 의한 인조혈관벽의 변화

표 6-12 인조혈관에서 나타나는 다양한 문제와 고려할 수 있는 주요한 합병증

문제		의심되는 주요한 합병증
① 협착음		협착
② 혈액유입불량		
③ 정맥압상승		
④ 청진음(bruit) 저하		
⑤ 투석효율의 저하, 지혈곤란, 재순환률 상승		
⑥ 청진음(bruit) 소실		폐색
⑦ 천자곤란		주행에 의한 요인: 주행 깊이가 깊거나 사행(tortuous course)
		천자에 의한 요인: 협착, 내막비후, 석회화, plaque, 혈전 등
⑧ 팔 부종 ·발적·감염	협착부위보다 말초 측 팔 부종	정맥고혈압
	발적이나 열감을 동반하는 국소적 부종	감염: 천자부에 호발
	상지 전체의 부종	수술 후
		과잉혈류
		정맥고혈압(중심정맥협착)
⑨ 동맥류	천자부 · 문합부 · 만곡부(수술 후)	혈종(hematoma)
	문합부 · 만곡부	장액종(seroma)
	천자부	graft 가성동맥류
⑩ 천자 후, 투석 바늘 제거 후 천자 부위의 급격한 부종		천공
⑪ 손가락의 냉감 및 동통		스틸증후군(도류증후군)
		수근관증후군(carpal tunnel syndrome)

③ 경과관찰

동맥류 또는 가성동맥류의 크기 및 성상을 평가하고, 이전 검사와 비교한다. 인조혈관에 생긴 가성동맥류에서는 가성 동맥류의 크기와 직경, 벽의 성상, 혈전의 유무, 혈액의 유입 상황, 가성동맥류 전후의 혈관 직경도 확인한다.

또한, 혈종이나 장액종에 의한 압박 소견의 유무와 압박에 의한 혈관통로의 기능저하가 있는지를 확인한다.

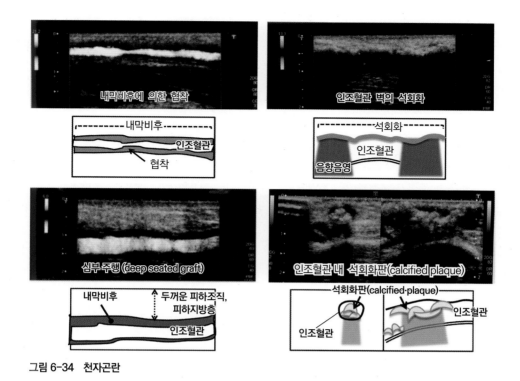

그림 6-34 · 천자곤란

2 │ 혈관통로 문제발생 시의 검사

투석 시 발생한 문제로부터 원인이 되는 합병증을 조사하여, 치료에 필요한 정보 및 일상적 혈액투석 시행에 필요한 정보를 제공하는 것이 검사의 목적이다. 표 6-12에는 투석 시 문제와 이로부터 생각해볼 수 있는 주요한 합병증을 요약하였다.

① **협착음**, ② **혈액유입불량**, ③ **정맥압상승**, ④ **청진음 (bruit) 저하**, ⑤ **투석효율의 저하, 지혈곤란, 재순환률 상승**은 협착의 존재가 의심된다. 혈액유입불량인 경우에는 유입 동맥이나 동맥측 문합부에 협착이 의심되고, 정맥압이 상승하는 경우에는 유출로 정맥이나 정맥측 문합부에 협착이 있을 가능성이 높고, 지혈이 어려운 경우에는 천자부 근방 정맥측 문합부의 협착이 의심된다. 이와 같이 같은 협착이라도 문제의 내용에 따라 의심되는 협착의 위치가 다르다. 협착을 인식한 경우에는 형태 및 기능 평가를 시행한다. 기능 저하가 있는 경우에는 VAIVT (PTA 등)를 고려하며, 혈관 주행 및 협착 전후의 혈관 직경에 대해서도 평가를 시행한다.

⑥ **청진음(bruit) 소실**은 혈관통로 폐색을 의미한다. 혈관조영술로 폐색 부위보다 하류쪽의 자세한 평가는 곤란하기 때문에 초음파검사로 폐색의 원인, 위치, 범위, 혈전의 유무·

성상 등 세밀한 형태평가를 시행할 필요가 있다. 또, VAIVT 및 수술적 재건 등의 가능성도 염두에 두고 천자가 가능한 부위 및 재건이 가능하다고 생각되는 혈관에 대한 도식화(mapping)를 할 필요가 있다.

⑦ **천자곤란**의 원인으로는 인조혈관이 너무 깊이 위치하고 있거나 구불구불하게 주행(사행)하는 등 인조혈관의 주행에 의한 원인과 석회화나 경화·내막비후 등 장기간의 천자에 의한 인조혈관 벽의 변화가 있다. 모든 원인에 대하여 현재의 천자부위의 형태를 평가하고 천자가 가능한 위치를 투석실 의료진에게 알릴 필요가 있다(그림 6-34).

⑧ **팔 부종**을 보이는 경우에는 정맥고혈압증이 의심된다. 흉부 표재정맥이 확장되어 있거나 측부정맥이 발달한 경우에는 액와정맥, 쇄골하정맥, 또는 완두정맥(brachiocephalic vein) 등의 협착이나 폐색이 의심되기 때문에 가능한 중심정맥영역까지 검사해야 한다.

천자부에 국한된 종창과 발적. 열감, 압통 등의 염증 증상이 발생한 경우에는 인조혈관 감염증을 의심해야한다. 외과적 수술이 필요할 수 있기 때문에 감염된 범위를 평가할 필요가 있다. 부종은 인조혈관 이식수술 후의 상태, 과잉혈류, 또는 정맥고혈압 등 다양한 원인으로 발생하기 때문에 간접소견도 포함하여 원인이 되는 합병증을 검사할 필요가 있다.

ONE POINT ADVICE

기능저하와 협착병변이 없어도 천자바늘의 끝부분이 내막비후가 있는 인조혈관의 벽이나 벽재혈전, 또는 flap 모양 병변 등에 닿는 경우에 돌발적으로 혈액유입불량이나 정맥압상승을 보이는 경우가 있다. 이러한 경우에는 천자부와 천자방향을 변경하는 것으로 문제가 해결되기도 한다.

⑨ **동맥류**가 천자 구역에 발생한 경우에는 혈종이나 가성동맥류가 의심된다. 경과관찰 중에 인조혈관 가성동맥류의 급속한 증가, 팽대되고 윤기있는 피부의 출현, 또는 색조의 변화가 보이는 경우에는 파열의 위험이 있기 때문에 graft bypass를 고려해야하며, 가성동맥류의 형태뿐 아니라 혈관벽의 성상 등을 평가해서 신속히 담당의에게 보고하도록 한다.

⑩ **천자 시·투석 바늘 제거 후 천자부위 근방에 급속한 부종**이 발생된 경우에는 천공 가능성이 있으며, 천공 위치와 크기를 평가하여 즉시 담당의에게 보고한다.

⑪ **손가락의 냉감, 마비, 또는 동통**이 있는 경우에는 스틸증후군(steal syndrome)을 의심해야 하며, 인조혈관 조성에 의해 증상이 악화된 수근관 증후군(carpal tunnel syndrome) 등도 감별해야 한다. 상완동맥(brachial artery) 혈류량과 인조혈관 내 혈류량을 측정하고, 두 혈류량의 차이를 참고하여 말초조직으로 향하는 혈류량을 추정해볼 수 있다.

따라서, 문제의 내용에 따라 의심되는 합병증이 다르고, 동일한 문제라도 원인이 다양하게 존재할 수 있기 때문에 초음파검사로 평가하는 내용도 달라질 수 있다. 초음파를 시행할 때에는 문제의 내용을 충분히 이해하고 투석실 의료진으로부터 제공된 정보와 신체검사소견 등을 참고로 의심되는 원인을 어느 정도 예측하고 검사를 시행하여 평가 부족을 방지하고 효율적으로 검사를 시행하도록 한다.

5 초음파검사와 혈관조영술

인조혈관(AVG)의 초음파를 이용한 일상적인 감시 과정에서 혈관조영술로는 찾아내기 어려운 증례를 선별하고 평가하는 것이 중요하다.

1 혈관조영술로 평가하기 어려운 증례를 검사한다.

혈관조영술은 초음파검사로 평가가 어려운 중심영역의 평가 및 상지전체의 평가가 가능하지만 3차원적인 평가는 곤란하기 때문에 조영시의 각도에 의해 중첩되어 주행하는 정맥의 평가가 곤란한 경우가 있다. 또한 천자 위치와 조영 방법에 따라서 동맥문합부 협착과 문합부위 동맥의 협착에 대한 평가가 어려운 경우가 있다. 반면 초음파검사는 상지 혈관의 전체적인 이미지를 얻기는 곤란하지만, 임의의 위치에서 3차원적 형태평가와 기능평가가 가능하기 때문에 VAIVT 후의 잔존혈전 평가, 폐색혈관의 관찰 및 추적을 시행하기 용이하다(그림 6-35, 6-36). 하지만, 초음파검사는 객관성이 부족하고, 검사자의 지식 및 경험에 좌우되는 단점이 있다. 초음파검사와 혈관조영술의 장단점을 충분히 이해하고 상호보완하여 인조혈관을 관리하는 것이 필요하다.

6 보고서의 작성

보고서에 초음파검사로 얻은 모든 정보를 기재하는 것은 어렵고, 불필요한 정보를 기재하면 요점을 알아보기 어렵게 될 수 있다. 보고서는 의뢰 내용에 맞는 필요한 정보를 선택하여 기재하고, 기입할 수 없는 정보는 모식도를 이용하여 표현한다. 인조혈관 모식도는 반드시 기재하여 합병증의 치료나 일상적인 혈액투석 유지에 필요한 정보가 시각적으로 전달되도록 고안하고, 투석실 의료진이 활용할 수 있도록 작성해야한다(표 6-13).

표 6-13 보고서 작성의 포인트

① 모순이 없는 결과와 꼭 필요한 정보를 이해하기 쉽고 간결히 기재한다.
② 반드시 모식도를 그려넣고 시각적으로도 전달되는 보고서를 작성한다.

혈전성 폐색에 대하여 혈전제거술을 시행. 혈관조영술에서 혈류는 양호하였는데, 투석 시 투석바늘에 혈전 덩어리가 부착된 것이 보였다. 초음파에서 정맥문합부와 유출정맥 내에 있는 부유혈전을 확인했다.

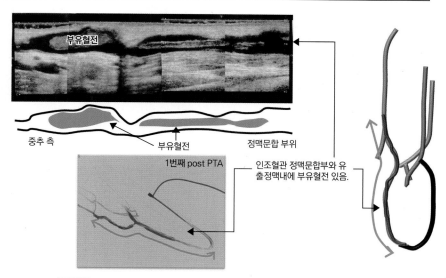

그림 6-35 　증례 1 부유혈전

폐색으로 혈관성형술(PTA)을 시행하였음에도 협착음이 청진되었다. 초음파검사로 잔존혈전과 분지 직상부의 폐색 병변을 관찰하였고, 두 번째 혈관성형술(PTA)을 시행했다.

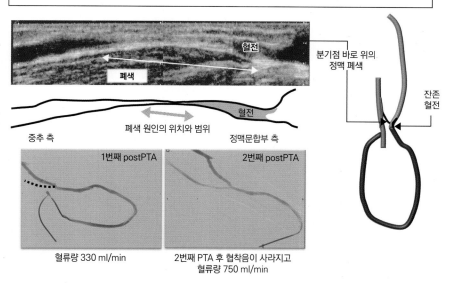

그림 6-36 　증례 2 분지 직상부의 폐색

요약

유지혈액투석 환자에게 혈관통로는 필수적이며, 혈관통로를 양호하게 유지하는 것은 장기적으로 투석 생활의 질을 향상시키기 위해서 매우 중요하다. 합병증을 조기에 발견하고

인조혈관(AVG)의 기능부전을 미연에 방지하기 위해서는 담당의 · 투석실 의료진 · 검사자가 협조하여 각 환자에게 맞는 적절한 인조혈관(AVG) 관리를 시행할 필요가 있다. 초음파 검사를 이용한 인조혈관(AVG)의 일상 관리 방법은 혈관통로의 현 상태를 평가하고, 문제의 원인을 찾아내며, 지속적으로 안정적인 유지혈액투석 시행에 필요한 정보를 제공하는

것이다.

초음파검사자는 혈관통로의 혈행동태와 관리법에 대해 알아야하고, 투석실 의료진과 적극적으로 상의하며, 혈액투석 치료에 대한 개념을 갖고 검사에 임할 필요가 있다.

● 참고문헌

1) 日本透析医学会：慢性血液透析用バスキュラーアクセスの作製および修復に関するガイドライン. 透析会誌, 38(9)：1491～1551, 2005

2) National Kidney Foundation：K/DOQI clinical practice guidelines for vascular access；update 2000. Am J Kidney Dis , 37(Suppl.1)：S137～S181, 2001.

3) Ethier, J. H. et al. ：Clinical practice guidelines for vascular access；Canadian Society of Nephrology. J Am Soc Nephrol, 10(Suppl.13)：S297～S305, 1999.

1 상완동맥 표재화

표재화 동맥을 혈관통로로 사용하는 빈도는 일본의 혈액투석 환자의 약 5%이다. 결코 높은 빈도는 아니지만, 상완동맥 표재화(brachial artery superficialization)법은 혈관통로로서 최종수단인 경우가 많기 때문에 소중하게 관리하여 오랫동안 사용하는 것이 중요하고 초음파검사를 이용하여 세심하게 파악하는 것이 필요하다. 표재화 동맥이 혈관통로로 선택되는 가장 큰 이유는 shunt 구조에 의한 심부하를 환자가 견뎌내기 어려운 경우이다. 말기신부전 환자는 본래 심혈관계에 어느 정도의 문제를 가지고 있는 경우가 많기 때문에 표재화하려는 대상인 동맥에도 석회화나 동맥경화 등의 이상을 보이는 경우가 많은 경향이 있다.

2 상완동맥 표재화 술전 검사

[상지 동정맥의 해부]의 항목에 서술되어 있는 것과 같이, 보통 쇄골하동맥이 액와부부터 상완동맥으로 이행하고, 팔꿈치관절의 약 2 cm 말초에서 요골동맥과 척골동맥으로 분지하여 손목관절에 이른다(그림 6-37). 표재화하는 동맥은 대개 액와부터 팔오금(cubital fossa)까지의 상완동맥을 사용한다. 때때로 요골동맥과 척골동맥이 액와부에서 분지하는 해부학적 변이가 있는데(그림 6-38), 이런 경우에는 각 동맥이 상완동맥 1개인 경우에 비해 가늘기 때문에 표재화에는 부적당하다.

동맥의 주행형태와 직경을 수술 전에 파악하는 것이 가장 중요하고, 더불어 동맥의 혈관벽 상태에 대한 검사도 필요하다. 동맥경화가 비정상적으로 심한 경우(그림 6-39), 동맥의

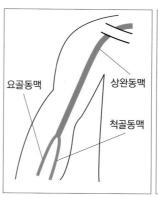

그림 6-37 해부(정상)   그림 6-38 상완동맥 고위분지 예

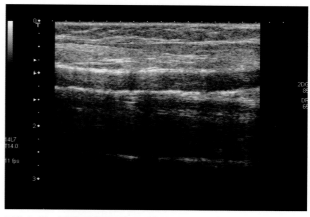

그림 6-39 동맥경화(석회화)의 초음파 영상

내강이 협소한 경우, 혈류가 극단적으로 저하되어 있는 경우에는 수술 전 초음파로 표재화 예정부분의 동맥 주행형태, 성상, 내경, 유속(혈류량)의 평가가 더욱 중요하다.

3 | 표재화 동맥의 신체검사

검사자는 청각, 시각, 촉각을 최대한 이용하여 이상 소견을 찾아내는 것이 중요하다. 혈액투석에 사용되고 있는 표재화동맥의 신체검사에 대해서 설명하고자 한다.

1 | 문진

우선 표재화 동맥의 과거력을 청취한다. 구체적으로 표재화동맥의 조성시기, 조성된 센터, 그리고 사용 상태를 문진하고 자각 증상에 대해 파악한다. 증상이 있는 경우에는 그 증상이 언제 발현되었는지, 경과는 어떠한지, 투석 시의 상황, 혈액유입상태, 천자 시의 상황에 대해서 파악한다. 문진으로 문제점의 유무와 경과를 자세히 파악하고, 이를 토대로 검사 범위를 좁혀 정밀하게 초음파검사를 시행한다.

2 | 청진

표재화 동맥은 보통 잡음(bruit)이 청취되지 않는다. Shunt는 청진으로 폐색이나 혈류부전을 발견하는 경우가 많은데, 표재화 동맥은 청진으로 혈관의 상태를 파악하는 것이 어렵고, 폐색된 경우에도 청진으로 판별할 수 없다. 반대로, 표재화 동맥에서 잡음(bruit)을 청진할 수 있는 경우에는 어떠한 이상이 발생한 것으로 생각해야 한다. 즉, ① 이전에 사용했던 shunt가 같은 팔에 있고 그 shunt에 혈류가 있는 경우, ② 천자 바늘로 인해 우발적으로 shunt가 생긴 경우, ③ 가성동맥류가 형성되어 있고 내부에서 난류가 일어난 경우 등이다. 어떤 경우라도 초음파검사로 잡음이 일어난 원인을 세밀하게 평가해야한다.

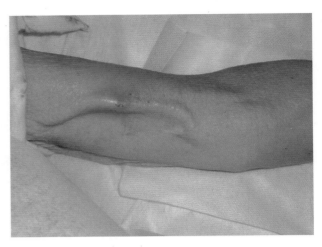

그림 6-40 표재화 동맥

3 | 시진

통상 표재화한 상완동맥의 혈관직경은 거의 일정하고, 요철 모양이 없는 상태로 1개의 관상 구조로 관찰된다(그림 6-40). 표재화 동맥 조성 후에는 혈액투석에 이용하는 기간 동안에 육안사진을 찍어서 환자 차트에 첨부해두는 것이 권장된다. 이것은 형태의 변화를 비교할 수 있게 해주고, 조기에 이상 소견을 판별하는 데 도움을 준다. 시진에 의한 진단이 가능한 병변으로는 (가성)동맥류, 감염, 폐색에 의한 혈전성 염증 등이 있다. (가성)동맥류의 발생과 염증 시에는 해당 부위에 국소적인 종창이 발생하며 피부의 색조도 변화한다. 대개의 경우 표재화 동맥은 피부 바로 아래를 주행하기 때문에, 이상 소견이 발생하면 일반적인 동맥과 비교해서 더욱 조기에 피부에 영향을 미친다. 동맥류의 크기가 커지면 피부가 얇아지고 광택을 띠며, 감염이나 염증이 발생되면 조기에 피부에 발적이 나타난다. 중증의 감염에서는 천자 구역의 약한 피부 부위에서 배농·출혈이 나타난다(그림 6-41).

이러한 경우에는 외과적 수술의 적응에 해당하는 경우가 대부분이기 때문에 초음파검사로 동맥과 주변조직의 상태를 면밀히 살펴서 치료 계획을 수립해야 한다.

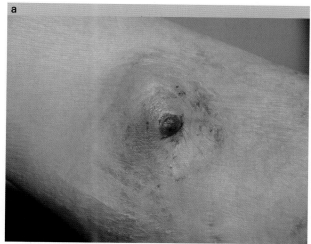

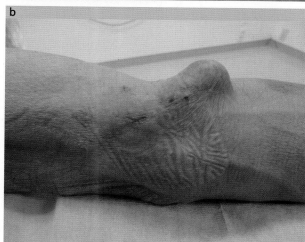

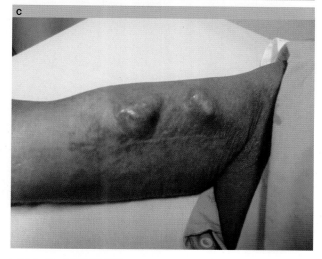

그림 6-41 동맥류와 감염

a: 천자부 감염
b: 표재화 동맥의 동맥류
c: 표재화 동맥 폐색에 의한 혈전성 동맥염

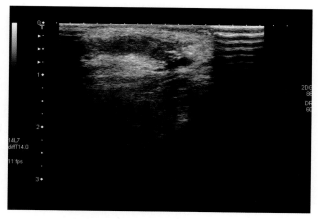

그림 6-42 표재화 동맥 폐색의 초음파 영상

4 │ 촉진

일반적으로 동맥은 탄성이 있고, 동맥압으로 인해 약간 단단하게 촉진된다. 표재화수술 후 초기에는 수술부위의 치유, 유착과정으로 피부와 피하조직이 딱딱하게 되고 동맥의 촉지가 어려울 수도 있다.

동맥류는 팽창된 혈관을 촉지하여 형태를 파악하고, 초음파검사로 벽의 성상, 동맥류와 상완동맥의 관계, 내부 혈전의 상태 등을 관찰한다(그림 6-42).

감염 · 폐색에 의한 혈관염증에서는 촉진에 의해 환자가 통증을 호소하는 경우가 많다. 병변부는 열감을 띠고 농이 모이면 말랑말랑한 느낌으로 촉지된다. 초음파에서는 감염의 범위, 농이 모인 부위를 관찰하도록 한다. 폐색성 혈전에 의한 혈관 염증의 경우에는 폐색의 범위, 혈전의 성상 등을 관찰할 필요가 있다.

마치면서

신체검사소견을 정확하게 얻으면 이어서 시행하는 초음파검사를 더욱 효율적으로 시행하는 데 도움이 된다.

개요

상완동맥 표재화(brachial artery superficialization)는 동정맥루나 인조혈관을 조성할 수 없는 경우에 적용되기 때문에 흔하지 않다. 따라서 검사의뢰는 비교적 적지만, 최종 수단으로서의 혈관통로이므로 초음파검사를 이용하여 합병증을 조기에 진단하는 것이 매우 중요하다.

1 초음파검사 시행 전에

표재화 동맥의 대상으로는 상완동맥이 가장 우선 선택된다. 표재화하지 않은 상태에서 상완동맥은 근막하를 주행하는 상완정맥(brachial vein)이 동반주행하지만, 표재화수술 후 상완동맥은 상완정맥과 분리되어 피하조직 내를 주행하게 된다(그림 6-43~45). 시진으로 수술부위 절개흔을 확인하고 어느 부위를 표재화했는지 박동 촉진을 함께 시행하여 살펴본다. 또, 신체검사 소견 및 임상증상을 확인하고 중점적으로 관찰해야할 지점을 충분히 파악해둔다.

2 초음파검사

표재화되어 있는 상완동맥에서 pulse Doppler 법을 시행하고 notch (절흔)를 동반한 2-3 phase로 나타나는 동맥의 파형을 확인한다. 혈류 파형이 협착후 파형(post-stenotic pattern)을 보이는 경우에는 측정부위로부터 중추 쪽(upstream)부위의 협착을 의심할 수 있다. 동맥의 형태 평가는 혈관의 직경 및 석회화의 유무, 협착이나 폐색의 유무, 혈관주행의 깊이를 관찰한다. 상완동맥 표재화 증례에서는 동맥 측의 문제보다도,

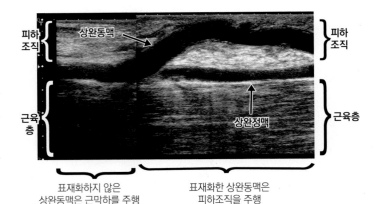

그림 6-43 상완동맥 표재화(brachial artery superficialization)의 초음파 영상

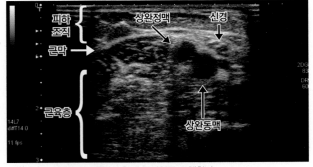

상완동맥은 상완정맥. 신경과 함께 근막하를 주행한다.

그림 6-44 동맥을 표재화하지 않은 부위

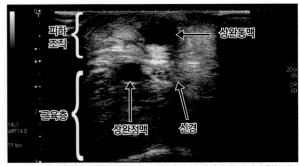

상완동맥이 피하조직 내를 주행하고, 상완정맥 및 신경과 동반되지 않는다.

그림 6-45 동맥을 표재화한 부위

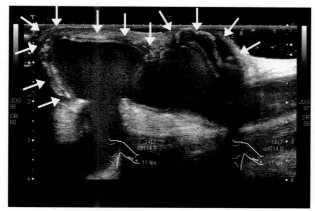

상완동맥에 동맥류가 발생하였고, 일부 벽에는 석회화가 침착되어 있다.

그림 6-46　동맥류

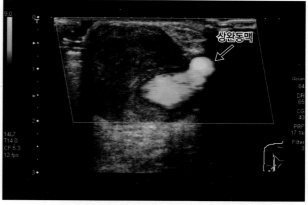

동맥류 내부에 일부 혈류가 관찰되지만 혈전이 내강의 대부분을 채우고 있다.
파열의 위험성은 낮은 상태로 판단된다.

그림 6-47　동맥류내 혈전

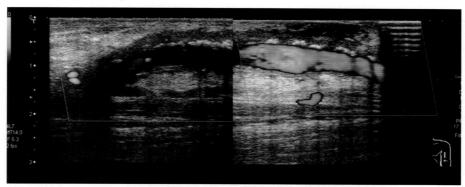

천자곤란 증례. 혈액투석을 위한 반복 천자에 의해 내막비후가 있고, 석회화의 침착도 확인된다.

그림 6-48　혈관 전벽(near wall)의 비후

혈액을 반환하는 표재정맥의 확보가 문제인 경우가 많다. 따라서, 혈액반환정맥에 대해서도 혈관 직경 및 협착·폐색의 유무, 혈관 주행의 깊이를 확인한다. Shunt 혈류가 없는 보통의 표재정맥이므로 초음파검사 시에는 probe의 압박에 의해 눌리지 않도록 주의하며 스캔한다.

3 | 합병증에 대한 초음파 소견

1 | 동맥류

　상완동맥 표재화(brachial artery superficialization)에서 가장 흔한 합병증이다. 크기 및 벽의 비후, 성상, 동맥류 내로 혈류가 유입되는 입구를 관찰한다. 석회화 침착 및 동맥류 내부의 혈전형성(그림 6-46, 47) 증례에서는 파열의 위험성이 낮지만, 크고 연약하며 벽이 얇은 증례에서는 파열의 위험성이

우려된다. 피부에 윤기가 나면서 광택이 있고 최근 급속하게 커지는 동맥류는 특히 주의해야하므로, 이학적 소견과 함께 판단하는 것이 중요하다.

2 | 협착·폐색

　천자곤란으로 검사가 의뢰되는 경우가 많고, 천자부위에 일치하는 협착이나 폐색을 동반하고 있다. 동일부위의 빈번한 천자에 의한 협착이 많고, 혈관 전벽(near wall)에 저명한 내막 비후가 나타난다(그림 6-48). 또한, 벽재혈전이 부착되어있어서 천자 바늘이 혈전에 닿는 것으로 판단되는 증례도 종종 경험한다(그림 6-49). 상완동맥 표재화 증례에서는 정맥 바늘 천자를 위한 표재정맥의 확인도 중요하며, 반복천자에 의한 표재정맥 황폐화나 협착이 관찰되는 경우가 많다(그림 6-50). 표재정맥에 혈액반환바늘을 천자하는 것이 점차 어려워지는 경우에는 구혈하여 (토니켓이나 cuff를 감아서) 확장

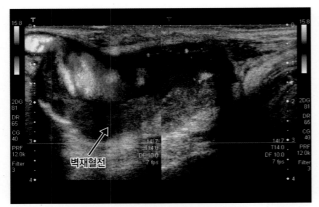

천자곤란 증례. 표재화한 동맥의 후벽에 벽재혈전이 관찰된다.

그림 6-49   벽재혈전

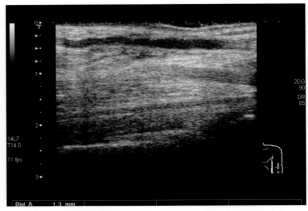

천자곤란 증례. 혈액반환정맥에 1.3 mm의 협착이 있으며, 주행도 깊다.

그림 6-50   혈액투석 시 혈액 반환을 위한 정맥바늘 천자용 정맥의 협착

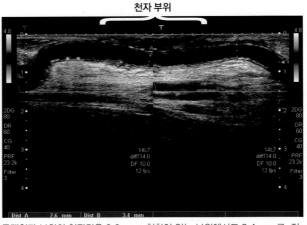

동맥천자 부위의 혈관경은 2.6 mm, 협착이 없는 부위에서도 3.4 mm로, 전체적으로 동맥이 다소 가늘다.

그림 6-51   동맥의 협소화

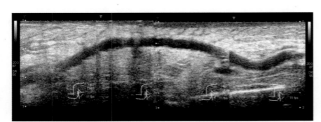

천자곤란 증례. 피하지방층이 두껍고 다소 부종도 동반되어 있어서 동맥의 주행이 깊다.

그림 6-52   동맥의 깊은 주행

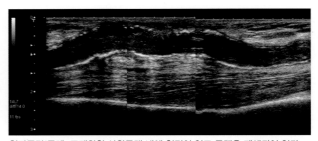

천자곤란 증례. 표재화한 상완동맥 내에 혈전이 있고 동맥은 폐색되어 있다.

그림 6-53   폐색

되는 다른 정맥을 조사해본다. 그 외에 동맥의 광범위한 협착(그림 6-51)이나 너무 깊은 혈관주행에 의한 천자곤란(그림 6-52)의 예도 있다. 폐색의 증례에서는 혈전이 존재하는 범위를 확인한다(그림 6-53).

3 | 감염

천자부위 동맥에 접해있는 저에코 영역이 관찰되는 경우 감염이 강하게 의심된다(그림 6-54). 대개 동통이나 발적·종창이 나타나고 발열 및 혈중 염증지표의 상승을 동반하는 경우가 많다. 하지만 초음파 소견만으로 확진하는 것은 어렵

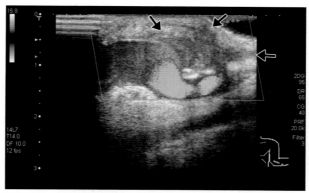

천자부위의 근방에 저에코 영역이 관찰된다. 천자에 의한 감염이 의심된다.

그림 6-54 감염

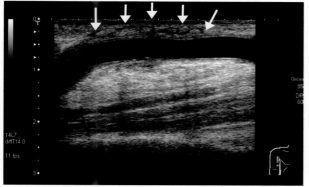

피하에 출혈이 있다. 경도의 피하 혈종이 관찰된다.

그림 6-55 혈종

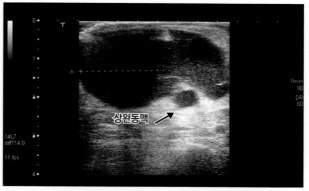

상완동맥 표재화: 주변이 국소적으로 붓고 초음파검사에서 큰 혈종이 확인되었다. 불충분한 지혈이 원인으로 보인다.

그림 6-56 혈종

고, 세균배양 검사나 혈중 염증지표 등도 함께 고려한다. 또한 감염에 의한 동맥류의 파열을 특히 주의해야 한다.

4 | 혈종

불충분하거나 부적절한 지혈이 원인이 되는 경우가 많고, 피하조직내에 저류하는 혈종(그림 6-55) 및 국한성으로 형성된 혈종(그림 6-56)이 있다. 전자의 경우에는 저에코의 간극이 그물 모양으로 관찰되고, 후자의 경우에는 혈종 내부가 혈액응고 상태에 따라서 다양한 에코를 보인다. 혈액이 혈관 밖으로 누출되는 부위를 특정하고 경과에 따른 크기의 변화를 관찰한다.

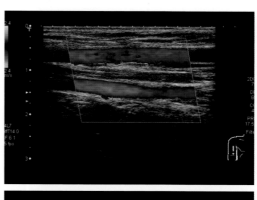

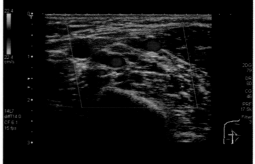

그림 6-57 상완동맥의 고위분지(high bifurcation of brachial artery)

ONE POINT ADVICE

수술 전 초음파 mapping 검사에서 동정맥루나 인조혈관의 조성이 곤란하다고 판단되는 경우에는 상완동맥 표재화 수술도 염두에 두고 검사한다.

최근에 시행한 심초음파 소견을 확인하여 구출율(ejection fraction)의 저하, 중등도 이상의 승모판 기능부전, 또는 동정맥루나 인조혈관 조성에 의한 스틸 증후군의 발생이 염려되는 경우에는 수술 전 초음파검사 시 상완동맥 표재화를 위한 수술을 고려하며, 상완동맥의 성상 및 직경을 관찰하고 혈액의 반환이 가능한 정맥도 찾아본다. 한편, 상완동맥의 고위분지 증례에서는 상완의 중간부위에서 요골동맥과 척골동맥이 각각 확인된다(그림 6-57).

MEMO

최근 초음파 장치의 발전으로 상완동맥과 함께 주행하는 신경도 잘 관찰되는 경우가 많다. 본원에서는 술전에 동맥을 확인할 때 신경이 상완동맥의 직상방을 주행하는 경우에는(그림 6-58), 양자의 관계를 초음파 보고서에 기재하고 있다. 수술 중에 동맥을 박리할 때에 신중한 조작이 필요하기 때문이다. 또 신경분 아니라 정맥과의 위치관계도 나타냄으로써 동맥을 찾을 때 지표로 삼을 수 있도록 한다.

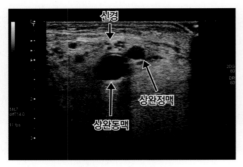

그림 6-58　상완동맥과 신경의 위치관계

● 참고문헌

1) 日本透析医学会：慢性血液透析用バスキュラーアクセスの作製および修復に関するガイドライン. 透析会誌，38(9)：1517〜1519，2005.

2) 平中俊行ほか：上腕動脈表在化症例の臨床的検討. 腎と透析42巻別冊腎不全外科97，71〜72，1997.

3) 松尾賢三ほか：動脈表在化の成績と合併症. 腎と透析49巻別冊アクセス，33〜35，2000.

7 초음파를 이용한 천자 및 도관삽입
1 초음파를 이용한 투석바늘 천자

개요

혈액투석치료를 할 때 혈관통로를 천자하기 어려운 경우에는 환자 및 의료진에게 큰 부담을 주게 된다. 표재정맥의 천자는 손가락으로 촉지하여 천자할 수 있지만, 심부정맥은 동맥 등을 지표로 삼아 정맥의 위치를 예상하고 천자하는 경우가 보통이다. 초음파를 이용한 천자의 유용성은 널리 알려져 있고, 초음파 유도 천자는 안전하고 확실하며 많은 장점이 있다. 이 장에서는 초음파를 이용한 투석바늘 천자방법과 실제로 혈관통로 천자곤란 및 혈관성형술(PTA)시행 시 초음파를 이용하여 천자한 임상증례에 대해서 설명하도록 하겠다.

1 혈관통로에 대한 초음파 유도 천자

천자가 어려운 혈관통로 증례와 초음파를 이용한 천자에 대해서 설명하고자 한다. 본원에서는 초음파진단장치로 ALOKA 사 제품 SSD-3500 SV, 리니어형 탐촉자(probe) (UST-5546: 주파수 8.5 MHz, 유효시야 38 mm)를 이용하고 있다.

1 혈액유입부(동맥지) 천자곤란 증례

증례 1

35세 여성. 전신형중증근무력증으로 확대흉선적출술, 스테로이드 펄스요법 후, 정기적인 혈장교환술을 받고 있다. 혈관통로로 왼쪽 상완동맥(brachial artery) 표재화, 왼쪽 상완동맥 인조혈관 이식(동맥 바이패스), 오른쪽 전완 혈관통로 조성, 왼쪽 대퇴부 혈관통로 조성, 왼쪽 대퇴동맥 표재화의 기왕력이 있고, 모두 폐색된 상태이다. 그 이후 초음파 유도하에 오른쪽 경정맥 혹은 왼쪽 대퇴정맥을 천자하여 혈액을 유

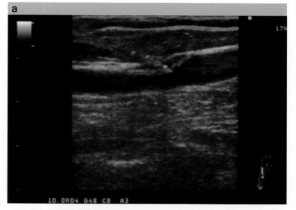

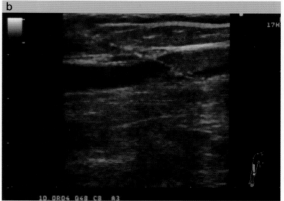

그림 7-1 증례 1 오른쪽 내경정맥 천자(혈액유입)

입하여 이중여과혈장교환술을 시행하였다. 오른쪽 내경정맥을 초음파로 확인하면서 천자하고(그림 7-1-a), 바늘을 혈관 내 유치하였다(그림 7-1-b). 본 증례는 만성신장병 환자와는 다르게 빈혈(신성빈혈)이 없었고, 전혈응고시간(ACT)을 150~200초로 유지하기 위하여 헤파린을 10,000단위 이상 사용하였다.

따라서 혈관의 손상 및 잘못된 천자로 인한 출혈을 가능한 피해야 하기 때문에 초음파 유도 천자가 꼭 필요하였다. 현재

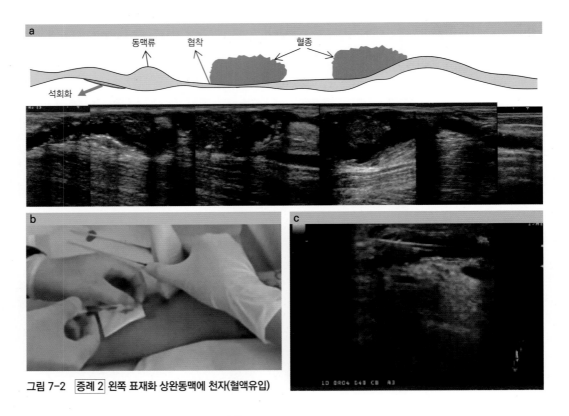

그림 7-2 　증례 2 　왼쪽 표재화 상완동맥에 천자(혈액유입)

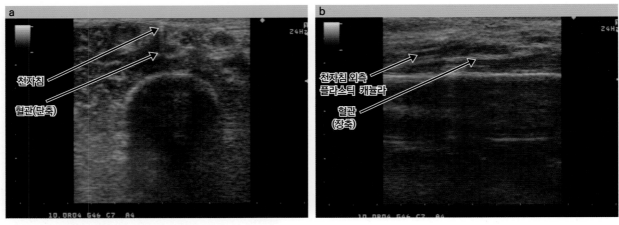

그림 7-3 　증례 3 　오른쪽 상완 척측피정맥(혈액반환)

까지 동일한 방법으로 원활하게 이중여과혈장교환술을 시행하고 있으며 출혈 등의 합병증은 없었다.

증례 2

74세 남성. 투석기간 9년 5개월(당뇨병성신증). 혈관통로 문제로 오른쪽 상완동맥 표재화, 표재화 동맥의 동맥류에 혈관성형술(PTA)을 시행하였고 왼쪽 상완동맥(brachial artery) 표재화 수술을 받은 과거력이 있다. 동맥류형성, 내강협착, 혈관사행(그림 7-2-a)으로 천자가 곤란하여 초음파 유도하에 왼쪽 상완동맥(brachial artery)을 천자(그림 7-2-b)하여, 투석바늘을 삽입하였다(그림 7-2-c). 이후 왼쪽 전완에 인조혈관을 이식하였는데, 이식부위 봉와직염으로 조성술 후 6개월 뒤 인조혈관을 제거했다. 그 후, 혈액반환을 위한 정맥천자도 어려워 초음파 유도하에 오른쪽 내경정맥을 천자하여 혈액반환로(정맥지)로 사용하였다.

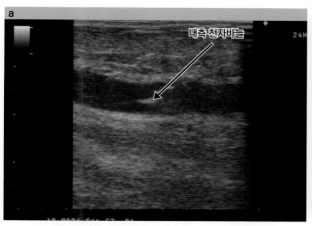
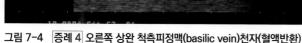
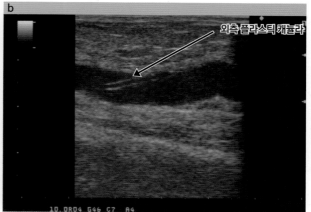

그림 7-4 │증례 4│ 오른쪽 상완 척측피정맥(basilic vein)천자(혈액반환)

2 │ 혈액반환(정맥지) 부위 천자곤란의 증례

증례 3

74세 남성. 투석기간 2년 11개월(당뇨병성 신증). 협심증으로 관상동맥 바이패스술, 폐쇄성동맥경화증에 의한 오른쪽의 대퇴동맥 바이패스 수술의 과거력이 있고, 심장기능저하로 오른쪽의 표재화된 상완동맥을 동맥지로 사용중이다. 혈액반환 정맥(정맥지)의 천자곤란으로 초음파 유도하에 오른쪽 상완 척골피정맥(basilic vein) 또는 오른쪽 상완정맥(brachial vein)을 천자하여 정맥지로 사용하였다. 혈관직경이 3 mm로 가늘어서 초음파 유도 천자 시 단축(그림 7-3-a)과 장축(그림 7-3-b)을 병용하였다.

증례 4

74세 여성, 투석기간 5개월(당뇨병성 신증). 오른쪽 팔꿈치관절 부위의 혈관통로로 혈액투석을 시행하였는데, 오른쪽 상완 요측피정맥은 폐색되어 혈류가 없었고 오른쪽 척측피정맥으로만 혈류가 있었다. 팔꿈치관절 부근의 척측피정맥(basilic vein)에서 혈액을 유입하였고, 상완 척측피정맥을 초음파 유도 천자하여 환자에게 혈액을 반환하였다(그림 7-4).

해결이 까다로운 혈관통로 문제 중에는 혈액유입뿐만 아니라 혈액을 반환할 정맥을 찾기 어려워서 유치도관이 필요한 경우도 있다. 유치도관은 감염과 정맥협착 등 합병증의 발생빈도가 높기 때문에 초음파를 이용한 심부정맥 천자방법으로 도관삽입을 피할 수 있고 1회 천자하기 때문에 합병증의 발생을 상대적으로 줄일 수 있다.

표재정맥이 없는 경우에는 어떠한 심부정맥이라도 개통되어 있기만 하다면 혈관통로로서 중요하다. 비록 심부정맥은 천자가 어렵지만, 초음파를 이용하면 천자가 용이하므로 혈관통로로써 유용하게 사용될 수 있다.

2 │ 혈관성형술(PTA)시 초음파 유도 천자

본원에서는 겨드랑 부위보다 말초의 상완 또는 전완에 만들어진 혈관통로에서는 초음파 유도 혈관성형술(PTA)을 시행하고 있다. 초음파를 이용하여 천자하는 것이 유용할때가 있어 증례를 이용하여 설명하고자 한다.

증례 5

70세 남성, 투석기간 1년 6개월(당뇨병성 신증). 왼쪽 전완 동정맥루로 혈액투석을 시행하는데 원활한 혈액유입이 어려워서 혈관성형술을 시행하였다. 주정중피정맥(median cubital vein)으로 삽입한 천자바늘이 심부정맥교통지(관통정맥, perforating vein)에 들어갔기 때문에(그림 7-5-a), 초음파를 이용하여 바늘을 확인하면서 표재정맥으로 재진입(그림 7-5-b)시킨 후 유도철사(guidewire)를 삽입(그림 7-5-c)하고, sheath를 유치시켰다. 팔꿈치관절 부위에 천자할 때에는 본 증례와 같이 심부의 관통정맥으로 천자바늘이 들어가는 경우가 있다. X-선 투시하 조영검사로는 그러한 상황의 파악 및 조치가 어렵기 때문에 새롭게 천자를 해야하는 경우도 있다. 혈관의 상하관계(배쪽, 등쪽)의 파악은 초음파 유도의 장점 중에 하나이고 천자에 유용한 정보이다.

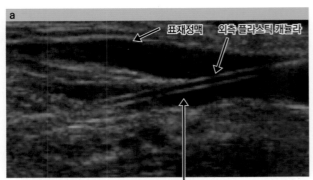

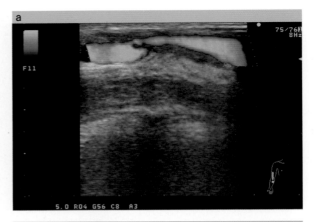

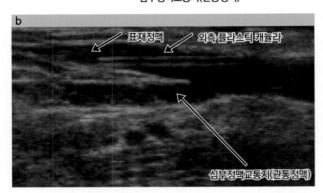

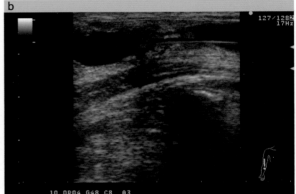

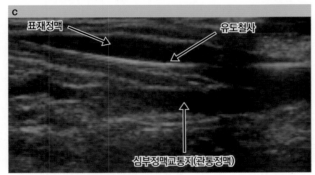

그림 7-5 ｜증례 5｜ 왼쪽 전완 동정맥루 혈관성형술(PTA)

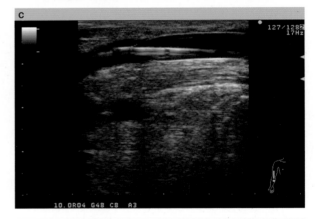

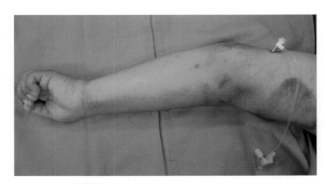

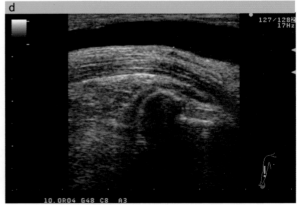

그림 7-6-Ⅰ ｜증례 6｜ 왼쪽 팔오금부위 동정맥루 혈관성형술에서의
sheath 삽입

그림 7-6-Ⅱ ｜증례 6｜ 왼쪽 팔오금부위 동정맥루 혈관성형술
a: 확장 전, b: 유도철사(guidewire) 통과,
c: 풍선 카테터(catheter) (확장), d: 확장 후

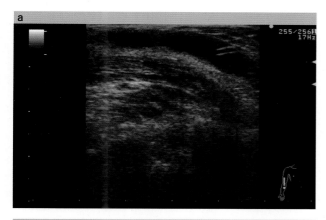

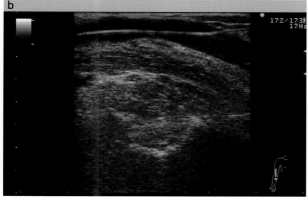

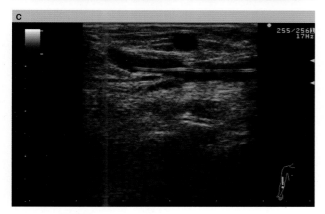

그림 7-7 증례 7 **왼쪽 팔오금부위 동정맥루 혈관성형술**
a: 외측 플라스틱 캐뉼라(상완 척측피정맥)
b: 유도철사(상완 척측피정맥)
c: 유도철사(상완동맥)

증례 6

56세 남성, 혈액투석 기간 3년(만성사구체신염). 왼쪽 팔오금부위 동정맥루로 혈액투석을 시행하는데 상완 요측피정맥(cephalic vein)에 혈류가 없고, 상완 척측피정맥(basilic vein)협착으로 혈액유입이 어려웠다. 초음파를 이용하여 척측피정맥(basilic vein)이 심부정맥으로 되는 상완 근위부를 천자하여 sheath를 역행성으로 삽입 후(그림 7-6-a), 협착부와 문합부를 확장하였다(그림 7-6-b). 이후, 혈관통로 혈류가 개선되

었고 혈액유입도 양호하였다.

증례 7

74세 여성, 투석기간 1년 5개월(당뇨병성신증), 왼쪽 팔오금부위 동정맥루로 혈액투석을 시행하였는데 상완 요측피정맥(cephalic vein)의 혈류량이 작아서, 상완 척측피정맥(basilic vein)으로부터 혈액을 유입하였다. 상완 척측피정맥과 문합부 협착으로 인해 혈액 유입이 어려워 혈관성형술을 시행하였다. 초음파 유도하에 상완 척측피정맥을 천자하고 sheath를 삽입 후 유도철사를 척측피정맥을 통해 문합부 및 상완동맥(brachial artery)으로 진행시켰다(그림 7-7). 풍선카테터를 이용하여 협착부 및 문합부를 확장시킨 후 혈관통로 혈류는 개선되었다.

3 초음파 유도 천자 시 유의할 점

1 단축상과 장축상

본원에서는 주로 장축상을 이용하여 초음파 유도 혈관천자를 시행하고 있다. 단축상에서는 천자바늘이 초음파 탐촉자의 영상 범위에 도달할 때까지 위치가 불명확하여 다른 혈관 또는 구조물을 천자할 가능성이 있기 때문이다. 하지만 증례 3과 같이 직경 3~4 mm의 얇은 혈관은 장축상으로 혈관중심에 천자바늘을 유도하는 것이 어려울 수도 있다. 이런 상황에서는 단축상에서 혈관의 중심을 향하여 천자바늘을 진행시키고(그림 7-3-a), 혈관 내에 유치된 것을 장축상으로 확인한다(그림 7-3-b).

2 지혈방법

심부정맥 천자 후 지혈법은 정맥혈이 흐르는 경우와 혈관통로의 혈액이 흐르는 경우에 따라 차이가 있다. 심부정맥으로 정맥혈류가 흐르는 경우에는 보통의 정맥과 같은 방법으로 지혈하지만, 혈관통로의 혈액이 흐르는 경우에는 동맥천자에 준한 지혈법이 필요하다. 본원에서는 손으로 15분간 압박지혈 후 24시간 동안 압박고정을 시행하고 있다. 지혈이 잘되지 않고 출혈이 되는 경우에는 다음 투석 시 천자가 곤란한 경우도 있기 때문에 주의가 필요하다. 혈장교환을 포함하여 외래에서 혈액투석요법을 시행할 때, 혈관통로의 확보도 중요하지만 지혈 또한 중요한 과정이다.

마치면서

투석바늘 천자와 카테터 삽입 시 초음파의 유용성에 대해서 알아보았다. 초음파 유도 천자 시에는 의료진뿐만 아니라 환자도 천자 상황을 화면으로 보면서 보다 안심할 수 있게 되는 것도 장점 중 하나이다.

● 참고문헌

1) Sandhu, N.P. et al. : Mid-arm approach to basilic and cephalic vein cannulation using ultrasound guidance. Br J Anaesth, 93 : 292~294, 2004.
2) 佐久間宏治ほか : バスキュラーアクセスに難渋した重症筋無力症に対する血漿交換の1例. 腎と透析65巻別冊アクセス, 190~192, 2008.
3) 佐久間宏治ほか : バスキュラーアクセス確保困難症例に対するエコーガイド下穿刺の有用性. 腎と透析66巻別冊アクセス, 184~185, 2009.
4) 佐藤純彦ほか : VAトラブルにおけるエコーガイド下穿刺―特に深部静脈穿刺について. 腎と透析68巻別冊腎不全外科, 72~74, 2010.
5) 佐藤純彦ほか : VAトラブルに対するエコー下PTA100例の検討. 腎と透析66巻別冊アクセス, 79~80, 2009.

7 초음파를 이용한 천자 및 도관삽입

2 초음파를 이용한 투석도관 삽입

개요

혈관통로에 문제가 발생하면 상황에 따라 투석도관을 삽입해야 할 경우가 있다. 천자 또는 도관유치 중의 합병증을 피하기 위해서 도관삽입 시 초음파의 사용은 꼭 필요하다. 본원에서 사용중인 초음파 유도 도관삽입법을 중심으로 설명하고자 한다.

1 도관의 삽입부위

투석도관의 주요 삽입부위는 ① 내경정맥, ② 대퇴정맥, ③ 쇄골하정맥이다. 쇄골하정맥은 중심정맥 협착 및 폐색 혹은 기흉 등의 합병증의 발생빈도가 높고 대퇴정맥은 내경정맥보다 감염위험이 높기 때문에, 투석도관의 삽입부위는 내경정맥이 가장 적절하다. 또 왼쪽 내경정맥은 삽입 후 도관이 2번 굴곡되기 때문에 합병증의 발생빈도가 높다. 따라서, 도관이 직선으로 삽입되는 오른쪽 내경정맥을 가장 우선적으로 선택해야 한다.

2 초음파장치

본원에서는 도관삽입 시에 7.5 MHz의 리니어형 탐촉자(probe)를 장착한 도시바 메티컬시스템사 SSA-700A 'Aplio'와 혈관천자전용 이동식 초음파장치인 Sonosite.Japan사의 'iLook25'를 사용하고 있다. Aplio는 비교적 큰 처치실이나 수술실에서 사용하는 경우가 많고, 투석실 외래 및 병실, 검사실 등 좁은 장소에서는 iLook25를 사용한다.

Aplio는 Doppler 기능도 있기 때문에 혈관과 혈류의 유무

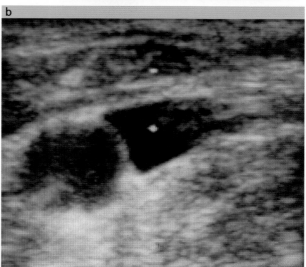

그림 7-8 a: 혈관천자용 이동식 초음파장치, Sonosite사 iLook25의 탐촉자

b: iLook25 초음파화면. 천자용 가이드라인을 표시하는 것이 가능하다.

를 확인하는 데 유용하다. iLook25는 탐촉자의 중앙에 표지(그림 7-8-a)가 있고 이 표지에 일치하게 천자용 유도선(그림 7-8-b)을 화면표시하는 것이 가능하기 때문에 탐촉자의 표지를 이용하여 정맥을 조준하는 것이 용이하다. 또한 iL-

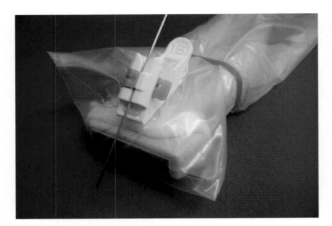

그림 7-9 천자어댑터에 장착된 바늘

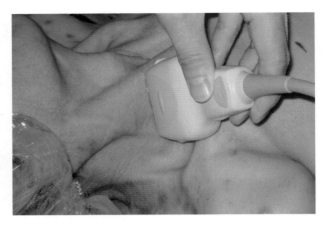

그림 7-10 흉쇄유돌근 부위에 탐촉자를 댄다

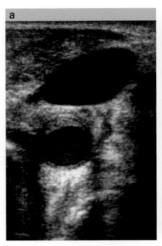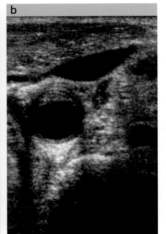

그림 7-11 천자 전의 초음파영상
a: 압박 전, b: 압박 후

ook25에는 옵션으로 정맥의 깊이에 따라 천자어댑터(그림 7-9)가 준비되어 있으므로 천자바늘을 일정한 각도로 유지하면서 목적부위로 정확하게 바늘 끝을 위치시키는 것이 가능하다. 본 장에서는 흔히 사용되고 있는 일반적인 초음파장치를 이용하여 실시간(real-time) 영상에 의한 free-hand법으로 내경정맥을 천자하는 방법을 소개하고자 한다. 이 방법을 적용하면 쇄골하정맥 및 대퇴정맥도 쉽게 천자할 수 있다고 생각한다.

3 시술 전 정맥의 평가와 천자의 실제

① 환자를 수평 또는 하지를 약간 올린 상태로 한다. 특히 탈수되어 정맥압이 낮은 증례에서는 하지거상(Trendelenburg) 자세를 취하면 내경정맥의 허탈을 막고, 보다 쉽게 천자할 수 있다.

ONE POINT ADVICE
내경정맥 천자를 쉽게할 수 있는 방법으로 Trendelenburg 자세를 취하거나, 발살바 수기(Valsalva maneuver)를 하는 방법이 있다.

② 얼굴을 왼쪽으로 향하게하고, 흉쇄유돌근위에 탐촉자를 놓고(그림 7-10), 단축상으로 내경정맥과 총경동맥을 확인한다. 그림 7-11-a는 시술자가 머리쪽에서 본 초음파 영상이다. 그림 7-11-b는 탐촉자로 강하게 누른 상태이다. 내경정맥은 압박으로 쉽게 눌리기 때문에 총경동맥과 구별된다. 탐촉자로 너무 세게 압박하면 천자가 곤란하기 때문에 무리하게 압력을 가하지 않는 것이 중요하다. 그림 7-12는 오른쪽 내경정맥의 폐색증례 영상이다. 쇄골하정맥 방향으로 점차로 직경이 가늘어지는 것이 보이고(a → b), 도플러에서 혈

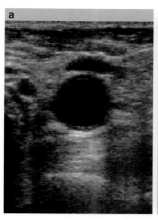
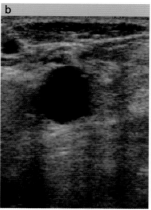

그림 7-12　내경정맥 폐색 초음파영상
a: 총경동맥 위에 아주 작게 보이는 내경정맥
b: 쇄골 근방에서 거의 폐색된 내경정맥

그림 7-13　탐촉자(probe) 표면의 초음파 gel과 전용커버

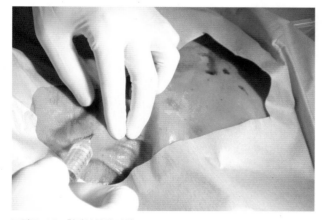

그림 7-14　천자부위의 마취

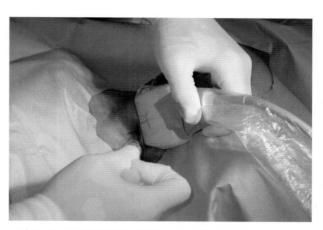

그림 7-15　초음파 영상을 보면서 천자바늘을 진행시킨다.

류를 확인할 수 없었다. 도관삽입 전에 혈관을 확인할 때에는 천자부위뿐 아니라 도관의 주행을 고려하여 쇄골부근까지 정맥을 넓게 관찰할 필요가 있다.

　③ 천자부위 및 도관의 출구주변(장기 유치 도관 삽입 시에는 앞쪽 가슴까지)을 넓게 소독한다.

　④ 탐촉자를 무균상태로 유지하기 위해서, 초음파 gel을 바른 탐촉자를 멸균된 전용커버로 씌우고 테이프로 고정한다(그림 7-13). 전용커버가 없는 경우에는 멸균장갑이나 멸균포의 사용도 가능하다. 탐촉자가 피부에 닿는 부위에는 멸균된 초음파 gel을 사용하는데, 없을 경우에는 멸균된 리도카인 gel을 사용해도 된다.

　⑤ 천자부위는 1% 리도카인을 주입하고 내경정맥의 주변까지 마취한다(그림 7-14). 초음파의 저에코부위를 확인하여 마취범위를 확인할 수 있다.

　⑥ 실시간으로 초음파영상을 확인하면서 천자바늘을 진행시키는데(그림 7-15), 정맥이 눌리기 쉬운 증례에서는 발살바 법(Valsalva maneuver)을 이용하면 정맥이 확장되어 천자가 쉬워진다. 또 바늘을 조금씩 앞뒤로 움직이면 바늘 끝의 위치를 알 수 있고 방향을 수정할 수 있다.

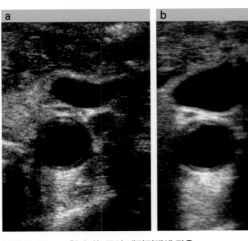

그림 7-16　a: 천자바늘끝이 내경정맥에 닿음
　　　　　　b: 정맥내의 바늘끝을 확인

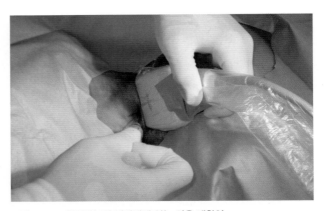

그림 7-17　천자바늘이 정맥내에 있는 것을 재확인

⑦ 천자 바늘이 내경정맥에 닿으면 바늘에 의한 압박으로 정맥표면이 함몰되는 것을 알 수 있다(그림 7-16). 초음파 영상으로 정맥내에 고휘도의 바늘 끝이 확인되고 주사기를 당기면서 음압을 주면 저항없이 정맥혈이 주사기로 흡인되는 것으로 천자바늘이 정맥내에 있는 것을 다시 확인할 수 있다(그림 7-17).

ONE POINT ADVICE
정맥 내의 바늘 끝은 화면을 장축으로 묘출시켜도 확인 가능하다.

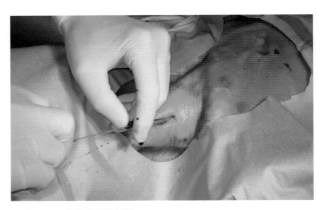

그림 7-18　유도철사의 삽입

⑧ 유도철사(guidewire)가 천천히 저항없이 들어가는 것을 확인하면서 진행시킨다(그림 7-18,-19). 유도철사를 무리하게 삽입하면 쇄골하정맥과 만나는 부위에서 반대로 회전해버릴 수 있는데 초음파로 쇄골의 바로 아래를 관찰하는 것이 어렵기 때문에 주의가 필요하다.

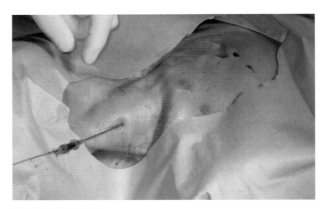

그림 7-19　천자완료

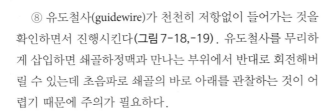

ONE POINT ADVICE
유도철사를 삽입할 때 저항이 있는 경우에는 유도철사의 방향이 반대로 되었을 가능성이 있다. 저항을 느끼는 경우에는 무리하게 도관을 삽입하지 말고 초음파로 유도철사의 방향을 확인하는 것이 필요하다.

ONE POINT ADVICE
쇄골의 바로 아래를 초음파로 관찰하는 것이 어렵기 때문에 유도철사 끝의 위치가 불명확한 경우에는 X선 투시 및 조영검사를 시행해야한다.

4 보다 안전한 천자를 위하여

Lin 등은 대만의 104명의 요독증 환자를 대상으로 시행한 내경정맥과 총경동맥과의 해부학적인 위치관계에 관한 연구에서 경정맥의 위치와 크기는 약 60%에서 정상 위치에 있었고 적절한 크기로 확인되었지만, 약 20~25%에서는 내경정맥이 총경동맥의 위에 있고, 전체의 약 25%에서 해부학적으로 변이가 있다고 보고하였다. 그러므로 천자 전에 초음파를 사용하여 내경정맥의 위치 및 주행 또는 폐색 유무를 확인하는 것은 천자의 성공률을 높이고 합병증의 발생을 줄이는데 중요하다.

2005년 일본투석의학회의 [만성혈액투석용 혈관통로의 조성 및 치료에 관한 가이드라인]에서는 투석도관 삽입 시 초음파를 이용하도록 권고하고 있다. 국외에서 발표된 논문에서도 도관삽입 시 초음파를 이용한 경우와 체표면의 기준점을 이용하여 천자를 시행한 경우를 비교한 결과, 성공율, 천자시도횟수, 소요시간, 합병증(동맥천자, 기흉, 혈종)발생 빈도 등의 모든 항목에서 초음파를 사용한 경우가 더 우수한 것으로 보고하고 있다. 또 Nadig 등은 73회의 초음파를 이용한 실시간 천자에서 확실하게 합병증의 발생이 없었다고 보고하고 있다. 초음파 탐촉자에 대해서는, Denys 등은 천자 어댑터를 사용하였는데, Nadig 등과 Farrell 등은 필자와 같이 프리핸드법으로 실시간 초음파영상을 확인하면서 천자를 시행하였다.

필자들이 투석도관 삽입 시 표면의 랜드마크를 이용하여 천자를 시행하던 시기에는 동맥을 잘못 천자하거나 혈흉·기흉 등이 발생하는 합병증이 있었지만, 초음파를 실시간으로 이용하여 천자를 시행한 이후에는 동맥 천자, 기흉, 혈흉 등의 합병증 발생은 없었다.

마치면서

신속한 도관삽입과 합병증예방에는 초음파를 이용하는 것이 확실히 유용하다. 필자는 장기유치용 도관삽입 시에 초음파를 함께 이용하여 X선 투시하에서 시행하는 데, 간혹 유도철사가 잘못된 방향으로 회전하거나 쇄골하정맥으로 잘못 삽입되는 것을 경험한다. 초음파 단독으로 도관삽입을 시행하는 경우에는 쇄골의 직하방을 관찰하는 것이 어렵기 때문에, 유도철사가 정확하게 상대정맥에 도달했는지가 의심되는 경우에는 X선 투시를 병용할 필요가 있다고 생각한다.

● 참고문헌

1) McGee, D. C. et al. : Preventing complications of central venous catheterization. NEJM, (348) : 1123~133, 2003.
2) Nadig, C. et al. : The use of ultrasound for the placement of dialysis catheters. Nephrol Dial Transplant, 13 : 978~981, 1998.
3) Denys, B. G. et al. : Ultrasound-assisted cannulation of the intenal jugular vein. Circulation, 87 : 1557~1562, 1993.
4) Farrell, J. et al. : Ultrasound-guided cannulation versus landmark-guided technique for acute haemodialysis access. Nephrol Dial Transplant, 12 : 1234~1237, 1997.
5) 鈴木利保ほか : 內頸靜脈穿刺法とその注意点. 臨床外科, 55 : 1505~1509, 2000.
6) Lin, B-C. et al. : Anatomical variation of the internal jugular vein and its impact on temporary haemodialysis vascular access : an ultra-sonographic survey in uraemic patients. Nephrol Dial Transplant, 13 : 134~138, 1998.
7) 內野 敬ほか : 長期留置カテーテルの有用性と問題点. 腎と透析 57巻別冊アクセス, 43~46, 2004.

8 초음파검사를 이용한 합병증의 진단

1 협착·폐색

① 병태와 증상

1 협착

1 병태

혈관내강이 좁아져서 혈류가 방해되는 상태로(그림 8-1), 다음과 같이 세 가지 원인으로 나눠서 생각해 볼 수 있다.

① 혈관직경이 가늘어진 경우(그림 8-2)

② 혈관직경은 정상이지만, 내막비후에 의해서 혈관내강이 좁아진 경우(그림 8-3)

③ 혈관내에 형성된 혈전에 의해서 내강이 감소된 경우

①과 ②의 감별은, 혈관조영검사로는 감별이 어렵지만 초음파검사를 이용하면 쉽게 감별할 수 있다. 현실적으로 ①과 ②가 동반된 협착병변이 많고 ① 또는 ② 중 한 가지만 있는 증례는 적다.

협착의 원인으로 다음과 같은 경우를 생각해 볼 수 있다.

① 혈관직경이 가늘어진 경우

- 반흔: 수술 시행부(혈관통로 문합부), 천자를 반복한 부위, 감염이 있었던 부위 등에 생길 수 있다.
- 혈종: 잘못된 천자에 의해 생긴 혈종이 혈관을 압박하기 때문에 협착이 생긴다.
- 강한 압박: 지혈조작에 의한 과도한 압박, 혈관통로를 강하게 압박하는 옷이 협착의 원인이 될 수 있다.

그러나, 이러한 원인들과 관계없는 부위에서도 혈관 직경이 가늘어지는 현상이 관찰되는 경우도 있다.

② 내막이 두꺼워진 경우

혈관통로 내에서 발생하는 와류나 제트류는 정맥의 혈관벽을 자극하여 내막이 두꺼워지게 한다. 혈관통로 문합부의 정맥 측, 정맥의 분지 또는 합류부 등이 호발부위이다. 또, 협착에 대한 치료로 시행되고 있는 혈관성형술(PTA)은 강한 압력으로 혈관을 확장시키기 때문에 시술 자체로 인한 내막 손상이나 증식이 발생될 수 있다.

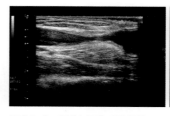
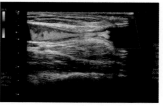

그림 8-2 혈관수축에 의한 협착

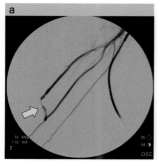
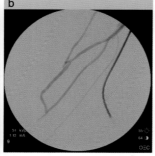

그림 8-1 정맥협착의 혈관조영검사

a: 동정맥루 문합부주변 정맥의 협착을 확인한다.
b: 혈관성형술(PTA)을 시행한 후 협착이 호전되었다.

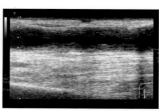
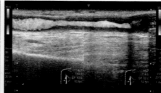

그림 8-3 내막비후에 의한 협착

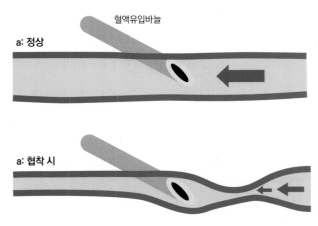

혈액유입바늘

a: 정상

a: 협착 시

그림 8-4   협착으로 원활한 혈액유입이 어려운 경우

③ 혈전형성

천자부위에 혈전이 생기는 경우가 있으며, 이러한 혈전이 혈류를 방해하는 경우가 많다.

2 | 증상

혈관통로 협착의 임상증상은 증상이 나타나는 시기에 따라 분류하면 이해하기 쉽다. 크게 ① 투석 시, ② 평상시의 두 가지로 분류할 수 있고 ①은 a. 천자 시, b. 투석 중, c. 지혈 시로 분류할 수 있다. 이러한 증상들의 발현순으로 설명하고자 한다.

① 투석 시

a. 천자 시

협착이 생기면 천자가 어렵게 된다. 이것은 두 가지 경우로 생각할 수 있다. 천자하는 부위에 협착이 있다면 자연히 천자가 어려워지고, 천자부위로부터 떨어져있는 상류 부위에 협착이 있으면 천자부위에는 협착이 없더라도 천자가 어려울 수 있다. 협착 때문에 혈관통로 혈류가 감소하고 협착부위부터 하류의 혈관(천자부분도 포함하여)이 충분하게 확장되지 않기 때문이다.

b. 투석 중

혈액유입곤란: 혈액유입을 하기 위한 바늘(A측 또는 동맥 측 천자바늘)의 상류에 협착이 있으면 설정된 유량으로 혈액을 유입시키는 것이 어려워진다(**그림 8-4**). 협착이 심하지 않은 경우에는, 투석의 전반부에는 양호하게 혈액이 유입되지만, 투석 후반에는 혈액유입이 곤란한 경우도 있다. 이것은 투석

시간이 경과함에 따라 순환혈액량이 감소하거나, 또는 혈압이 낮아져서 혈관통로 혈류가 감소하기 때문이다.

정맥압상승: 혈액반환을 하기위한 바늘(V측 또는 정맥 측 천자바늘)에서 체내로 혈액을 반환시킬 때 혈액회로 내의 압력이 정맥압이다. 이 '반환' 바늘보다 하류의 정맥에 협착이 있으면 정맥압이 상승한다. 단, 협착부위와 바늘 끝 사이에 분지하는 정맥이 있고, 분지로 혈류가 충분하게 흐를 수 있는 경우에는 정맥압이 상승하지 않을 수 있다(**그림 8-5**).

재순환: '반환' 바늘로부터 체내로 반환된 혈액의 일부가 혈액이 유입되는 바늘로 되돌아가는 현상으로, 요독물질의 제거가 불충분하게 되어 투석효율이 낮아진다. 재순환은 천자바늘과 협착의 위치관계에 따라 다른 병태로 나타날 수 있다. 혈액유입바늘의 상류에 협착이 있는 경우에는 유입혈류량이 충분하지 않음에도 불구하고 투석기계의 혈액펌프는 설정된 혈류속도로 계속 회전하기 때문에 체내로 반환된 혈액이 다시 혈액유입바늘로 유입될 수 있다(**그림 8-6-b**). 또 혈액반환바늘의 하류에 협착이 있는 경우에는 반환된 혈액이 원활하게 하류 방향으로 흐르지 못하고 역류하여 혈액유입바늘로 유입될 수 있다(**그림 8-6-c**). 두 개의 바늘 사이의 거리가 너무 가까운 경우에도 일부 혈액이 재순환하기도 한다. 재순환은 투석 중에 일어나는 현상이지만 투석 시행 중에는 알기 어려운 경우가 많고 투석 전후의 혈액검사 결과가 평소보다 좋지 않을 경우 의심하여 발견되는 경우가 종종 있다.

c. 지혈 시

'지혈'이란, 투석을 끝내고 바늘을 제거한 후, 천자부위를 손으로 부드럽게 수 분간 압박하는 것이다. '혈액유입바늘', '혈액반환바늘'의 어느 쪽 천자부위라도 그 부분의 혈액회로 내 압력이 상승한다면, 지혈하는데 상당히 오랜 시간이 걸리게 된다. 이러한 현상을 '지혈곤란'이라고 하며 심한 경우에는 30분이 지나도 지혈이 안되는 경우도 있다. 병태적으로는 앞서 서술한 투석 중의 정맥압 상승과 같다. 즉, 천자부위보다 하류 측 정맥에 협착이 있고 천자부와 협착부 사이에 측부정맥로가 없거나 미미한 경우에는 지혈이 어려워진다. 하지만, 협착 외에도 항응고제의 복용, 동일부위의 빈번한 천자, 천자부위 감염, 부적절한 지혈방법 등에 의해서도 지혈이 어려워질 수 있다.

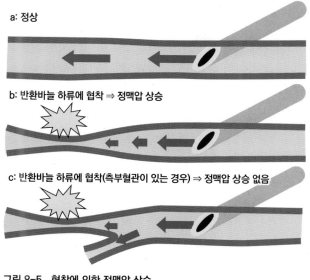

a: 정상

b: 반환바늘 하류에 협착 ⇒ 정맥압 상승

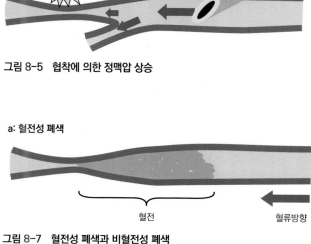

c: 반환바늘 하류에 협착(측부혈관이 있는 경우) ⇒ 정맥압 상승 없음

그림 8-5 협착에 의한 정맥압 상승

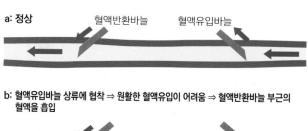

a: 정상   혈액반환바늘   혈액유입바늘

b: 혈액유입바늘 상류에 협착 ⇒ 원활한 혈액유입이 어려움 ⇒ 혈액반환바늘 부근의 혈액을 흡입

c: 혈액반환바늘 하류에 협착 ⇒ 혈관내압(정맥압)상승 ⇒ 역류

그림 8-6 재순환

a: 혈전성 폐색

혈전   혈류방향

b: 비혈전성 폐색

그림 8-7 혈전성 폐색과 비혈전성 폐색

② 평상시 – 투석 중이거나 투석 중이 아니거나 관계없이

혈관통로에 협착이 있으면 청진음(bruit)이 약해지거나 소실되고, 협착음('삐-삐' 또는 '휴-휴' 같은 소리)이 청취되며, 떨림(thrill)이 약해지거나 촉지되지 않는다. 협착부위보다 상류 측 정맥에서는 혈관 내 압력이 상승하기 때문에, 이러한 상태가 장기간 지속되면 혈관직경이 너무 커지거나 동맥류가 형성되기도 한다. 또 협착부의 상류에 분지혈관이 있으면, 혈액의 일부가 분지로 흘러들어 정맥고혈압이 발생하는 경우도 있다(정맥고혈압 편, p 164 참조).

ONE POINT ADVICE

협착에 의해 발생하는 투석 시 임상증상은 천자부위와 협착부위의 위치관계에 의해서 변화한다. 즉, 천자지점을 변경하는 것만으로도 협착에 의한 증상이 소실되는 경우가 있다. 따라서, 초음파검사를 시행할 때 천자부위도 확인하는 것이 꼭 필요하다.

---

2 폐색

1 병태

임상적으로 폐색은 두 가지로 나누어 생각해야 한다. 첫번째는 혈관통로 문합부(동·정맥 문합부)의 혈류가 차단되는 상태로, 일반적으로 혈관통로 폐색이라고 말하는 경우는 이 상태를 가리킨다. 두 번째로는 혈관통로 문합부에는 혈류가 있지만, 혈관통로 하류의 유출정맥 일부가 폐색되어 있는 상태이다. 이 장에서는 이것을 부분적 폐색이라고 하겠다.

또한, 폐색은 원인에 따라서 두 가지로 분류된다. 첫 번째는 혈전형성으로 혈류가 차단되는 '혈전성 폐색'이고, 두 번째는 협착병변이 점차 진행하여 혈류가 차단되는 '비혈전성 폐색'이다(그림 8-7). 실제로는 두 가지 원인이 혼합되어 폐색이 발생하는 경우도 드물지 않다.

8
초음파검사를 이용한 합병증의 진단

① 혈전성 폐색

혈관통로 혈관내에 혈전이 형성되어, 혈류가 차단되는 경우이다. 심한 협착병변이 있고, 그보다 상류 측의 혈관 내에 혈류가 정체되어 혈전이 생기게 된다. 협착이 있는 상태에서, 탈수, 저혈압(shock 상태), 응고항진 상태, 혈관통로 압박 등의 외부요인이 더해지면 혈전 형성이 조장되어 폐색되기 쉬운 상태가 될 수 있으며, 이러한 요인들이 결정적인 경우에는 협착 병변이 없음에도 불구하고 혈전이 형성되는 경우도 있다.

② 비혈전성 폐색

협착병변은 시간에 따라 진행되어 더욱 좁아지는 경향이 있으며, 이러한 상태가 지속되면 혈관내강이 소실되어 혈류가 완전히 차단되게 된다.

임상적으로 대부분의 혈관통로 폐색은 혈관통로 문합부 주변의 협착으로 인해 혈전이 형성되어 발생한다.

2 | 증상

① 혈관통로 폐색

혈관통로의 잡음(bruit)과 떨림(thrill)이 소실되고 투석을 시행할 수 없다. 대개의 경우 혈전성 폐색이고, 혈전에 의해 혈전성 정맥염이 발생하기도 한다. 혈전성 정맥염은 심한 압통을 동반하기 때문에, 환자는 '갑자기 아파서 혈관통로를 보았더니 막혀있었다.'고 호소하기도 한다.

② 부분적 폐색

기본적으로는 협착의 경우와 같이 폐색된 부위에 따라 다양한 증상이 생길 수 있지만, 증상의 정도는 협착의 경우보다 심한 경우가 많다. 예를 들어, 혈액반환바늘보다 하류의 정맥 일부가 폐색되면 정맥압이 크게 상승되어 혈액투석이 전혀 진행되지 못하는 경우도 있다.

ONE POINT ADVICE

최근 중재시술 치료의 발전으로 혈관통로 폐색·부분적 폐색의 경우에서 치료 가능한 증례가 많아지고 있다. 시술 전에 폐색된 부위에 대해 초음파검사를 시행하여 혈관상태를 자세히 평가하는 것이 중요하다.

1 협착

협착을 '혈관의 전후 직경에 비하여 좁은 부위'로 정의한다면, 어떠한 혈관통로에서든 협착을 흔히 발견할 수 있다. 하지만, 그 협착이 혈행동태에 미치는 영향이 어느 정도 의미있는지를 고려하면 치료가 필요한 경우는 한정된다. 예로, 협착이 있더라도 혈관통로가 있는 팔에 부종·통증·냉감 등의 임상증상이 없고, 혈액투석을 시행하는 데에도 아무 문제가 없으며, 투석 효율이 정상적이라면 양호한 혈관통로라고 말할 수 있다. 하지만, 동정맥 문합부 바로 하류에 협착이 존재하고, 협착부위보다 하류에 천자 시 적절한 혈액유입이 안되는 경우에는 그 협착병변이 주원인일 가능성을 고려해야한다. 이와 같이 협착이 있더라도 임상증상의 유무와 투석상황에 따라 유의한 병변인가 아닌가를 판단하여 치료계획을 결정해야 한다. 즉 혈관통로에 대한 초음파검사는 임상증상의 원인이 되는 협착병변을 결정하는 것이 중요하고, 이를 위해서는 협착병변과 천자지점의 위치관계에 따라 나타나는 임상증상에 대하여 이해해야 한다.

1 자가혈관 동정맥루(arteriovenous fistula; AVF)

① 초음파검사를 시작하기 전에

동정맥루에서 협착은 빈도가 높은 합병증이고, 증상은 협착의 위치에 따라 다르게 나타나지만, 대개는 혈액유입이 원활하게 되지 않는 증상을 보이는 경우가 많다. 검사를 시작하기 전에 문합부와 혈액유입 천자부위·혈액반환 천자부위의 위치관계를 확인하고 시진, 촉진, 청진을 시행한다면 혈행동태 및 협착병변 부위를 예측하는데 도움이 될 것이다. 초음파검사는 협착으로 인한 혈행동태의 변화 및 신체검사 소견만으

로는 얻을 수 없는 협착 형태 및 정도를 평가하는 것이다.

② 초음파검사

동정맥루에서 협착은 문합부 바로 하류(그림8-8) 및 천자부(그림8-9), 주관절부위 정중피정맥(그림8-10), 문합부의 동맥 측(그림8-11), 중심정맥(그림8-12), 유입동맥(그림8-13), 교통지(그림8-14) 등 다양한 부위에 발생한다. 상완의 요측피정맥을 이용하여 만든 혈관통로에서는 cephalic arch에 호발한다(cephalic arch stenosis: CAS, 그림8-15). 또한, 정상적으로 정맥혈류는 하류 방향으로 흐르는 데 반해서, 상류 측으로 역류하거나 곁가지정맥이 발달되어 있는 경우에는 이 부위보다 하류의 협착을 의심할 수 있기 때문에 간접소견으로서 중요하다(그림8-16). 협착병변은 단일병변으로 한정되지 않기 때문에 혈류의 진행상태를 파악하면서 복수의 협착병변이 존재하는 경우도 염두에 두고 검사를 시행해야 한다.

협착병변의 형태에 따라 분류하면, 혈관직경 자체가 수축한 협착(그림8-17) 및 내막비후를 동반한 협착(그림8-18) 혹은 두 가지의 경우가 혼재된 협착(그림8-19), 판막협착(그림8-20)으로 분류할 수 있다. 판막협착은 판막의 비후 및 석회침착이 있는 경우에는 쉽게 영상으로 파악이 가능하지만, 판막이 얇은 경우에는 단층상만으로는 놓치기 쉽기 때문에 도플러를 병용하면 진단에 도움이 된다. 또한 장기간의 투석에 의해 혈관통로에 생긴 석회침착으로 인한 협착(그림8-21)도 흔히 볼 수 있는 형태이다.

이러한 협착병변에 의해서 유발될 수 있는 가장 중요한 임상 증상은 원활하게 혈액유입이 안되는 것이며 다음으로 많은 것이 정맥압 상승이다. 혈액유입에는 문제가 없지만, 혈관내압이 상승하고, 지속적으로 정맥압이 상승하는 경우에는 혈액반환천자부위, 또는 그보다 하류에 협착병변이 존재할 가능성을 고려하고 원인병변을 찾아야 한다(그림8-22).

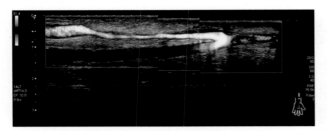

그림 8-8　동정맥루 문합부의 바로 하류에 발생한 협착(juxta-
anastomotic stenosis)

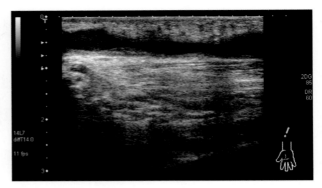

그림 8-9　천자부의 협착

동일부위에 반복적인 천자에 의해 협착이 발생한다. 천자바늘 구멍의 흔적
을 관찰할 수 있다.

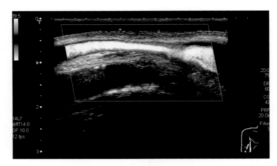

그림 8-10　주관절부위 정중피정맥(median cubital vein)의 협착

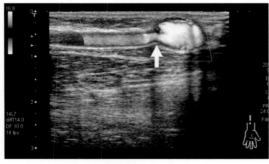 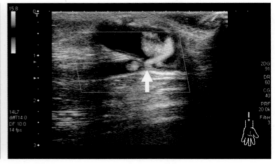

그림 8-11　문합부 동맥 측의 협착

종단면(좌측 사진)과 측면(우측 사진)의 두 방향에서 검사한다.

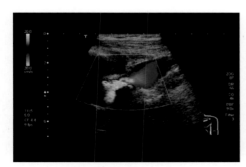 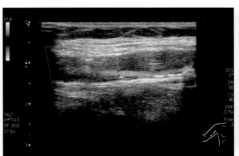 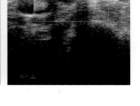

그림 8-12　쇄골하정맥의 협착　　　그림 8-13　상완동맥(brachial artery)의 협착

혈류량이 감소되어 있으나 하류에서는 유의한 협착이 확인되지 않는 증례 또는 도플러검
사에서 혈류속도파형이 협착 후 파형을 보이는 증례는, 측정부위보다 상류의 협착을 의심
해야 한다.

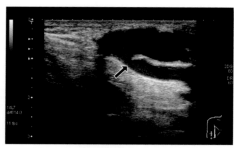

그림 8-14　교통지의 협착

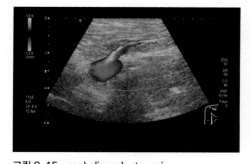

그림 8-15　cephalic arch stenosis

이 부위는 압박에 의한 혈관변형이 쉽기 때문에 주의하여 검사해야한다(trapezoid linear로 관찰한 영상).

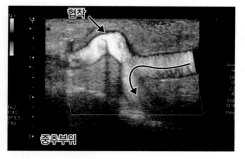

그림 8-16　역류하는 정맥

협착으로 인하여 손등으로 역류하는 혈류를 볼 수 있다.

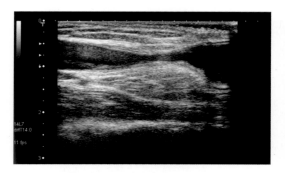

그림 8-17　혈관 자체가 수축한 협착

촉진 및 초음파검사로 확인하기 쉽다.

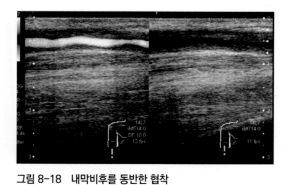

그림 8-18　내막비후를 동반한 협착

내막비후로 인한 혈관내강의 협소화를 볼 수 있다. 혈관외경이 보존되어 있기 때문에 촉진만으로는 협착의 정도를 추정하는 것이 어렵다. 비후된 내막은 비교적 저에코이고, 단층상만으로는 협착을 놓쳐버릴 가능성도 있기 때문에 도플러를 병용한다.

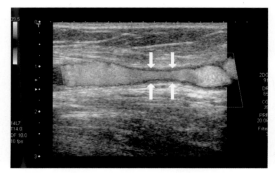

그림 8-19　혈관수축과 내막비후가 혼재되어 있는 협착

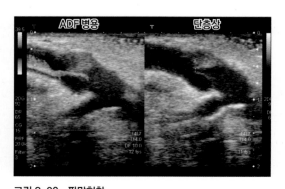

그림 8-20　판막협착

병변 경계의 전후로 압력차를 촉지한다. 협착이 심할수록 뚜렷하게 압력의 차이를 촉지할 수 있다.

임상증상이나 의심하는 합병증에 따라 협착직경에 대한 평가가 다르다. 본원에서는 선별검사에서 협착기준을 보통 3.0 mm 이하로 하고 있다. 그 중에서도 특히 혈류에 장애를 줄 가능성이 있는 협착직경은 2.0 mm 이하라고 생각되지만, 동정맥루에 대한 임상적 영향은 협착직경만으로는 판단할 수 없기 때문에 상완동맥(brachial artery)혈류량 및 RI도 병용하여 평가해야 한다. 또한, 정맥고혈압증 및 정맥압의 상승을 보이는 증례는 2.0 mm 이상의 상대적 협착이 있는 경우에도 임상증상이 나타나는 경우가 있다.

판막부위협착에 대해 명확하게 형태와 정도를 평가하는 것은 혈관성형술(PTA)을 시행할 때 유도철사의 삽입방향을 결정하는데 도움이 되고 치료시간의 단축이 가능해진다(그림 8-23). 또 판막협착은 혈관통로 조영검사에 비해 초음파검사에서 보다 명료하게 시각화할 수 있다(그림 8-24).

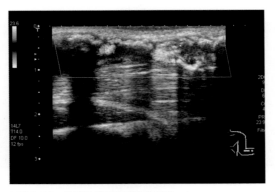

그림 8-21 석회화 침착을 동반한 협착

음향음영을 동반한 부위를 평가하는 것은 쉽지 않다.

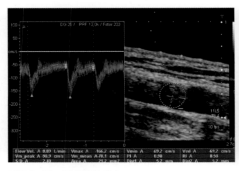
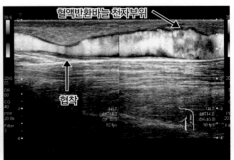

그림 8-22 정맥압의 상승

1주 전부터 투석 시 정맥압이 상승되어 초음파를 이용하여 정밀검사를 시행하였다. 상완동맥(brachial artery) 혈류량은 890 ml/min으로 양호하였으나 혈액반환 천자부위 하류에 2.3 mm의 협착을 확인하였고, 이 협착병변이 정맥압 상승의 원인이라고 판단하였다.

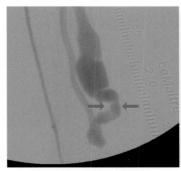
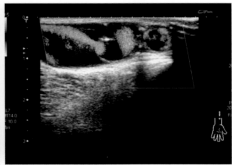
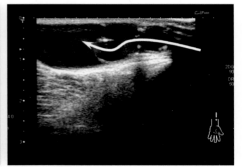

그림 8-23 유도철사의 접근방향

혈관조영 영상에서는 형태를 자세하게 알 수 없다. 이 협착부위에 대해 혈관성형술(PTA) 시, 유도철사를 말초로부터 접근(화면 우측으로부터 좌측 방향으로)시키면 용이하게 협착부분을 통과시킬 수 있다.

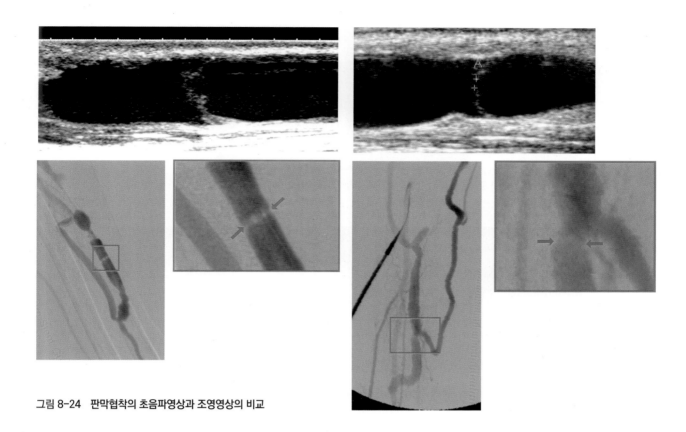

그림 8-24 판막협착의 초음파영상과 조영영상의 비교

2 | 인조혈관(arteriovenous graft; AVG)

① 초음파검사를 시행하기 전에

인조혈관(AVG)에서는 동정맥루(AVF)보다 신체검사 소견이 주관적이거나 많은 정보를 얻기 어렵다. 일본투석의학회의 [만성혈액투석용 혈관통로의 조성 및 치료에 관한 가이드라인]에서는 펄스 도플러법을 이용한 혈류량의 측정을 추천하는데, 혈류량 및 RI의 평가는 이학적 검사에 비해 객관적이고 시간에 따른 변화를 보는 것이 가능하기 때문이다. 이러한 기능적 평가에 더하여 형태적 평가를 시행하면 보다 세밀한 혈행동태의 파악이 가능하다.

② 초음파검사

인조혈관(AVG)에 발생하는 대부분의 협착부위는 정맥문합부와 유출정맥이다(그림 8-25). 그 이외에, 동맥문합부(그림 8-26)와 인조혈관 내(그림 8-28)에 협착이 생길 수 있다. 또, 동일부위의 반복천자로 인한 인조혈관 내의 협착은 조영검사에서는 비교적 심하지 않게 보이는 경우도 있다(그림 8-29). 스텐트 내의 내막비후로 발생한 협착은 저에코로 보이기 때문에 도플러를 병용하면 보다 쉽게 발견할 수 있다(그림 8-30).

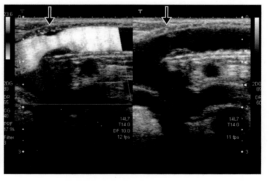

그림 8-25 인조혈관 정맥문합부 협착

그림 8-26 인조혈관 동맥문합부 협착
동맥문합부의 인조혈관 내에 협착이 관찰된다.

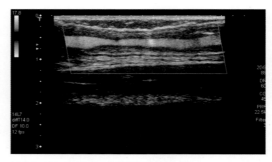

그림 8-27 인조혈관 내 협착(PTFE graft)

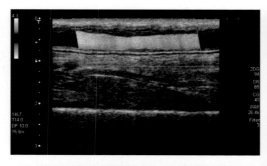

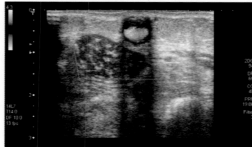

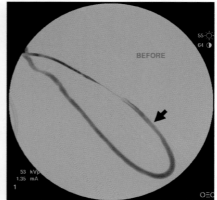

그림 8-28 인조혈관 내 협착(PTFE graft)

반복된 천자로 혈관전벽이 비후되어 있기 때문에, 반드시 단축상을 병용하여 관찰한다. 이런 형태의 협착은 조영검사에서는 경도의 협착으로 오인하기 쉽다.

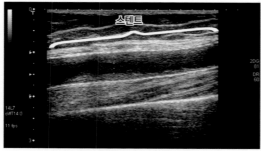

단층법(B mode) 영상   ADF 병용

그림 8-29 스텐트 내의 협착

ONE POINT ADVICE

폴리우레탄 재질의 인조혈관에서는 꺾이는 합병증(kinking)이 생기는 경우가 있다. 인조혈관 이식 후 일정 시간이 경과하여 초음파검사가 가능해진 후의 검사에서 꺾인 부분이 보이고 있다.

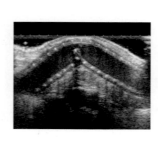

그림 8-30 꺾임(kinking)

2 　폐색

이 장에서는 혈관통로의 폐색을 좁은 의미의 폐색과 넓은 의미의 폐색으로 나누어 생각해본다. 협의의 폐색은 혈류의 저하나 소실을 동반하여 항상 치료를 요하는 경우이고, 광의의 폐색은 본래의 유출정맥이 폐색된 후 측부정맥이 형성되어서 천자 위치를 변경하여 혈관통로로써 사용할 수 있는 경우이다.

1 　동정맥루(AVF)

협의의 폐색(그림 8-31)

① 초음파검사

상완동맥(brachial artery) 혈류량은 감소하고 RI는 상승함. 이어서 폐색병변을 관찰하여 기능 및 형태평가로 혈관 폐색을 확인하였다. 즉, 혈액유입이 불가능하고, 혈류가 차단되어

조영검사를 시행할 수 없기 때문에 폐색 증례에서는 초음파검사에 의지하는 경우가 많고, 초음파검사의 중요성은 주로 시술 전에 혈관 상태의 정보를 얻는 것이다. 동정맥루에서는 문합부 주위 협착(juxta-anastomotic stenosis)이 호발하고, 혈전증과 폐색의 원인이 되는 경우가 흔하다(그림 8-32). 표 8-1에 관찰 포인트를 정리하였다. 동정맥루의 급성 혈전증에서는 혈전성 정맥염이 동반되어 압통을 호소하는 경우도 있기 때문에 조심스럽게 검사를 진행하도록 한다.

② 치료의 적응

폐색은 혈전성 폐색(그림 8-33)과 비혈전성 폐색(그림 8-34)으로 구분할 수 있다. 가이드라인에서는 [혈전량이 적은 경우에는 혈관성형술(PTA)만으로 재개통이 가능한 경우도 있지만 혈전의 양이 적지 않다면 혈관성형술(PTA) 전에 경피적 혈전용해법, 혈전제거법, 혈전흡입법 등으로 혈전을 처리할 필요가 있다]고 권고하고 있다. 따라서, 폐색병변이 혈전성인지, 비혈전성인지에 대한 소견은 치료 시 사용하는 재료의 선택에 유용한 정보가 된다. 초음파에서 보이는 혈전의 에

혈액유입불가능

혈관통로 본 줄기의 폐색

빨간색: 동맥
청색선: 정맥
점선: 폐색부위
실선: 혈류 있음

그림 8-31　협의의 폐색(AVF)

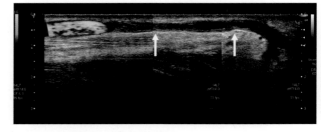

그림 8-32　폐색된 자가혈관 동정맥루
문합부 직상부에 협착(juxta-anastomotic stenosis)이 확인되고, 이 병변이 원인이 되어 폐색된 것으로 생각된다.

표 8-1　동정맥루 (AVF) 폐색 시 관찰포인트

관찰포인트	초음파검사 소견	치료 시 고려할 사항
혈전의 양	혈전성 폐색 또는 비혈전성 폐색	혈전제거의 필요성
혈전의 성상	고휘도·불균일 또는 저휘도·균일	유도철사의 통과 여부
원인병변	어느 부위의 협착병변이 폐색의 주 원인인가	VAIVT를 이용한 협착병변 확장의 필요성
폐색범위	혈전 또는 협착이 존재하는 범위	재건술 시 재문합부위를 결정하는데 도움
혈류의 재개통	중추(하류) 측에 협착병변의 존재 여부	

* VAIVT : vascular access intervention therapy

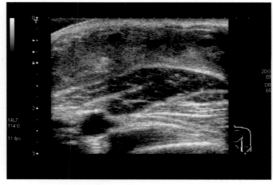
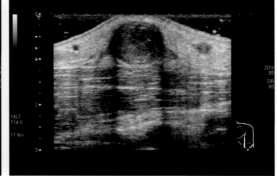

그림 8-33   혈전성 폐색

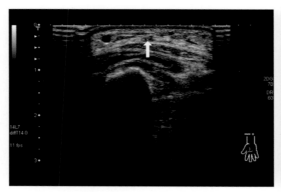
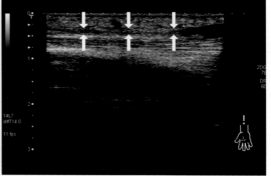

그림 8-34   비혈전성 폐색

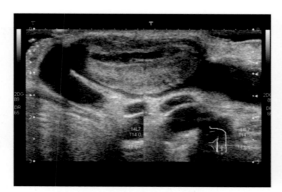

그림 8-35   혈전 성상이 고휘도이고 불균일(high echo-
genicity, heterogeneous)

혈액반환바늘 천자부위(관통정맥 전)에 혈전이 관찰된다. 혈전
의 양이 많고, 성상은 고휘도이고 불균일하다. 주관절부보다 중
추 측 유출정맥이 불량하고 재건술이 불가능하여 경피적 혈전
제거술 및 혈관성형술을 시도해보았지만 실패하였다.

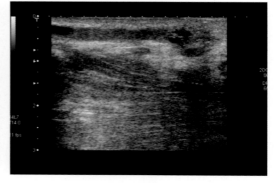

그림 8-36   혈전 성상이 저휘도이고 균일(low echogenici-
ty, homogeneous)

동정맥루 문합부에 장시간 지혈대를 감아놓아서 폐색된 증례.
혈전의 양이 많지 않고, 성상이 저휘도이며 균일하다. 경피적
혈관성형술로 재개통에 성공하였다.

코가 고휘도이고 불균일한 경우에는 단단하고 질긴 혈전인
경우가 많고(그림 8-35), 반대로 저휘도이고 상대적으로 균
일한 경우에는 비교적 유연하고 잘 분리되는 혈전인 경우가
많다(그림 8-36). 이러한 시술 전 초음파소견은 중재적 혈관
성형술이나 혈전제거술의 성공 여부를 예측하는 사전정보가
될 수 있지만, 절대적인 것은 아니기 때문에 촉진에 의한 혈
전의 단단한 정도도 함께 고려하여 판단한다.

폐색의 원인이 되는 주된 협착병변을 찾으면 혈관성형술
의 필요성을 예상할 수 있지만, 저에코로 보이는 내막비후나
판막협착 부위는 혈전의 경계를 판별하는 것이 어려운 경우
도 있다(그림 8-37). 한편, 폐색의 범위, 혈류가 재개통되는
부위, 그리고 중추 측(하류 측) 병변의 유무를 평가하는 것은
수술적 재건술을 고려하는 경우에 재문합 부위를 결정하는 데
참고가 된다(그림 8-38).

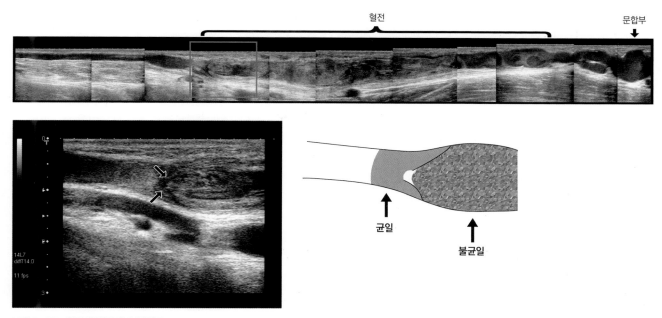

그림 8-37 **혈전과의 경계가 불명료**
판막협착으로 폐색이 발생한 증례. 혈전과의 경계가 다소 불명료하지만, 협착병변 전후로 혈전의 성상이 달라지는 경우도 있으므로 주의를 기울여 관찰해본다.

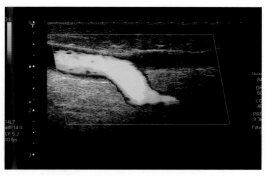

그림 8-38 **혈류가 존재하는 부위 확인**
문합부 주위 협착(juxta-anastomotic stenosis)부위에 혈전이 관찰되고 있으나, 손등의 덧정맥(accessory vein)을 통한 혈류는 확인되고 있다. 이 보다 중추(하류) 측에는 협착이 없기 때문에 이 지점에서 동·정맥을 재문합하는 교정술이 가능하다고 판단된다.

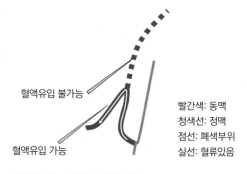

그림 8-39 **광의의 폐색(AVF)**
기존의 유출정맥이 폐색되어 혈액이 손등으로 유출되고 있는 경우이다.

광의의 폐색(그림 8-39)

① 초음파검사

손목부위에 조성된 요골동맥-요측피정맥 동정맥루(radio-cephalic AVF)에서 천자부위가 폐색되어 있음에도 불구하고 상완동맥의 혈류량과 RI는 양호하게 유지되고 있다면 기능과 형태적 평가가 서로 부합하지 않는 경우인데, 흔히 볼 수 있는 경우로는 동정맥루 문합부의 약간 중추 측에서 본래의 동정맥루는 폐색되고 혈류가 측부정맥(collateral vein)을 통해 손등의 정맥계로 유출되고 있는 경우이다. 혈액유입 천자부위

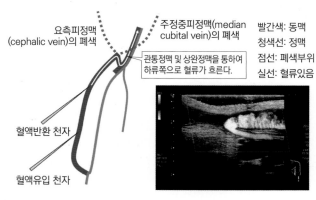

그림 8-40 **폐색병변과 동정맥루 기능(right radiocephalic AVF)**
팔오금부위에 있는 주정중피정맥(median cubital vein), 요측피정맥(cephalic vein), 그리고 관통정맥(perforating vein) 중 어느 하나의 통로를 통해서 충분한 혈류가 하류 측으로 유출될 수 있다면 혈관통로로 사용될 수 있다.

는 폐색부위보다 하류에 있기 때문에 혈액유입이 곤란하지만, 혈류가 잘 촉지되는 측부정맥(collateral vein)을 천자하면 혈액의 유입이 가능한 경우도 있다. 이러한 증례에서는 반드시 측부정맥의 존재를 확인하고, 상완동맥(brachial artery)의 혈류량 및 RI가 정상처럼 유지되고 있는 이유를 확인할 필요가 있다. 그 밖에도 주정중피정맥(median cubital vein)과 상완 요측피정맥(cephalic vein)이 폐색되어 관통정맥(perforating vein)을 통해서 상완정맥으로 유출되고 있는 증례에서는, 전완의 동정맥루에 혈액유입 및 반환천자 부위가 확보 가능하고 혈류량이 양호하여 투석 시 문제가 없다면 혈관통로로써 기능이 가능하다(그림 8-40). 따라서 폐색병변이 있더라도 혈관통로 전체의 혈행동태를 파악하고 평가하는 것이 중요하다.

② 치료의 적응

기본적으로 앞에서 설명한 '협의의 폐색'과 동일하고, 치료의 필요성은 의료진의 판단에 따르는 데 이러한 증례의 폐색을 치료하는 것은 폐색병변을 치료하여 천자범위를 확장시킬 수 있다는 의미가 있다.

2 인조혈관(AVG)

협의의 폐색(그림 8-41)

대부분 유출정맥의 협착이 진행하여 폐색이 발생하므로 인조혈관 내에 혈전이 형성되며(그림 8-42,-43), 인조혈관을 천자하더라도 혈액유입 및 반환이 불가능하다. 표 8-2은 초음파검사 시 관찰 포인트이다.

폐색 후 경과시간이 얼마 지나지 않았다면, 중재적 시술이 가능하다. 치료 시에 인조혈관(AVG)에 혈전의 양이 많은 경우에는 혈전용해제거법 혹은 혈전제거법이 필요하다(역자

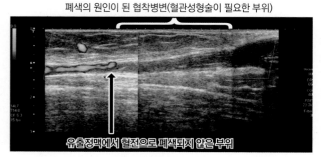

빨간선: 동맥
청색선: 정맥
회색선: 인조혈관
점선: 폐색부위
실선: 혈류있음

혈액유입 불가능

혈액반환 불가능

그림 8-41 협의의 폐색(전완의 루프형 인조혈관)
인조혈관 내에 혈전이 형성되어 혈액의 유입과 반환이 모두 불가능하다.

그림 8-42 정맥문합부 유출정맥 협착에 의한 인조혈관 폐색 (화면의 오른쪽이 인조혈관, 왼쪽이 유출정맥 방향)

폐색의 원인이 된 협착병변(혈관성형술이 필요한 부위)

유출정맥에서 혈전으로 폐색되지 않은 부위

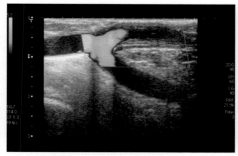

인조혈관 동맥문합부 (상완동맥에는 혈류가 있지만, 인조혈관 유입부의 혈전으로 인하여 인조혈관 내에는 혈류 시그널이 검출되지 않고 있다.)

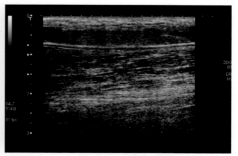

인조혈관 내에 혈전이 있다. 인조혈관의 내경을 측정하여 풍선카테터의 크기를 선택하는 데 참고한다.

그림 8-43 인조혈관(AVG) 폐색

표 8-2 인조혈관 폐색 시 관찰포인트

관찰포인트	초음파검사 소견	치료 시 고려할 사항
원인병변	어느 부위의 협착병변이 폐색의 주 원인인가	VAIVT를 이용한 혈관확장의 필요성
폐색범위	혈전 또는 협착이 존재하는 범위	VAIVT를 이용한 혈전제거가 필요한 범위 인조혈관 교정술 또는 조성술 시 문합부위를 결정하는 데 참고
혈류의 재개통	중추(하류) 측에 협착병변의 존재 여부	

* VAIVT : vascular access intervention therapy

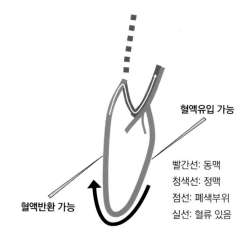

혈액유입 가능

빨간선: 동맥
청색선: 정맥
점선: 폐색부위
실선: 혈류 있음

혈액반환 가능

그림 8-44 광의의 폐색(전완의 루프형 인조혈관)
유출정맥만 폐색됨, 인조혈관 내의 혈류는 유지되는 상태

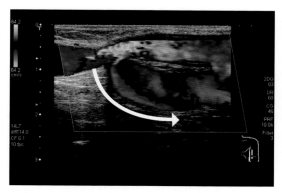

그림 8-45 인조혈관 정맥문합부 협착에 의한 말초정맥으로의 혈류 역류(end to side anastomosis)
정맥문합부 협착으로 인해 말초로 역류하는 혈액을 확인할 수 있다. 이 단계에서는 혈관성형술을 시행하여 혈관통로 폐색을 예방할 수 있다고 판단된다. (화면의 오른쪽이 인조혈관, 왼쪽이 유출정맥 방향)

주: 가성동맥류나 유출정맥에 혈전이 존재하는 경우가 아니라면, 일반적으로 인조혈관내 혈전의 건조중량은 평균 3.2 ml정도로 적은 편이라고 알려져 있으므로 혈전용해제 또는 혈전 흡입술이 필요하지 않은 경우도 있다). 동정맥루(AVF)에 비하여 혈관주행이 단순하기 때문에 인조혈관(AVG)의 혈전증에서는 유도철사 조작이나 병변의 통과가 수월한 편이다.

광의의 폐색(그림 8-44)

인조혈관과 유출정맥을 단측문합(end to side anastomosis)한 경우에는 유출정맥로가 폐색되어도 말초방향으로 혈류가 유출될 수 있기 때문에 인조혈관 내의 혈류가 유지된다. 투석을 시행하는 데는 문제가 없기 때문에 혈류량의 측정만으로는 폐색된 상태를 알기 어렵다. 이러한 증례에서는 말초정맥으로 역류하는 혈류 때문에 정맥고혈압이 발생되어 팔이 붓게 될 수 있다.

치료방법은 폐색된 혈관에 혈관성형술을 시행하여 본래의 중추 측 유출정맥로를 재개통시키는 것이다. 폐색기간이 오래된 경우에는 유도철사를 통과시키는 것이 어렵기 때문에 협착 단계에서 찾아내는 것이 중요하다(그림 8-45). 외과적 혈전제거술과 인조혈관 연장술을 계획하는 경우에는 혈류가 존재하는 유출정맥의 범위, 직경, 그리고 유출정맥로 하류의 협착병변 유무를 확인하는 것이 필요하다.

ONE POINT ADVICE
혈관통로 폐색은 주로 협착병변의 진행이 원인이지만, 경도의 협착이라도 혈압저하, 탈수, 응고항진상태, 혈관통로의 감염이나 압박 등의 요인이 더해지면 폐색의 위험이 높아진다.

● 참고문헌

1) 日本透析医学会：慢性血液透析用バスキュラーアクセスの作製および修復に関するガイドライン. 透析会誌. 38(9)：1534, 2005.

1 병태

정맥고혈압이란 [혈관통로로 흘러들어온 혈류량을 유출정맥이 충분하게 관류하는 것이 불가능하여 팔과 손등에 부종,

정맥확장, 울혈, 피부궤양 등이 생기는 증후군]을 말한다. 즉 {혈관통로 혈류량 > 유출정맥이 관류할 수 있는 혈류량}인 상태가 제1의 요인이다(그림 8-46). 이어서, 관류능력을 초과한 혈류가 측부정맥에 유입되어 역행성의 혈류가 발생되기 때문에, 부종·발적·동통 등의 증상을 발생시킨다. 따라서, 역행성 혈류가 흐를 수 있는 측부로가 존재하는 것이 제2의 요인이다(그림 8-47). 위의 두 가지 요인이 동반된 경우에 정맥고혈압의 증상이 나타난다(그림 8-48~50).

1 역행성의 측부로

위에서 서술한 두 가지 요인 중에서, 후자에 관한 설명이다.
정맥에는 다수의 분지가 존재하고, 유출정맥에서 분지하여 순행성으로 하류로 흐르는 분지 정맥도 있지만, 말초에서

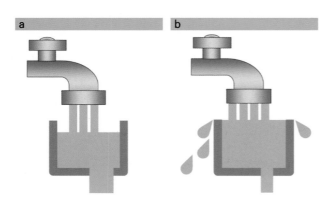

그림 8-46
a: 들어오는 물의 양과 나가는 물의 양이 균형을 이룬 경우에는 물이 넘치지 않는다.
b: 들어오는 물의 양이 나가는 물의 양을 초과하면 물이 넘쳐버린다.

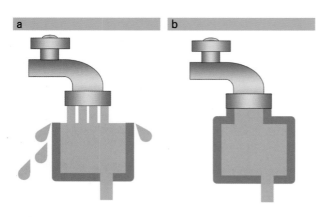

그림 8-47
a: 용기의 위쪽이 열려있으면 물이 넘치게 된다(측부로가 있는 상태).
b: 용기를 밀폐하면 넘치지 않는다(측부로가 없는 상태).

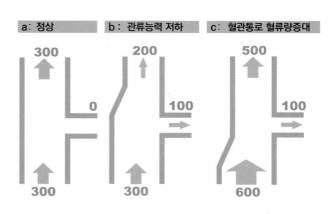

	a	b	c
혈관통로의 혈류량	300	300	600↑
관류량(상한)	500*	200↓	500
측부로로의 '역류'	0	100	100

* a의 경우, 관류능력이 500이라도 혈관통로의 혈류량(이 경우에 300) 이상 흐르지 않는다.

그림 8-48 정맥고혈압증 발병의 모식도

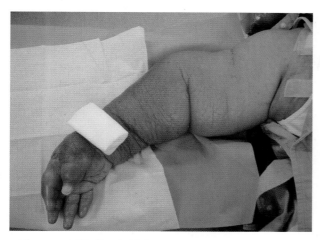

그림 8-49 오른쪽 완두정맥 협착에 의한 정맥고혈압증

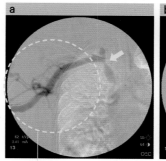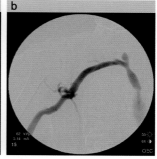

측부정맥

그림 8-50 오른쪽 완두정맥 협착에 의한 정맥고혈압 증례
a: 오른쪽 완두정맥 협착(화살표)이 있고 측부정맥이 관찰된다.
b: 혈관성형술(PTA)를 통해 협착부위를 확장시킨 후 측부정맥이 감소하였다.

혈관통로의 유출정맥으로 합류하는 정맥도 있다. 보통의 경우, 합류하는 분지정맥으로 혈관통로의 혈류가 흐르지 않지만, 혈관통로의 유출정맥에 협착·폐색이 있으면 다음과 같은 이유로 분지정맥의 혈류가 역방향이 된다. 우선 협착·폐색에 의하여 협착부위보다 상류의 정맥압이 상승하게 된다. 이때, 상류의 정맥으로부터 순행성으로 분지하는 정맥이 있다면, 순방향으로 혈류가 흐르기 때문에 내압상승이 일어나지 않는다. 하지만 순행성 분지가 없거나, 있다 하더라도 충분한 관류능력이 없는 경우에는 혈관내압이 상승하여 순행성이 아닌 분지정맥으로 역류하는 혈류가 생긴다.

2 | 혈관통로 혈류량 > 유출정맥이 관류할 수 있는 혈류량

이 조건이 성립하는 경우는 '혈관통로의 혈류량' 증가, 또는, '유출정맥이 관류할 수 있는 혈류량'이 감소하는 경우이다(두 가지가 동시에 발생하는 경우도 있다).

우선, 전자의 '혈관통로의 혈류량'이 증가하는 것에 대해서 생각해보면, 혈관통로에 과잉혈류가 흐르는 경우가 이에 해당되며, 실제 임상에서 정맥고혈압이 발생되는 증례는 과잉혈류가 동반되어 있는 경우가 많다. 수술 시에 동맥문합을 너무 크게 만들면 과잉혈류가 되기 쉽다. 또, 전완 부위에 조성된 혈관통로보다 주관절부위나 상완에 만들어진 혈관통로가 혈류량과잉이 되는 경향이 있다. 상완동맥에 문합한 인조혈관도 전완에 조성된 동정맥루에 비하면 혈류과잉이 되기 쉽다.

후자의 '유출정맥이 관류할 수 있는 혈류량'이 감소하는 경우는 ① 유출정맥에 협착·폐색이 있는 경우 ② 순행성의 측부정맥에 충분한 관류능력이 없는 경우의 두 가지가 관계되어 있다. 유출정맥에 협착·폐색이 있더라도 순행성의 측부정맥

이 있다면 혈관통로 혈류를 측부정맥으로 유출할 수 있기 때문에 유출정맥을 대신할 수 있다. 하지만, 이 측부정맥이 처음부터 좁은 경우, 혹은 측부정맥에 협착이나 폐색이 발생한 경우에는 관류능력이 부족하여 유출정맥이외의 부위로 달아나는 혈류가 생긴다(그림 8-51). 유출정맥로뿐 아니라 측부정맥에서도 난류에 의한 혈관내막의 비후나 천자 및 지혈의 영향으로 협착과 폐색이 발생할 수 있다. 또, 중심정맥(쇄골하정맥, 완두정맥 등)의 협착·폐색은 도관이나 심박동기 삽입 또는 유방암 수술 후 등의 경우에 생길 수 있다.

위에서 서술한 바와 같이 정맥고혈압 증례의 대부분은 과잉혈류를 보이지만, 혈류량이 정상범위라도 유출정맥의 관류능력을 초과한다면 정맥고혈압증이 생길 수 있다. 정맥고혈압증의 발생은 이 두 가지 인자의 상대적인 균형에 의존한다는 것에 주의해야 한다.

2 증상

앞에서 서술한 바와 같이 정맥고혈압증의 원인은 유출정맥이 관류할 수 있는 혈류량을 초과하는 것이다. 초과한 혈류가 측부정맥에 유입되어 역행성 혈류가 부종, 발적등의 증상을 일으킨다. 따라서 정맥고혈압의 증상은 대개 협착부보다 말초(상류) 측에 나타나게 된다.

중심정맥(쇄골하정맥 및 완두정맥 등)에 병변이 있는 경우에는 혈관통로가 있는 팔 전체가 붓게 된다. 부은 정도가 심한 경우에는 피부궤양이 발생하는 경우도 있다. 또 혈관통로가 있는 쪽의 가슴부위 모세혈관의 확장 및 피하정맥의 확장이 뚜렷해진다. 완두정맥 및 상대정맥에 병변이 있어 내경정맥으로 혈류가 역류하는 경우에는 안면부종이 시작되어 열감

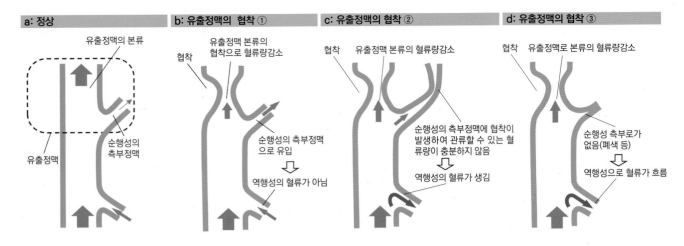

그림 8-51　역행성 혈류가 발생하는 순서

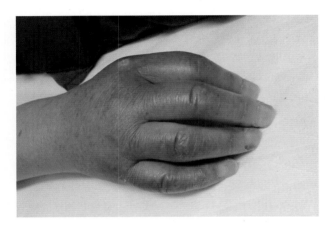

그림 8-52　sore thumb syndrome

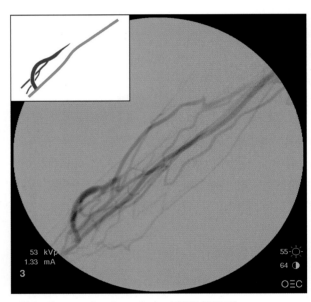

그림 8-53　sore thumb syndrome 증례의 혈관조영

이나 머리가 무거운 느낌, 비출혈, 수면장애 등이 생기는 경우도 있다. 외경정맥으로 역류하면 부풀어오른 외경정맥이 시진으로 관찰된다.

　팔꿈치관절의 하류에 정맥협착이 생기면 협착부보다 말초(상류) 측의 전완이 주로 붓는다. 다만, 순행성의 분지혈관과 관통정맥이 비교적 잘 발달되어있는 팔오금부위에서는 협착이 한 곳에 있더라도 정맥고혈압증의 발생으로 이어지기는 어렵다. 한편, 쇄골하정맥의 협착이나 문합부 근방의 협착에서는 순행성의 분지가 없는 경우가 많기 때문에 경도의 협착으로도 정맥고혈압증을 보이기 쉽다.

　비교적 말초에 협착·폐색이 생긴 경우에는 손등부위(특히 엄지측)에 부기·발적·동통이 발생한다. 이러한 경우를 sore thumb syndrome이라고 부른다(그림 8-52, -53).

● 참고문헌

1) 橋本幸始ほか：静脈高血圧症. 透析ケア, 15(10)：1020～1023, 2009.

8 초음파검사를 이용한 합병증의 진단

2 정맥고혈압
② 초음파검사

개요

정맥고혈압증은 유입된 혈류가 배수 가능한 용량을 초과하고, 초과된 혈류가 울혈되어 부종이 나타나는 것이 특징이다. 발생 원인으로는 유출정맥에 협착이나 폐색이 발생되어 중추(하류) 쪽으로의 혈류 진행에 장애가 있거나 혈관통로에 과잉혈류가 있는 경우인데, 흔히 두 가지 모두가 원인으로 작용하기도 한다.

1 | 검사 전에

초음파검사 전에, 환자 차트를 이용하여 필수사항을 확인하고 신체검사를 시행한다. 그 중에서도 시진이 중요하다. 혈관통로가 있는 팔의 부종의 범위와 부풀어오른 혈관의 관찰소견은 중요한 정보가 된다. 초음파검사에 앞서서 확인해야할 사항을 표 8-3에 정리하였다.

표 8-3 초음파검사에 앞서 확인해야 할 사항
- 부종의 정도와 범위
- 표재정맥이 부풀어오른 정도와 범위
- 역류하는 분지혈관의 확인(특히 sore thumb 증후군의 경우에 관찰되는 경우가 많다)
- 발적, 궤양, 피부가 트고 균열이 생기는 증상 등의 유무
- 부종 발생의 시기
- 상지 전체에 부종이 있는 경우에는 투석용 도관의 삽입 과거력 (도관삽입에 의해 중심정맥협착이 발생할 수 있음)
- 심박동기 삽입의 과거력(lead에 의한 협착이 발생할 수 있음)
- 유방암수술의 과거력(액와부 림프제거술에 의한 림프부종의 가능성)

2 | 초음파검사

정맥고혈압증에 대한 초음파검사 방법도 혈류량 측정을 통한 기능 평가와 혈관 주행을 파악하는 형태 평가를 시행하며, 정맥고혈압증의 원인이 되는 협착 및 폐색병변을 조사한다.

1 | 관찰의 포인트

부종의 원인이 되고 있는 정맥의 역류분지, 역류발생의 원인이 되는 협착이나 폐색병변을 확인하면 많은 경우에 진단이 가능하다. 일반적으로 협착 및 폐색병변부보다 말초에 부종이 나타나기 때문에, 부종과 부풀어오른 표재혈관의 범위를 충분히 관찰하고 원인 병변의 위치를 예상하여 검사를 시행한다면 진단능력을 향상시키고 검사의 효율성을 높일 수 있다.

2 | 다양한 정맥고혈압증과 초음파를 이용한 진단

① sore thumb syndrome

엄지를 중심으로, 손등에 부종이 생기는 정맥고혈압증을 sore thumb 증후군이라고 한다. 손등에서 요측피정맥(cephalic vein)으로 합류하는 분지혈관으로 혈액이 역류하여 손등에 부종이 생기는 경우(그림 8-54), 또는 손목부위에서 측측문합(side to side anastomosis)으로 자가혈관 동정맥루(AVF)를 조성한 경우에는 문합부보다 말초의 정맥으로 혈류가 역류하여 손등에 부종이 발생할 수 있다. 전자의 경우에는 엄지손가락에 한정되지 않고 손등 전체가 붓는 경우가 많고, 후자의 경우에는 엄지를 중심으로 붓는다. 부종이 발생하는 부위는 역류하는 분지혈관의 주행에 따라 다르다.

초음파검사 시 관찰포인트는 손등 쪽 분지정맥 및 문합부

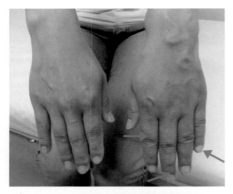

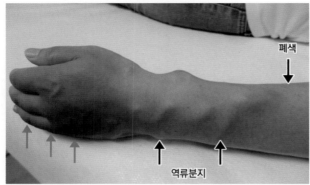

그림 8-54 손등·손가락 끝의 부종이 관찰된다(➡).

요측피정맥의 만성완전폐색에 의해 손등의 분지정맥(➡)으로 혈액이 역류하는 증례(sore thumb 증후군)

> **MEMO**
>
> sore thumb 증후군은, sore(얼얼하다), thumb(엄지)에서 유래된, 엄지 주변 부종으로 통증이 생기는 것으로부터 유래된 명칭이다.

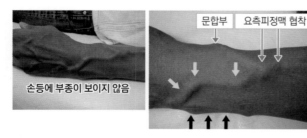

그림 8-56 요측피정맥에 합류하는 분지정맥으로 혈액이 역류하고(➡), 뚜렷하게 발달되었지만, 중추 측으로 되돌아가는 길이 있기 때문에(→) 손등에 부종이 관찰되지 않는다.

에서 말초방향으로 혈류가 역류하고 있는 것을 컬러 도플러를 이용하여 관찰하고, 역류의 원인이 되는 협착 및 폐색 병변을 찾아내는 것이다(**그림 8-55**). 손등의 분지정맥으로 역류가 뚜렷하더라도 중추 측 방향으로 유출되는 길이 확보되어 있는 경우에는 정맥고혈압증이 발생하지 않는다(**그림 8-56**). 그림

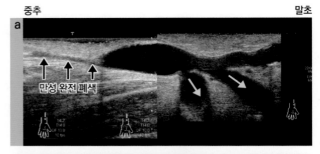

그림 8-55 그림 8-54에 보인 증례의 초음파영상

본래의 유출정맥이 폐색되어, 손등으로 분지하는 정맥으로 혈류가 흘러가는 것을 관찰할 수 있다(➡).

8-56의 증례에서는 역류하는 분지정맥을 압박하고 상완동맥(brachial artery)혈류량을 측정하면 본래의 요측피정맥(cephalic vein)으로 흐를 수 있는 혈류량의 추정이 가능하다(**그림 8-57**).

② 측측문합(side to side anastomosis)에 의한 정맥고혈압증

측측문합으로 동정맥루가 조성된 경우, 문합부보다 하류쪽의 정맥에 협착 및 폐색 병변이 생긴 경우에는 문합부에서 말초정맥으로 역류하는 혈류가 증가하여 정맥고혈압증을 보이는 경우가 있으므로, 문합부보다 말초에 부종이 확인된 경우에는 동정맥루 문합형태의 관찰도 필요하다. **그림 8-58**의 증례는, 상완동맥(brachial artery)과 주관절 부위의 정중피정맥(cubital vein)을 측측문합한 동정맥루(AVF)이다. 문합부보다 하류방향의 정맥이 완전 폐색되어 혈액이 말초로 역류하기 때문에 정맥고혈압증이 발생한다.

③ 전완부의 정맥고혈압증

전완 전체가 부었다면 주관절~상완의 유출정맥에 협착 및 폐색병변이 존재하는 경우가 많다. **그림 8-59**의 증례는, 전완 loop형의 인조혈관(AVG)으로, 전완부의 부종·발적을 확인할 수 있다(**그림 8-59-a**). 초음파검사를 이용하여 유출정맥의 협착을 확인하고 정맥 측 문합부부터 말초로 혈액이 역류하고 있는 상태를 컬러 도플러로 관찰할 수 있다(**그림 8-59-b**). 본 증례는, 유출정맥 협착에 대해 경피적혈관성형술

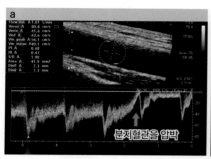
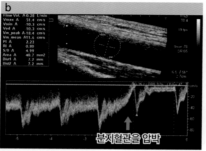

그림 8-57   역류하는 분지혈관을 압박하였을때 상완동맥(brachial artery) 혈류량의 변화

a: 분지혈관을 압박하지 않았을 때 상완동맥(brachial artery) 혈류량(이 증례에서는 1,010 ml/min)
b: 분지혈관 압박 후 상완동맥(brachial artery) 혈류량(이 증례에서는 280 ml/min)
 (cardiac cycle의 sampling 구간이 다른 것에 유의)

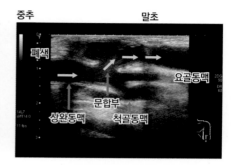

그림 8-58   상완동맥과 주관절 정중피정맥을
측측문합한 동정맥루(AVF)

문합부보다 하류의 정맥이 완전히 폐색되어, 혈액이
말초로만 흐르기 때문에 정맥고혈압증상이 나타난다.

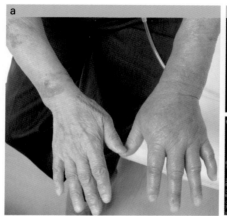
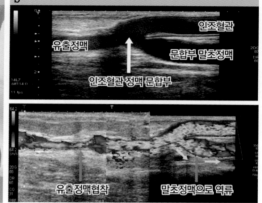

그림 8-59   전완의 loop형 인조혈관(AVG)증례

a: 전완부의 부종 및 발적이 보인다.
b: 인조혈관의 유출정맥이 좁아져서 말초정맥으로 혈류가 역류되고 있다(⇒).

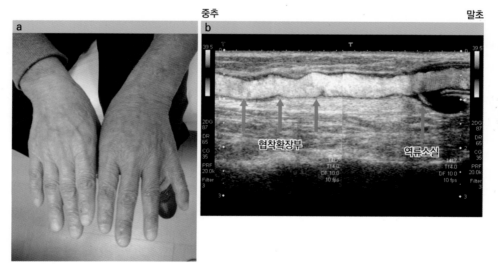

그림 8-60   그림8-58에 보인 증례의 혈관성형술(PTA) 5일 후

a: 혈관통로가 있는 팔의 부종은 거의 소실되었다.
b: 유출정맥의 협착이 소실되었고, 말초정맥으로의 역류도 거의 확인할 수 없다.

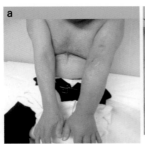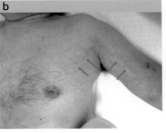

그림 8-61

a: 상지 전체의 부종이 관찰되고 있다.

b: 전완~전흉부의 표재혈관이 뚜렷하게 확장되어 있다.

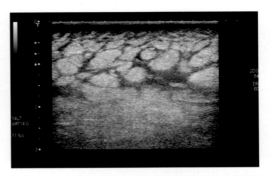

그림 8-62   그림 8-61에 표시한 증례의 전완부의 초음파진단 영상

전완 부종부위에서 판석 모양(또는 격자 모양)의 영상을 확인할 수 있다.

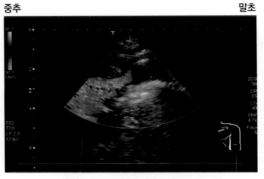

그림 8-63   그림 8-61에 표시된 증례의 초음파영상

쇄골하정맥에서 고속혈류를 보이는 협착병변을 의심할 수 있다.

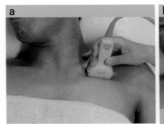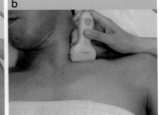

그림 8-64   중심정맥의 확인방법

a: 제1 늑간에서 접근

b: 쇄골상와에서 접근

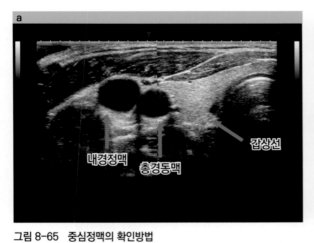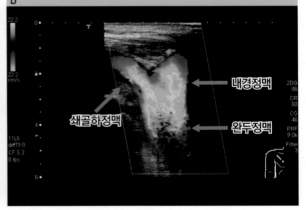

그림 8-65   중심정맥의 확인방법

a: 좌측 내경정맥의 단축상

b: 쇄골하정맥과 내경정맥의 합류부

(PTA)을 시행하였고, 5일 후 부종은 대부분 소실되었다(그림 8-60).

초음파검사에서 인조혈관의 유출정맥에 협착을 확인한 경우에는 정맥문합부에서 말초정맥으로 역류하는 혈류의 유무를 컬러 도플러를 이용하여 확인할 필요가 있다.

④ 중심정맥영역의 병변으로 발생한 정맥고혈압증

상지전체에서 부종이 확인된 경우(그림 8-61-a)에는, 액와정맥보다 중추의 쇄골하정맥 및 완두정맥의 협착이나 폐색병변이 원인일 수 있고 상완부터 전완까지 뚜렷이 부풀어 오르는 표재혈관을 관찰할 수 있다(그림 8-61-b). 부종이 발생

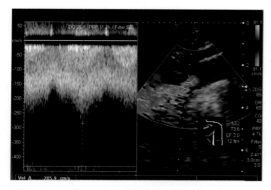

그림 8-66 그림8-61 증례의 협착병변의 혈류속도측정
sector형 탐촉자로 pulse-Doppler를 이용하여 유속을 측정하고 있다.

표 8-4 초음파검사에서 중심정맥 협착병변의 특징

	협착없음	상대적 협착 / 과잉혈류 혈관통로	절대적 협착
B-mode			
혈관내강	보존되어 있음	보존되어 있음	협착
초음파 이상소견	없음	없음	있음
컬러 도플러	난류 없음	난류 없음	난류 있음
펄스 도플러			
최고혈류속도	대부분 1 m/s 미만	상승 1 m/s 이상	상승 1 m/s 이상
혈류파형	2 peaks	2 peaks	single peak
호흡성변동	있음	있음	소실

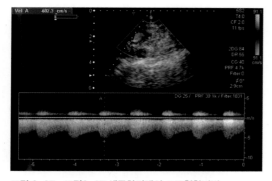

그림 8-67 그림8-67 쇄골하정맥의 고도협착병변
연속파 도플러로 6 m/s의 고속혈류를 검출했다.

그림 8-68 전완 loop형 인조혈관(AVG)조성 1개월 후
상지 전체에 부종이 심하고 정맥고혈압과 유사한 증상을 보인다.

한 부위는 혈관단층상에서 납작한 돌(판석) 모양의 상태로 관찰된다(그림 8-62). 본 증례는, 중심정맥영역을 관찰하여 쇄골하정맥의 협착 병변을 확인했다(그림 8-63).

<중심정맥의 관찰>

중심정맥 영역의 정맥(쇄골하정맥, 완두정맥)은 피부에서 깊게 주행하기 때문에 기기설정 및 사용하는 탐촉자(probe) 변경이 필요하고, 어느 정도 숙련이 필요하다. 쇄골하정맥의 관찰 시, cephalic arch의 합류부와 그 곳으로부터 수 cm까지는 제1 갈비사이공간(intercostal space)에서 관찰이 가능하지만(그림 8-64-a), 이곳보다 중추는 쇄골상와(쇄골위에 함몰된 부위)에서 접근할 필요가 있다(그림 8-64-b). 또, 쇄골상와에서 접근할 때에는 리니어형 탐촉자로는 관찰이 어려운 경우가 많아서 sector형이나 micro-convex형을 사용한다.

쇄골하정맥에서 완두정맥으로 이행하는 부위의 관찰은 내경정맥에서 접근하는 것이 유용하다. 내경정맥을 단축상으로 묘출한 상태에서 탐촉자를 심장 쪽으로 슬라이드하면서 천천히 이동시키면 쇄골하정맥과의 합류부를 확인할 수 있다(그림 8-65).

중심정맥 영역에서는 단층상이 불명료한 경우가 많기 때문에 컬러 도플러를 이용하여 혈관주행과 병변을 확인한다. 하지만 폐색병변이 존재하는 경우에는 혈류 signal이 현저히 약해지고 혈관주행의 파악도 곤란한 경우가 많다. 또한, 협착 및 폐색병변 근처에 발달한 측부정맥이 다수 존재하기 때문에 목표 혈관을 놓쳐버릴 수 있으므로 주의깊게 관찰해야 한다.

완두정맥에 협착이나 폐색이 존재하는 경우에는 혈액이 내경정맥으로 역류하는 경우가 많지만 쇄골하정맥 병변에서는 이러한 역류는 대개 보이지 않는다. 따라서 내경정맥의 혈행동태의 관찰은 완두정맥의 병변을 예측할 수 있는 간접적인 방법이다.

<중심정맥 협착병변의 평가>

중심정맥의 협착병변은 단층상이 불명료하기 때문에 협착

직경측정이 곤란한 경우가 많아서, 협착부의 고속혈류를 확인하고 혈류속도를 측정하는 것으로 평가한다(그림 8-66).

중심정맥영역에서 초음파의 유용성에 관한 보고는 많지 않고 앞으로 검토해야 할 과제도 많다. 마사키 등은 중심정맥에 협착이 없는 증례는 대부분 유속이 1 m/s 미만이고 유속파형이 2개의 peak를 보이지만, 상대적인 협착이 있거나 과잉혈류 증례에서는 유속파형이 2개의 peak형태를 유지하되 유속은 1 m/s이상이 된다고 보고하였다. 한편, 부종을 동반한 절대적인 협착병변이 있는 증례에서는 유속이 1 m/s 이상이고 파형도 1개의 peak 형태로 변화된다고 보고하였다(표 8-4). 고도의 협착증례에서는 4~6 m/s의 비정상적으로 빠른 고속의 혈류를 보이는 경우도 있어 sector형 탐촉자의 연속파 도플러를 이용하여 유속을 측정할 필요가 있다(그림 8-67).

3 | 정맥고혈압과 비슷한 증상을 보이는 경우

ePTFE (expanded polytetrafluoroethylene)를 이용하여 인조혈관(AVG)을 조성하면, 수술 후 초기에 정맥고혈압증에서 볼 수 있는 것과 같은 부종을 볼 수 있다(그림 8-68). 보통 수술 후 수 주후까지 부종이 가장 심하고 1개월 후에는 대부분 소실되지만 개인차도 크다. 초음파 단층상은 그림 8-62와 같이 부종에서 볼 수 있는 영상과 유사하여 정맥고혈압증과 구별이 어렵기 때문에, 초음파검사 전에 인조혈관(AVG) 조성술 후 경과기간을 확인하도록 한다.

4 | 기능평가

정맥고혈압증을 보이는 혈관통로는 동정맥루(AVF)와 인조혈관(AVG) 모두 1,000 ml/min 이상의 고혈류량을 보이는 증례가 많다. 혈류량 측정은 과잉혈류에 의한 정맥고혈압증의 진단에 유용한 지표가 된다. 또, 정맥고혈압의 치료방법으로 혈관통로의 직경을 줄여서 혈류량을 감소시키는 방법도 있는 데, 이 경우 수술 전, 수술 중, 그리고 수술 후에 혈류량을 모니터링하는 것은 좋은 지표가 된다.

요약

정맥고혈압증례에 대한 초음파검사는, 혈관통로의 혈행동태와 협착 및 폐색병변을 조사하여 진단한다. 하지만 부종이나 측부정맥의 발달에 의해 혈행동태를 파악하기 어려운 경우도 적지 않기 때문에 중심정맥영역을 평가할 때에는 적절한 기기설정, 탐촉자의 선택, 그리고 검사 요령이 필요하다. 초음파 장비의 한계나 검사자의 능력에 의해서 검사가 제한적인 경우에는 초음파검사에만 의존하지 말고 최종적인 진단은 혈관조영검사 및 3D CTA 등 기타의 검사를 이용하는 것이 바람직하다.

● 참고문헌

1) 真崎優樹ほか：腋窩静脈より中枢病変(狭窄)観察における体表面エコーの初期経験. 腎と透析66巻別冊アクセス, 141～142, 2009.

8 초음파검사를 이용한 합병증의 진단

3 동맥류

① 병태와 증상

개요

동맥류는 동정맥루, 인조혈관, 표재화 동맥의 혈관통로에 생길 수 있으며 각각의 병태 및 증상에 대해서 설명하고자 한다.

1 병태

1 동정맥루에 생긴 동맥류

동맥과 표재정맥을 문합하여 만드는 동정맥루(AVF)는 조성 직후부터 shunt화(단락화)된 동맥과 정맥에 변화가 일어나는 데, 특히 정맥의 변화 정도가 동맥에 비하여 상당히 크다. 근본적으로 건강한 말초정맥의 혈관 내 압력은 수 mmHg로 낮지만, shunt화된 정맥은 문합 직후부터 지속적으로 높은 동맥압의 영향을 받게 된다.

'동맥류' 형성의 첫 번째 원인은 동맥압에 의해 정맥벽에 가해지는 압력 및 과신전이다. 정맥벽의 신전성이 좋은 경우에는 시간이 경과함에 따라 정맥이 굵어지고 불룩하게 튀어나오게 된다. 이런 형태의 정맥인 경우에는 문합부에서 상완까지, 경우에 따라서는 중심정맥까지도 현저하게 정맥이 굵어지고 확장되는 것을 볼 수 있다.

이런 유형의 동맥류는 과잉혈류를 동반한 동정맥루에서 자주 관찰된다. 동정맥루에서는 협착을 발견할 수 없거나 정맥 판막부분, 또는 분지 부위에서 경도의 협착을 보이는 경우도 있고, 외관 상 소세지 모양을 갖는 경우도 있다. 혈관통로 자체의 내압은 그다지 높지 않기 때문에 압박하면 부드럽게 눌려진다(그림 8-69).

두 번째 원인은 shunt화된 문합부부터 수 센티미터 이상 떨어진 하류에 협착이 형성된 경우이다. 차에 비유하면 고속도로에서 사고가 발생하여 정체되는 상태를 예로 들 수 있다. 좁은 출구로 차(혈액)가 집중되기 때문에, 빠져나가지 못한 차(혈액)로 인하여 정체가 발생한 상태이다. 도중에 교차로(분지)가 없다면 문합부부터 협착부위까지 동맥류 상태로 부풀어 오를 수 있으나, 분지가 있다면 그 곳으로 역류하여 정맥고혈압증이 생기기도 한다.

이런 형태의 동맥류는 내압이 높고, 압박에 의해 쉽게 눌리는 경우는 많지 않다. 또, 문합부에 동맥류가 형성되는 경우가 있는데, 문합부 동맥류는 이소성 석회화의 호발 부위이기 때문에 초음파로 세밀하게 파악하는 것이 어려운 경우가 많다(그림 8-70).

세 번째 원인은 혈관통로 천자구역에 천자에 의해 생긴 동

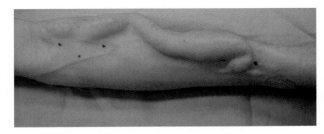

그림 8-69 전체적으로 동맥류가 형성된 동정맥루(과신전형)

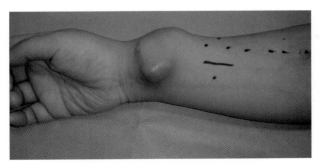

그림 8-70 혈관통로의 문합부에 생긴 동맥류(문합부 동맥류)

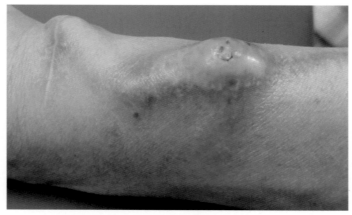

그림 8-71 동정맥루 천자부위에 발생한 동맥류

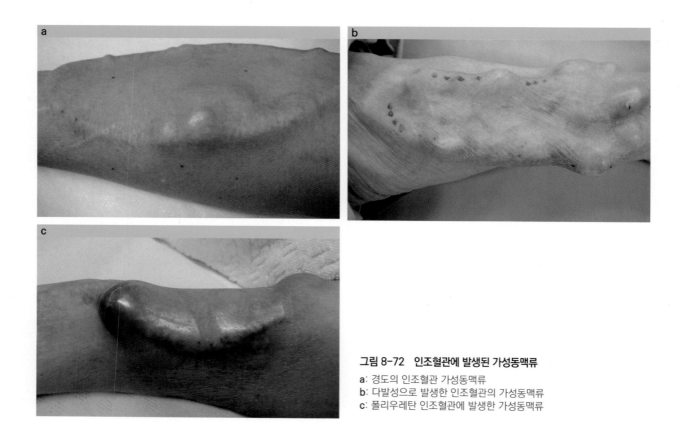

그림 8-72 인조혈관에 발생된 가성동맥류
a: 경도의 인조혈관 가성동맥류
b: 다발성으로 발생한 인조혈관의 가성동맥류
c: 폴리우레탄 인조혈관에 발생한 가성동맥류

맥류이다. 반복 천자에 의해 손상된 혈관벽이 약해져서 부풀어 오른 형태이다.

2 | 인조혈관에 생긴 동맥류

인조혈관(AVG)에 생긴 동맥류는 거의 대부분이 천자·지혈의 문제로 발생하는 가성동맥류이며, 비교적 동일한 부분을 반복적으로 천자하는 것이 원인이다. 동일한 부위를 반복

천자함으로써 혈관벽의 구멍이 커지고, 인조혈관에서 혈액이 피하로 지속적으로 누출되어 혈관과 피부조직 사이에 형성되며, 이러한 병태로 발생하는 경우 가성동맥류라고 하여 혈관벽 자체가 확장되는 동맥류와 구분한다. 인조혈관에서 가성동맥류의 발생은 천자, 지혈, 인조혈관과 피하조직과의 유착정도와 관계있다. 피하조직과 인조혈관은 비교적 견고하게 유착되어 있는 경우부터 거의 유착이 되지 않은 경우까지, 이식 후의 시간경과 기간과 개인차에 따라 다르게 나타날 수 있

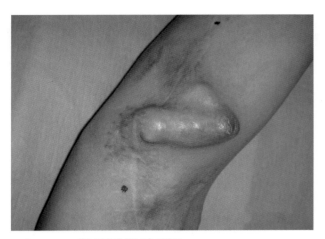

그림 8-73   표재화 동맥에 형성된 동맥류

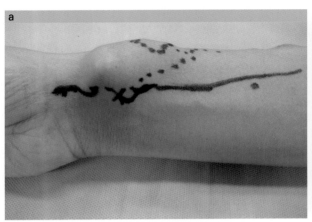

그림 8-74   수술적 치료
a: 수술 전 초음파를 이용하여 동맥류, 유입동맥, 그리고 정맥의 관계를 피부에 그림으로 표시하였다.
b: 수술 중의 사진(동일증례)

다. 또한, PTFE 재질에 비해 폴리우레탄 재질의 인조혈관을 사용한 경우에 가성동맥류가 발생하는 빈도가 많은 경향이 있는 데 그 이유는 폴리우레탄 재질이 좀더 피하조직과 유착을 형성하기 어려운 구조이기 때문이다(**그림 8-72**).

3 | 표재화 동맥에 생긴 동맥류

표재화 동맥도 인조혈관과 같이 동맥류 형성 원인의 대부분은 천자, 지혈의 문제이다. 단, 인조혈관에 생기는 동맥류는 피하조직으로 둘러쌓인 가성동맥류인데 반해, 표재화 동맥의 경우에는 혈관벽으로 덮힌 동맥류인 경우가 많다(**그림 8-73**).

2 증상

동맥류는 혈관통로의 종류에 관계없이 혈관이 커지고 돌출되어 보인다. 그 외의 증상으로는 천자곤란·지혈곤란·동통 등이고, 특히 급속한 동맥류의 크기 증가나 윤기있는 피부 광택의 출현이 중요한 소견이다. 이러한 증상이 확인된다면 신속한 외과적인 치료가 필요하다. 수술 전 초음파를 이용하여 동맥류의 범위와 출입구를 미리 확인함으로써 수술에 도움을 줄 수 있다(**그림 8-74**).

8 초음파검사를 이용한 합병증의 진단

3 동맥류

② 초음파검사

1 초음파검사 전에

초음파검사 전에 반드시 신체검사를 시행한다. 시진으로 동맥류의 크기, 색조의 변화, 피부의 광택 유무를 관찰한다. 동맥류의 크기가 커짐에 따라 피부가 얇아지고, 색조가 변화하거나 광택이 생기는 경우에는 급성 파열의 위험이 높기 때문에 주의가 필요하다. 다음으로 촉진을 이용하여 혈관내압을 확인하는데 동통을 호소하는 경우도 있기 때문에 주의해야 한다. 또 감염이 동반된 경우에는 급성파열의 위험이 높기 때문에 함부로 만지지 말고 조심스럽게 촉진해야한다(그림 8-75).

2 초음파검사

동맥류에 대한 초음파검사 시 다른 검사와 마찬가지로 우선 기능평가를 시행하여 혈류가 얼마나 흐르는가를 파악하고, 다음으로 형태평가를 시행하여 혈관주행 전체를 관찰하며 동맥류 발생의 원인이 되는 협착이나 폐색병변을 찾고 평가한다.

1 동맥류의 평가

동맥류 평가의 요점은 전체의 크기, 내막의 상태, 혈관벽과 피부의 두께, 석회화유무, 벽에 존재하는 혈전의 유무를 관찰하고, 컬러 도플러 또는 파워 도플러를 이용하여 내부혈류의 유무를 관찰하는 것이다(그림 8-76). 경험적으로는 혈관벽부터 피부까지의 두께가 1 mm 미만인 경우에는 조만간 더욱 얇아져서 급성 파열의 위험이 높기 때문에 주의 깊게 관찰할 필요가 있다고 생각된다(그림 8-77).

동정맥루의 문합부에 발생한 동맥류는 석회화를 동반하는 경우가 많아서 동맥류 내부의 관찰이 어려운 경우도 있다(그림 8-78). 다만 심한 석회화가 있는 경우에는, 급격한 크

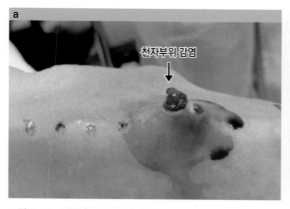

그림 8-75　감염을 동반한 인조혈관 가성동맥류
a: 천자부위에 감염의 원인병변이라고 생각되는 조직이 돌출해 있다. 혈류에 맞춰 박동하고 있고, 급성파열의 위험성이 높다.
b: 적출된 인조혈관, 인조혈관벽이 손상된 부위에 가성동맥류가 형성되어 있고 감염이 동반된 상태이다.

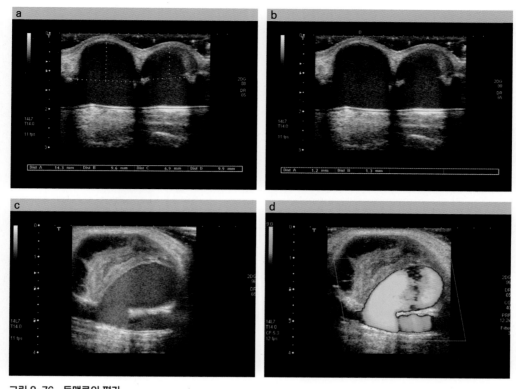

그림 8-76 동맥류의 평가
a: 동맥류의 크기의 측정, b: 벽두께의 측정, c: 동맥류 내부에 벽재혈전이 관찰된다. d: 파워 도플러에 의한 내부혈류의 확인

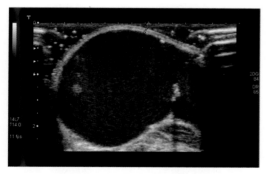

그림 8-77 동정맥루(AVF) 문합부에 발생된, 벽이 얇은 동맥류
동맥류 벽 두께는 최소 0.8 mm이다.

기 증가나 급성 파열의 위험성은 적다. 천자범위에 석회화나 벽재혈전이 있으면 천자곤란이 생길 수 있기 때문에 동맥류 내부의 관찰이 중요하다. 가성동맥류의 경우에는 개구부의 위치와 크기를 측정해놓으면 수술 시 유용한 정보로 이용된다(그림 8-79).

2 | 원인 조사

동맥류의 발생원인을 찾는 것은 이후 치료방침의 결정에 유용한 정보가 된다. 혈관내압의 상승으로 생긴 경우에는, 동맥류의 하류쪽에 협착이나 폐색 병변이 존재할 가능성이 높기 때문에, 원인병변에 대한 검색과 평가를 해야한다.

과잉혈류를 갖는 혈관통로에서 명확한 협착이 확인되지 않는 경우에는 과잉혈류 자체가 원인일 가능성이 높다. 그 밖에 반복적인 천자로 인하여 혈관벽이 취약해져서 생기는 경우도 있고, 정맥의 과신전성 등 여러가지 원인이 혼재한 경우도 흔하기 때문에 초음파검사 시에는 발생원인을 고려하면서 검사를 해야 한다.

3 | 다양한 동맥류

① 동정맥루의 문합부에 생긴 동맥류

이러한 형태의 동맥류는 비교적 발생 빈도가 높고, 해마다 서서히 크기가 증가하는 경우가 많다(그림 8-80-a,-b). 급격한 크기의 증대, 동통, 감염, 또는 미용적 이유 등으로 절제술을 시행하는 경우가 있다. 수술이 필요한 경우에는 미리 문합부로 유입, 유출되는 동맥과 동맥류의 위치관계를 관찰하고 도식화하면 수술 시행에 도움이 된다(그림 8-80-c).

드물게 폐색된 혈관통로의 문합부에 생긴 동맥류가 갑자기 커지거나 통증을 일으키는 경우도 있다(그림 8-81).

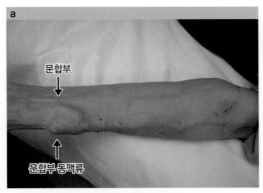

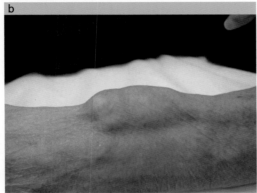

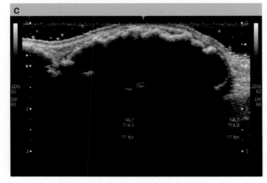

그림 8-78 석회화를 동반한 동정맥루(AVF)문합부의 동맥류

a, b: 문합부에 동맥류의 형성이 관찰된다. 촉진 시 비정상적으로 단단하다.
c: 초음파 단층상에서 심한 석회화로 인하여 동맥류 내부의 관찰이 어렵다.

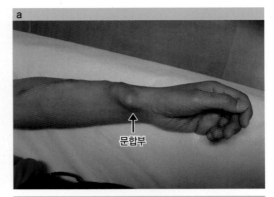

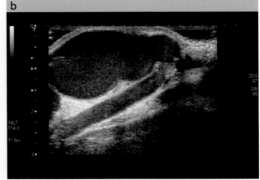

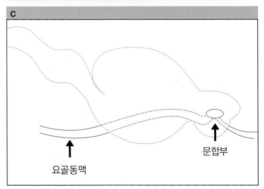

그림 8-80 동정맥루(AVF) 문합부의 동맥류

a: 문합부 동맥류
b: 문합부 동맥류의 초음파단층상
c: 문합부의 도식, 동맥류와 유입·유출하는 혈관의 위치 관계를 기재한다.

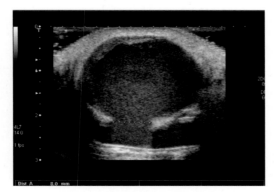

그림 8-79 인조혈관 천자부에 발생한 가성동맥류의 개구부 측정

② 천자구역에 생긴 동맥류

빈번한 천자에 의해 혈관벽이 약해져서 동맥류가 발생한다. 천자부 동맥류에서는 혈전이나 석회화 등으로 천자곤란이 생기는 경우도 있기 때문에 초음파검사 시 천자부위를 자세히 관찰하도록 한다. 천자부위의 혈관벽이 얇아져서 취약해지거나, 혈관내압이 상승하는 경우에는 지혈곤란이 생기는 경우도 있다.

동정맥루(AVF) :

그림 8-82는, 동정맥루(AVF)의 혈액유입 천자부위에 발

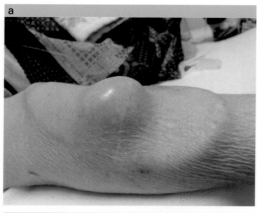

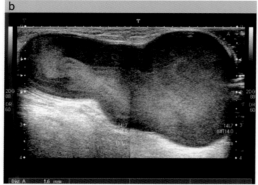

그림 8-81　동정맥루(AVF) 문합부 동맥류의 증대

a: 이전에 사용했었던 동정맥루(AVF)의 문합부 동맥류가 커진 증례(현재의 혈관통로는 전완의 loop형의 인조혈관(AVG))

b: 동맥류 내부에서 소용돌이(와류)가 휘감는 모양으로 동맥류 내부의 혈류가 확인된다.

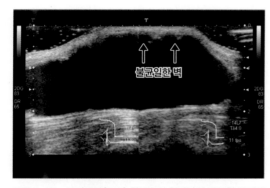

그림 8-82　동정맥루(AVF) 혈액유입 천자부에 발생한 동맥류

천자로 인하여 혈관 앞쪽벽이 고르지 않게 되었다. 임상증상으로 지혈시간이 연장되었다.

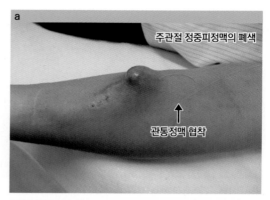

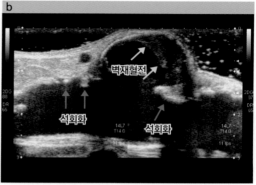

그림 8-83　이전에 천자한 부위가 급속하게 커진 동맥류

a: 주정중피정맥(median cubital vein)과 요측피정맥(cephalic vein)이 폐색되고, 주 유출로인 관통정맥의 협착이 확인되었다.

b: 동맥류 내부에 벽에 붙어있는 혈전이 관찰된다. 또 석회화에 의한 음향음영(acoustic shadow)이 보인다.

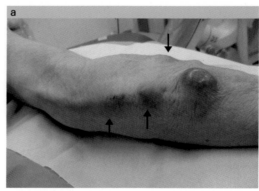

그림 8-84　전완 loop형 인조혈관(AVG)에 발생한 가성동맥류

a: 다발성으로 인조혈관 천자구역에 생긴 가성동맥류
b: 적출된 인조혈관

생한 동맥류이다. 초음파 단층상에서 불균일한 벽이 보이고 임상증상으로 지혈시간이 연장되었다. **그림 8-83**은 이전에 사용했었던 동정맥루의 천자부에 발생된 동맥류가 1개월 전부터 급격히 커진 증례이다. 본 증례는 하류 쪽의 협착과 폐색병변으로 혈관내압이 상승하여 동맥류가 커진 것으로 생각된다.

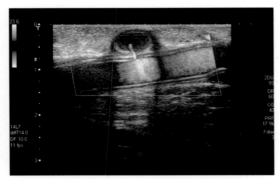

그림 8-85 인조혈관 천자구역에 발생한 가성동맥류 초기

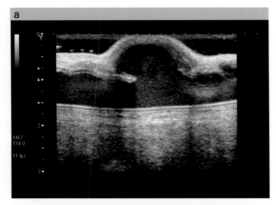

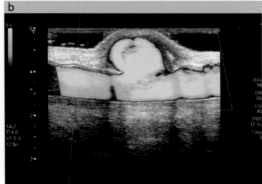

그림 8-86 인조혈관 천자구역에 생긴 가성동맥류

a: 인조혈관 가성동맥류의 천공부가 확장되어 커짐
b: 파워 도플러 영상

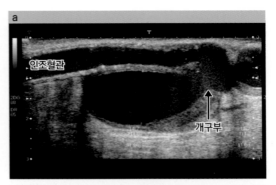

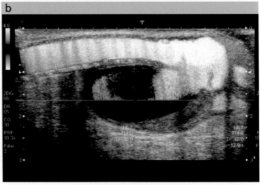

그림 8-87 천자에 의해 손상된 인조혈관벽에 생긴 가성동맥류

a: 천자바늘이 인조혈관 후벽을 관통하여 발생한 가성동맥류
b: 개구부와 동맥류 내의 혈류를 확인할 수 있다.

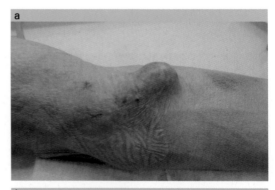

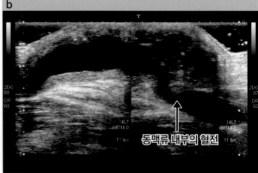

그림 8-88 상완동맥 표재화(brachial artery superficialization)의
천자곤란 증례

a: 표재화된 상완동맥에 발생한 동맥류
b: 빈번한 천자에 의해서 동맥류가 형성되었고, 내부에 혈전이 보인다. 혈
   전 때문에 천자가 곤란했던 증례이다.

인조혈관(AVG):

인조혈관에서는 반복적이고 집중적인 천자, 잘못된 지혈
방법 등으로 가성동맥류가 생길 수 있다(그림 8-84). 그림
8-85는 작은 구멍상태의 천자바늘구멍에서 혈액의 유출을
확인할 수 있는 초기의 가성동맥류이다. 동일 부위에 반복적
으로 천자하여 천자부위의 천공부위가 확장되면 큰 가성동맥
류가 발생된다(그림 8-86-a,-b). 천자바늘을 너무 깊게 삽
입하여 인조혈관의 후벽을 관통하면 후벽에 가성동맥류가
생기는 경우도 있다(그림 8-87-a,-b).

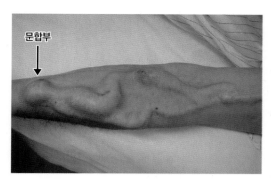

그림 8-89 동정맥루(AVF)의 과잉혈류로 동맥류화된 정맥

기능평가에서 상완동맥(brachial artery)혈류량 3,030 ml/min이었다.

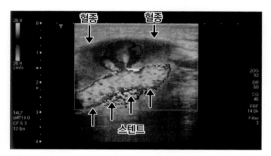

그림 8-90 혈관성형술(PTA)에 의한 혈관손상으로 발생했던
　　　　　가성동맥류

유치했던 스텐트에서 혈관외로 스며드는 혈류가 확인된다.

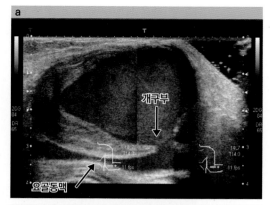

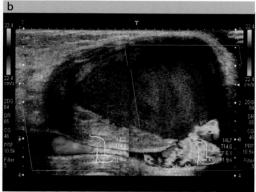

그림 8-91 동정맥루(AVF)조성 수일 후에 문합부에 발생된
　　　　　가성동맥류

a: 가성동맥류에 의해서 정맥이 압박되고, 혈관통로의 혈류가 감소
　하였다.
b: 컬러 도플러 영상

가성동맥류가 너무 커져서 투석바늘의 천자가 곤란한 경우에도 새로운 인조혈관으로 부분치환술(interposition) 또는 바이패스(bypass graft) 수술을 시행하여 교정할 수 있다.

상완동맥 표재화(brachial artery superficialization):

그림 8-88은 표재화한 상완동맥의 천자구역에 생긴 동맥류로 인해 임상적으로 천자가 어려운 증례이다. 초음파 단층상에서 관찰되는 동맥류 내부에 붙어있는 혈전이 천자곤란의 원인으로 생각된다.

③ 과잉혈류에 의해 발생한 동맥류

그림 8-89의 증례는 기능평가에서 상완동맥(brachial artery)의 혈류량이 3,030 ml/min이고 문합부에 생긴 동맥류부터 하류까지 협착병변을 확인할 수 없어 과잉혈류 자체가 동맥류 형성의 원인이라고 생각하였다. 본 증례는, 동맥류 증대의 억제와 과잉혈류에 대한 치료방법으로 수술을 통해 혈관의 직경을 줄여서 혈류량을 감소시켰다. 본원에서는 이러한 수술 시에 수술 중 초음파검사를 이용하여 혈류량을 모니터링하면서 직경을 결정한다.

④ 경피적혈관성형술(PTA) 후 발생했던 가성동맥류

혈관성형술로 인하여 혈관이 손상되어 가성동맥류가 형성되는 경우가 있다. 그림 8-90의 증례는, 혈관 확장 후에 스텐트를 유치하여 혈류가 양호하게 되었으나, 수일 후 부종과 발적이 발생하여 초음파검사를 시행하였다. 혈관이 손상되어 혈종이 생겼고, 혈종 내부로 혈류가 스며드는 것을 확인했다. 이러한 증례에서는 혈종의 크기, 혈종 내의 가성동맥류의 크기, 혈관 밖으로 혈액이 유출되는 정도를 시간 경과에 따라 확인해야 한다. 본 증례의 혈종과 가성동맥류는 경과관찰하였고, 이후 차차 소실되었다.

⑤ 문합부 수술 후 재출혈에 의해서 발생했던 가성동맥류

그림 8-91의 증례는, 동정맥루(AVF)조성 수일 후 수술부위에 부종과 발적이 확인되어 초음파검사를 시행하였고, 문합부에 거대한 가성동맥류를 확인했던 증례이다. 문합부터 가성동맥류 내부로 혈류가 유입되는 것이 확인되었고 가

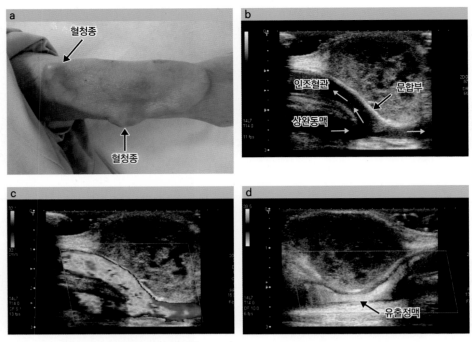

그림 8-92　인조혈관(AVG)에 발생한 혈청종(seroma)

a: 상완 loop형 인조혈관(AVG). 동맥측 문합부 부근과 정맥지 부분에서 혈청종이 관찰된다.
b: 동맥측 문합부의 초음파 단층상. 내부의 에코는 불균일하다. (➡는 혈류의 방향)
c: 동맥측 문합부의 컬러 도플러 영상
d: 정맥측 문합부 부위에서는 혈청종에 의한 압박에 의해 유출정맥이 좁아져 있다.

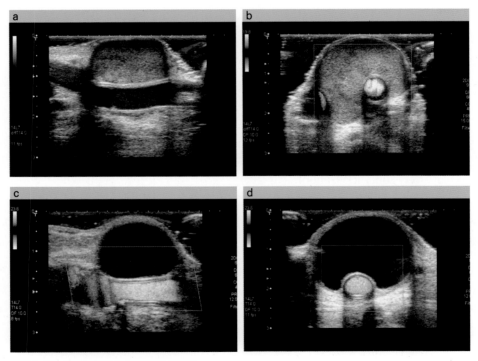

그림 8-93　인조혈관(AVG)에 발생한 혈청종

a: 인조혈관(AVG) 동맥측 문합부에 발생한 혈청종(장축상). 내부에 비교적 균일한 에코가 관찰된다.
b: a의 단축상. 컬러 도플러를 이용하여 내부에 혈류가 없는 것을 확인한다.
c: 무에코의 혈청종(장축상)이 관찰되고 있다.
d: c의 단축상. 컬러 도플러로 혈청종 내부에 혈류가 없는 것을 확인한다.

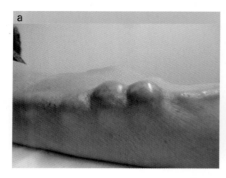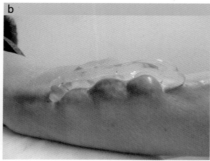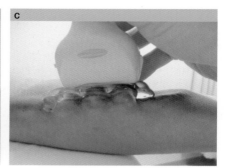

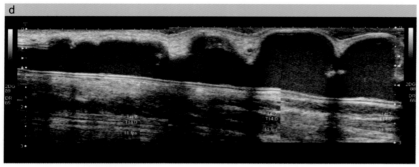

그림 8-94 가성동맥류의 관찰 방법
a: 인조혈관(AVG)천자부위에 발생한 다발성의 가성동맥류가 관찰된다.
b, c: 동맥류와 동맥류 사이에 초음파 gel을 채운다.
d: 가성동맥류의 전체상의 관찰이 가능해진다.

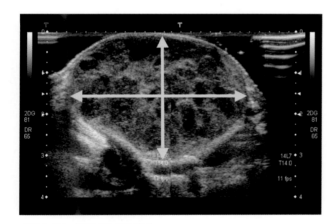

그림 8-95 혈청종의 크기 측정
시간 경과에 따라 크기를 관찰하면 치료에 유용한 정보를 얻을 수 있다.

성동맥류가 요골동맥(radial artery)과 정맥을 압박하여 혈관
통로는 거의 폐색되었다. 본 증례에서는 가성동맥류를 장축
상과 단축상 등 여러 각도에서 관찰하여 개구부의 위치와 크
기를 확인하고 수술 시에 유용한 정보로 이용하였다.

4 | 혈청종과의 감별

혈청종은 ePTFE (extended polytetrafluoroethylene) 인조혈
관(AVG) 조성 후에 생길 수 있는데, 호발부위는 동맥문합부
근방이다(그림 8-92-a). 인조혈관 동맥문합부 부근에 부풀
어 오른 부위가 보이는 경우에는 동맥류와 혈청종의 감별이
필요하고, 감별법으로 초음파가 유용한 검사 도구이다. 혈청
종은 내부에 혈류가 없고 내부 에코가 비교적 균일한 경우가
많지만(그림 8-93-a,-b), 종종 무에코이거나(그림 8-93-
c,d), 불균일한 에코를 보이는 경우(그림 8-92-,b,c,d)도 있
다. 국소적으로 부풀어오른 종창의 안쪽이 무에코인 경우에
도 도플러를 이용하여 혈류의 유무를 관찰하면 동맥류와의
감별이 가능하다(그림 8-93-c,d). 혈청종은 인조혈관과 유출
정맥을 압박하여 협착을 유발시킬 수 있고(그림 8-92-d), 커
지면 피부의 괴사나 감염을 일으킬 수도 있다.

ONE POINT ADVICE

동맥류는 형태가 불규칙하기 때문에 탐촉자의 접촉면적이 좁아서 관찰 조건이
나쁜 경우가 있다. 이러한 경우에는 동맥류 사이를 초음파 gel로 채우면 동맥류의
전체상을 관찰하는 것이 가능하다(**그림8-94**).

MEMO

혈청종이 임상적으로 문제가 되는 경우에는 혈청종과 그 주변의 인조혈관을 함께 제거하고 새로운 인조혈관을 이용하여 치환술을 시행한다. 초음파를 이용하여 혈청종의 크기와 성상을 시간을 두고 관찰하는 것도 중요하다(그림8-95).

요약

동맥류는 혈관통로의 대표적인 합병증이고, 투석 시에 임상적인 문제를 유발시킬 뿐만 아니라, 커지는 경우에는 급성 파열의 위험성도 있다. 그래서 동맥류에 대한 적절한 평가는 임상적으로 매우 중요하다. 초음파검사는 동맥류의 크기 및 내부구조를 세밀하게 파악 가능하고 발생원인의 조사도 가능하기 때문에 유용하다. 또 동맥류와 주변 혈관의 위치관계를 자세하게 관찰할 수 있기 때문에 외과적 수술 시에도 유용한 정보를 제공한다.

8 초음파검사를 이용한 합병증의 진단

4 천자곤란

① 병태와 증상

개요

천자관련 문제는 환자에게 큰 고통을 줄 뿐만 아니라 의료진에게도 큰 스트레스이다. 누구라도 쉽게 천자 가능한 혈관도 있지만, 최근에는 새롭게 투석이 필요한 고령의 환자들이 많고 당뇨성 만성신장병 환자들이 증가함에 따라 천자가 어려운 혈관통로를 가진 환자가 증가하고 있어 천자곤란의 원인 규명 및 대책을 세우는 것이 점점 더 중요해지고 있다.

1 천자곤란의 원인 및 대책(표 8-5, 8-6)

1 │ 혈류불량

혈관통로 혈류량이 감소하면 유출정맥을 압박하더라도 혈관이 팽창하지 않고, 촉진으로 혈관의 주행 및 깊이를 예측하기 어려워진다. 또 천자 시에 천자바늘로 전벽은 물론 후벽까지 관통할 수 있기 때문에 천자는 더욱 어렵게 느껴진다(그림 8-96).

표 8-5 천자곤란의 원인

(1) 혈류불량	① 협착	
	② 혈행동태적 문제(혈압저하)	
	③ 혈관통로 조성 초기	
(2) 혈관의 문제	① 혈관직경	혈관통로가 아닌 정맥
		혈관통로 조성 초기
	② 혈관주행	심부주행
		혈관사행
	③ 혈관내강	내막비후
		혈전
		정맥판막
		혈관 내 격벽
		혈종
		석회화
(3) 천자 기술의 문제		

표 8-6 천자곤란에 대한 대책

(1) 혈류불량	① 협착병변에 경피적혈관성형술(PTA)
	② 혈행동태개선
	③ 동정맥루 성숙을 기다리고, 가능한 가장 직경이 커진 부위에 천자
(2) 혈관의 문제	가능하면 천자부위를 변경, 부위 변경이 불가하면 천자곤란의 원인을 파악하고 그 병변을 피해서 천자
(3) 천자 기술의 문제	천자 기술 지도

그림 8-96 동정맥루 혈류량 감소로 천자가 어려운 경우
a: 동정맥루 혈류가 충분할 때- 구혈 시 혈관이 확장되기 때문에, 혈관의 전벽으로 바늘이 들어갈 때 후벽까지 거리가 있다.
b: 동정맥루 혈류가 불충분할 때- 구혈 시에 혈관이 확장되지 않기 때문에, 혈관의 전벽으로 바늘이 들어감과 동시에 후벽까지 바늘이 관통할 수 있다.

천자곤란 및 천자실패의 원인 진단 방법으로 투석실에서 시행하는 초음파검사가 유용하다. 보통 천자가 어려운 환자에게 초음파검사는 천자가 실패한 날로부터 수일 후에 시행되는 경우가 많다. 검사자는 검사의뢰지를 보고 검사를 시행하는 데, 의뢰서만으로는 천자 시의 상세한 정보(천자부위·천자방향·바늘의 삽입각도 등)를 알기 어렵다. 또한 시간이 경과하기 때문에 천자실패 당시에 확인할 수 있는 혈종 등의 중요한 정보가 소실되는 경우도 많다.

최근 투석실 현장에서 시행하는 초음파검사의 유용성이 보고되고 있다. 본원에서도 천자가 어려운 환자를 중심으로 투석실에서 초음파를 적극적으로 시행하고 있으며, 천자가 평소와는 다르게 뭔가 이상하다는 느낌이 있을 때나 천자실패의 원인을 평가할 때마다 투석실에서 바로 초음파를 이용하여 확인하고 있다.

천자 당시의 구체적인 정보를 바탕으로 검사를 시행할 수 있고, 투석실에서 지체없이 검사를 시행하기 때문에 천자와 관련된 중요한 소견도 남아 있으므로 원인을 보다 정확하게 알 수 있다.

그 외에 투석실 의료진도 함께 초음파를 보고 실패의 원인을 확인할 수 있기 때문에 단지 보고서만을 이용하는 것보다 결과를 전달하기 쉽다는 장점도 있다.

〈투석실에서 시행하는 천자곤란에 대한 초음파검사의 유용성〉
① 천자 시의 자세한 정보를 바탕으로 검사가 가능
② 혈종 등의 중요한 소견이 남아 있음
③ 검사 결과가 투석실 의료진에게 전달되기 쉬움

a: 깊게 주행하는 혈관. 혈관내강에 외측 플라스틱 캐뉼라가 도달하지 않음(➜ : 외측 플라스틱 캐뉼라의 끝)

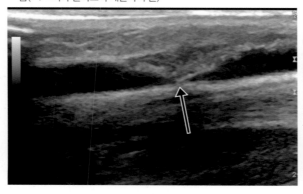

b: 외측 플라스틱 캐뉼라 끝이 후벽 내에 있고, 혈관내강에 혈종이 형성됨(➜ : 외측 플라스틱 캐뉼라의 끝, 점선 : 후벽에 형성된 혈종)

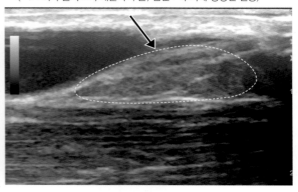

c: 왼쪽 – 혈관내강으로 들어갔던 외측 플라스틱 캐뉼라가 다시 혈관내강을 벗어남(➜ : 외측 플라스틱 캐뉼라의 끝)

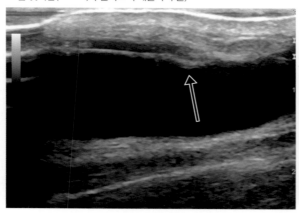

c: 오른쪽 – 외측 플라스틱 캐뉼라를 서서히 당기면서 혈관 속으로 다시 유치시킴(➜ : 외측 플라스틱 캐뉼라의 끝, ▶ 외측 플라스틱 캐뉼라가 들어가있던 부위)

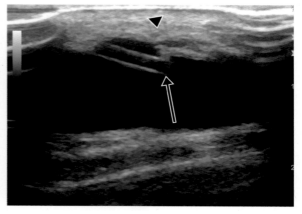

d: 외측 플라스틱 캐뉼라가 혈관내강을 채우고 있는 혈전에 닿아 있음(➜ : 외측 플라스틱 캐뉼라의 끝)

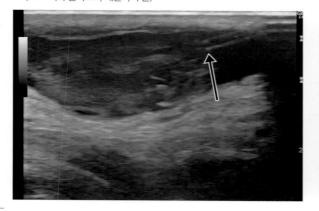

e: 표재화 동맥 후벽의 돌출된 부위에 외측 플라스틱 캐뉼라가 닿아 진행하지 못하는 상태(➜ : 외측 플라스틱 캐뉼라의 끝)

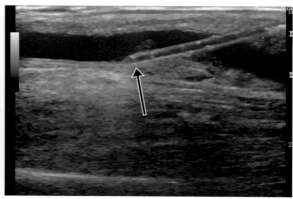

① 협착

혈류량 저하의 가장 일반적인 원인은 협착이다. 청진으로 협착부에서 협착음을 듣고, 촉진으로 협착부의 thrill을 촉진하고, 그 전후의 압력차를 확인한다. 협착부위부터 문합부까지는 압력이 상승하여 혈관이 확장되어 천자가 가능하지만, 협착병변의 하류에선 혈관 확장이 미약하여 천자가 어렵다.

초음파검사에서는 혈관통로 혈류량 감소 및 혈관저항지수 상승 등의 기능이상, 혈관내강 감소 등의 형태이상을 확인할 수 있고, 초음파소견을 바탕으로 혈관성형술을 시행하여 천자곤란을 개선시킬 수 있다.

② 혈행동태적 문제

혈압저하 등 혈행동태에 문제가 있으면 혈관통로 혈류량이 감소하고 천자가 어려워진다. 청진에선 전체적으로 혈관통로의 음이 약하고, 문합부에서 멀어지면 급격히 혈관통로음이 감소한다. 촉진에선 문합부 직후부터 혈관통로 혈관 전체의 탄성도가 약하게 느껴진다.

초음파검사 소견에서는 혈압저하 시 혈관통로 혈류량도 감소한다. 건체중 등의 투석조건을 재검토하고 항고혈압제 조절 등으로 혈행동태가 개선되면 천자곤란도 개선된다.

③ 혈관통로 조성 초기

새로운 동정맥루 조성 후 동정맥루 정맥이 발달할 때까지(보통 1~2개월)는, 혈류량이 적고 혈관도 충분하게 성숙되지 않기 때문에 천자가 곤란한 경우가 많다.

초음파소견으로는 동정맥루의 혈류량이 부족하고 혈관직경도 전체적으로 가늘다. 동정맥루의 발달과 함께 천자곤란은 개선되지만, 그 동안에는 혈관직경이 비교적 큰 곳을 찾아서 가능한 천자하기 쉬운 부위에 천자하도록 한다.

2 │ 혈관의 문제

① 혈관직경

혈관통로가 아닌 정맥: 혈관통로와 연결되지 않은 정맥은 동맥 혈류가 흘러들어가지 않으므로 시간이 지나도 혈관이 확장되지 않고 천자도 어렵다.

혈관통로 조성 초기: 위의([혈류불량-③]) 참조

천자부협착: 동일부위를 반복적으로 천자하면 그 부위에 협착이 발생하여 천자가 어려워지는 경우가 있다. 천자부위를 변경하거나 평소부터 넓은 부위에 천자를 하여 협착이 생

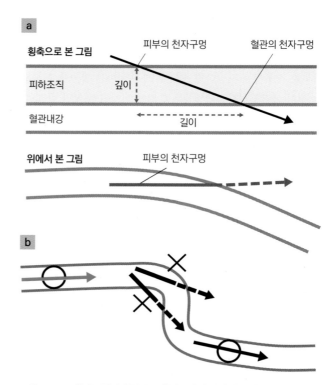

그림 8-97 혈관주행의 원인으로 천자곤란이 발생하는 경우

a: 심부를 주행하는 혈관: 혈관통로를 촉지하기 어렵고 충분한 혈관의 진찰이 곤란하다. 또, 피부의 천자부위부터 혈관의 천자위치까지 거리가 멀기 때문에(횡축에서 본 그림) 바늘의 방향과 혈관의 방향이 어긋나기 쉽다(위에서 본 그림).
b: 사행하는 혈관: 직선 부위의 천자(O부위)와 달리, 사행하는 부위에 천자(X부위)하면, 측벽으로 바늘이 진행되어 혈관 밖으로 나가기 쉽다.

기지 않게 예방하는 것이 매우 중요하다.

② 혈관주행

심부정맥(그림 8-97-a): 피하조직이 두꺼운 환자의 혈관은 깊게 주행하는 경우가 많다. 촉진으로 혈관의 직경 및 주행을 알기 어렵고, 피부의 천자지점부터 혈관의 천자부위까지 거리가 멀기 때문에 바늘의 방향과 혈관의 방향이 어긋나기 쉬워 천자가 쉽지 않다.

초음파를 이용하면 혈관의 정확한 깊이를 알 수 있고 직경 및 주행 방향도 알 수 있다. 천자 위치를 변경하는 것이 어려우면 주의깊게 촉진을 시행한 후 초음파로 혈관의 진행 방향을 충분히 파악하고 천자하도록 한다.

혈관사행(그림 8-97-b): 동정맥루는 시간이 경과함에 따라 확장, 신전, 사행. 굴곡이 생긴다. 사행하는 부위에 천자하면 혈관의 측벽 바깥으로 바늘이 쉽게 진행할 수 있어 천자가 어렵다. 촉진으로 사행하는 혈관의 깊이 및 주행 방향을 어느 정도 예측할 수 있지만, 굴곡이 심하여 한 덩어리로 촉진되면 깊이 및 주행 방향을 예측하는 것이 쉽지 않다.

초음파검사로 장축·단축을 조합하여 혈관 주행을 평가한다. 초음파를 이용하면 심부 혈관의 평가도 가능하다. 천자가 어려운 경우에는 가능하면 보다 곧게 주행하는 혈관에 천자하는 것이 바람직하다. 사행하는 부위에 천자를 해야만 할 때에는 바늘의 끝이 혈관 밖으로 나가지 않도록 주의해야한다.

③ 혈관내강

혈관내강의 문제는 촉진만으로 평가하는 것이 어렵기 때문에 초음파검사가 유용하다.

내막비후(그림 8-98-a) : 혈관통로에는 동맥혈이 흐르기 때문에 혈관벽에 가해지는 스트레스 및 반복 천자의 영향 등으로 내막이 두꺼워진다. 내막비후가 있다면 천자 시 혈관내강으로 외측 플라스틱 캐뉼라를 밀어 넣을때 저항이 느껴진다.

혈전(그림 8-98-b) : 혈류불량, 지혈 시 강한 압박, 천자부의 감염 등으로 혈관통로 내에 혈전이 생길 수 있다. 새로 생긴 혈전은 유연하게 촉진되지만, 오래된 혈전은 딱딱하게 촉진된다. 천자 시에 바늘을 진행시키면 저항이 느껴진다.

정맥판막(그림 8-98-c) : 정맥에는 다수의 판막이 존재한다. 혈관통로 조성 시에 생리식염수로 혈관에 압력을 가하여 확장시키면 이때 판막의 일부가 파열되는데, 남은 판막이나 파열된 판막의 일부가 혈관통로 조성 후 시간이 지나면 기질화되어 단단해진다. 기질화된 정맥 판막을 향하여 천자하면 내측 바늘 혹은 외측 플라스틱 캐뉼라가 닿기 때문에 저항이 느껴진다.

혈관 내 격벽(그림 8-98-d) : 혈관통로 안쪽에서 때때로 격벽(web)이 확인된다. 천자 등으로 혈관벽의 일부가 떨어져나가 생긴것으로 생각된다. 격벽이 있는 부위에 천자하면 바늘 및 외측 플라스틱 캐뉼라가 격벽 내로 진행되어 저항이 느껴지는 경우가 있다.

석회화(그림 8-98-e) : 혈관통로 조성 후 오랜 시간이 경과하면 혈관벽에 가해지는 스트레스 및 이차성부갑상선기능항진증 등으로 인과 칼슘의 대사 이상이 발생하여 혈관통로에 석회화가 발생한다. 부분적인 석회화도 있고, 광범위하게 석회화되는 경우도 있다. 혈관벽이 딱딱하게 촉진되고, 석회화 부위에는 바늘을 삽입할 수 없기 때문에 천자 위치를 변경해야한다.

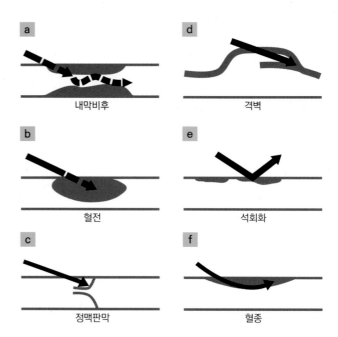

그림 8-98 혈관내강의 문제로 천자곤란이 발생하는 이유
a: 내막비후 – 천자 시 저항이 있다. 또, 혈관내강으로 외측 플라스틱 캐뉼라를 전진시킬 때 저항이 느껴진다.
b: 혈전 – 천자 시 저항이 있다. 무리하게 바늘을 진행시키면 혈전을 뜯어 버릴 가능성도 있다.
c: 정맥판막 – 정맥판막으로 인해 내측 바늘이나 외측 플라스틱 캐뉼라가 진행되지 않는다.
d: 혈관 내 격벽 – 격벽 내에서 바늘이나 외측 플라스틱 캐뉼라가 진행되지 않는다.
e: 석회화 – 석회화부위에 천자하면 강한 저항이 느껴지고 바늘이 진행하지 않는다.
f: 혈종 – 바늘이나 외측 플라스틱 캐뉼라가 혈종 안으로 진행되기 쉽고, 혈관내강으로 도달이 어렵다.

혈종(그림 8-98-f) : 천자실패 후, 그 근방에 천자하면 혈종의 영향으로 천자가 어렵다. 바늘 및 외측 플라스틱 캐뉼라가 혈종의 범위를 확장시켜서 혈관 내로 들어가는 것이 어렵기 때문이다. 혈종이 확인된 부위에 천자는 피해야한다.

3 │ 천자기술의 문제

이상에 해당하지 않는 천자곤란 증례는 천자기술에 문제가 있을 가능성이 있기 때문에 천자기술의 지도가 필요하다.

요약

다양한 원인으로 천자곤란이 생길 수 있기 때문에, 그 원인을 이해하고 대책을 수립하는 것이 중요하다. 혈류평가 및 혈관내강 평가가 용이한 초음파검사는 천자곤란의 원인을 파악하는데 대단히 유용하다고 생각한다.

ONE POINT ADVICE

천자곤란 증례에서 초음파 유도 천자:

최근 중심정맥천자는 초음파 유도로 시행하는 것이 일반적인데, 혈관통로 천자곤란 증례에서도 초음파 유도 천자가 이용된다. 특히, 깊이 주행하여 혈관 촉진이 어렵거나, 정맥판막 등 혈관내강에 문제가 있지만 다른 천자부위가 없어 그 부위에 천자를 해야만 하는 경우 등에 유용하다. 장축으로 혈관의 주행방향을 확인한 후, 탐촉자를 90도 회전하여 혈관의 단축을 탐촉자의 한가운데 위치시킨다. 시술자는 탐촉자의 가운데 지점부터 혈관까지 혈관의 주행방향을 따라 천자한다. 천자바늘의 안쪽바늘(금속부분)은 고휘도로 보이기 때문에 바늘 끝이 어느 부위에 있는 지를 실시간으로 확인할 수 있으므로 천자바늘의 방향도 쉽게 수정할 수 있다. 또, 혈관 내에 위치한 외측 플라스틱 캐뉼라가 확실하게 보이기 때문에 판막 등이 있다면 그것을 피해서 삽입하는 것도 가능하다.

a: 초음파 유도 천자–
시술자와 초음파를 조작하는 보조자 2명이 시행

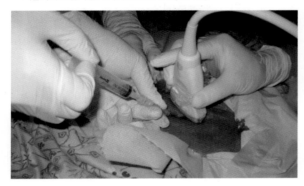

b: 장축상
내측 바늘과 외측 플라스틱 캐뉼라가 혈관내강으로 들어가고 있다(⇨ : 내측 바늘의 끝부분).

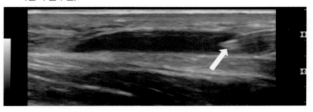

c: 단축상
내측 바늘과 외측 플라스틱 캐뉼라가 혈관내강의 거의 정가운데 있다 (⇨ : 내측 바늘과 외측 플라스틱 캐뉼라).

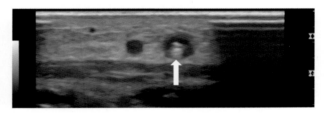

d: 외측 플라스틱 캐뉼라가 확실하게 보이고 혈관 내에 유치되어 있는 것을 확인할 수 있다(⇨ : 외측 플라스틱 캐뉼라의 끝).

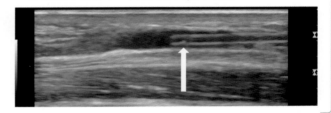

● 참고문헌

1) 大谷正彦ほか：穿刺困難例の原因と対策—シャントエコーを用いた解析—. 腎と透析69巻別冊アクセス，254〜255，2010.

2) 松田政二ほか：透析現場における携帯式超音波装置の有効性—Sonosite iLook25の臨床評価—. 腎と透析63巻別冊アクセス，179〜183，2007.

3) 桜井寛ほか：透析現場における超音波画像診断装置(iLook25)の有用性. 腎と透析65巻別冊アクセス，233〜237，2008.

4) 佐久間宏治ほか：バスキュラーアクセス確保困難症例に対するエコーガイド下穿刺の有用性. 腎と透析66巻別冊アクセス，184〜185，2009.

8 초음파검사를 이용한 합병증의 진단

4 천자곤란
② 초음파검사

개요

천자곤란의 원인은 혈류불량, 혈관의 문제, 그리고 천자기술의 문제로 나누어 생각해 볼 수 있다(p.185의 **표 8-5 참조**). 이 중 초음파검사를 이용하여 혈류불량 및 혈관의 문제에 대하여 유용한 정보를 얻을 수 있다. 천자곤란의 원인에 따른 비율은 혈류불량이 약 12%, 혈관의 문제가 72% 정도이므로 80% 이상의 증례에서는 초음파로 천자 곤란의 원인을 파악하는 것이 가능하다(**그림 8-99. 천자곤란 증례의 원인분석**)[1]. 혈류불량의 경우에는 협착부위에 경피적혈관성형술을 시행할 수 있고 혈관의 문제에 대해서는 천자부위를 변경하여 천자곤란을 개선할 수 있기 때문에, 초음파를 이용하여 천자곤란의 원인을 파악하는 것이 매우 중요하다고 생각한다.

1 초음파검사 전에 확인해야 할 것

천자곤란으로 의뢰가 왔을때, 범위를 좁혀서 검사를 시행하기 위해서는 검사 전 다음의 항목을 확인해 둘 필요가 있다.

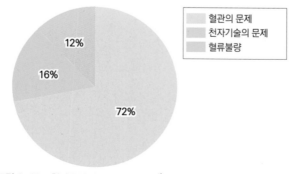

| 혈관의 문제 |
| 천자기술의 문제 |
| 혈류불량 |

그림 8-99 천자곤란 증례의 원인분석[1]

1 환자의 혈관통로에 관한 정보

혈관통로에 관한 정보를 이해하면 천자곤란의 원인을 예상할 수 있다.

① 혈관통로의 종류

자가혈관 동정맥루를 가진 환자는 다양한 원인으로 천자곤란이 생길 수 있다. 인조혈관을 가진 환자는 인조혈관내 석회화 및 인조혈관 천자부의 협착으로 천자가 어려울 수 있으며, 상완동맥 표재화(brachial artery superficialization) 환자는 동맥석회화, 혈관내강협착 등으로 천자가 어려운 경우가 많다.

② 혈관통로 조성 후 경과 년수

자가혈관 동정맥루에서 동맥화된 정맥은 많은 혈류량 및 내압의 상승에 의해 시간에 따라 그 특성이 변화한다. 그렇기 때문에 천자곤란의 원인도 동정맥루 조성 후 시간에 따라 달라진다. 조성 후 수 개월 이내에는 동정맥루가 충분히 발달하지 않아서 천자가 어렵지만, 시간이 경과한 이후에는 내막비후와 정맥판막 등으로 천자가 어려워지게 된다. 혈관통로 조성 후 장기간 경과한 후에는 혈관의 굴곡·사행 및 혈관벽의 석회화에 의한 천자곤란이 추가로 발생할 수 있다.

③ 혈관통로 치료 과거력

혈관성형술을 시행했었던 환자는 치료부위의 재협착으로 혈류량이 저하되어 천자가 어렵게 될 수 있다.

2 천자곤란에 관한 구체적인 정보

천자곤란에 관한 구체적인 정보를 이용하면 천자곤란의 원인을 어느정도 예상할 수 있다. 아래에 몇 가지 예를 제시한다.

① 지혈대를 이용하여 유출정맥을 압박해도 동정맥루 혈

관이 확장되지 않는다.

 - 혈류불량을 고려한다.

② 지혈대를 이용하여 유출정맥을 압박해도 혈관의 위치를 알 수 없다.

 - 혈류불량 또는 혈관의 주행이 깊은 경우를 생각할 수 있다.

③ 천자부위가 딱딱하고 천자바늘삽입 시 저항이 있다.

 - 혈전·내막비후·석회화 등의 혈관내강의 문제 또는 혈관 굴곡에 의한 혈관의 중첩 등이 예상된다.

④ 외측 플라스틱 캐뉼라가 천자 도중 진행되지 않는 경우

 - 정맥판막, 내막비후, 혈전에 의한 혈관내강의 협소화, 또는 혈관의 사행이나 혈관 내 격벽 등을 생각할 수 있다.

⑤ 외측 플라스틱 캐뉼라가 진행하지만 혈액유입불량이나 정맥압이 상승한다.

 - 외측 플라스틱 캐뉼라의 일부가 혈관 밖으로 빠져나간 경우를 고려한다.

3 | 시진·청진·촉진

혈관통로의 신체검사를 이용하여 혈류불량, 협착의 존재, 혈관의 깊이나 혈관주행, 혈전, 석회화 유무 등을 어느 정도 예측할 수 있다.

2 초음파검사의 순서

천자곤란으로 의뢰가 왔을 때 초음파검사법은 다른 원인으로 시행하는 검사와 동일하게 기능평가(혈관통로 혈류량 및 혈관저항지수를 검사)와 혈관의 형태평가를 시행한다. 검사의 누락을 방지하기 위해서 검사의 순서를 결정해 두는 것이 좋다. 본원에서는 우선 기능평가를 시행하고 혈류불량의 유

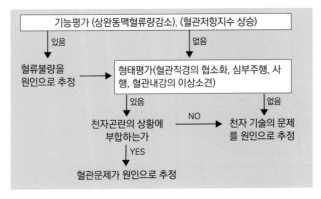

그림 8-100 검사의 순서

무를 검사한 뒤 천자부위 근방을 중심으로 형태평가를 시행한다(그림 8-100). 형태평가를 먼저 시행해도 상관은 없으나, 혈류불량 및 혈관의 문제가 합병될 수 있기 때문에 반드시 기능 및 형태는 함께 평가할 필요가 있다.

3 증례

1 | 혈류불량(그림 8-101)

86세 여성, 혈액투석기간 3년, 왼쪽 전완 동정맥루(혈관통로 사용기간 3년)·혈관성형술의 과거력이 있고, 혈관의 발달이 약하고 천자가 어려워 검사 의뢰됨. 이전의 혈관성형술 시행부위에 재협착이 확인됨. 혈관성형술 후 천자곤란 개선.

2 | 혈관의 문제

① 혈관의 직경이 가늘다(그림 8-102)

59세 여성, 혈액투석기간 1개월, 왼쪽 전완 동정맥루(혈관통로 사용기간 1개월). 혈관이 가늘고 천자가 어려워 검사 의뢰됨. 초음파검사로 혈관직경을 측정하여 혈관성형술 시행 전까지 비교적 직경이 큰 부위를 찾아 천자하는 것으로 천자곤란 개선.

② 혈관이 깊게 주행(그림 8-103)

29세 여성 혈액투석기간 2개월, 왼쪽 전완 동정맥루(혈관통로 사용기간 2개월). 혈관 촉진이 어렵고 주행을 알 수 없어 검사 의뢰됨. 초음파에서 혈관이 깊게 주행하고 있는 것을 확인함. 촉진 및 초음파소견을 함께 참고하여 혈관 주행을 쉽게 이미지화하고 천자곤란을 개선함.

③ 혈관의 굴곡·사행(그림 8-104)

57세 여성 혈액투석기간 9개월, 왼쪽 전완 동정맥루(혈관통로 사용기간 9년). 천자 시에 저항이 있고, 바늘을 전진시키면 통증을 호소하여 검사 의뢰됨. 초음파 검사 상 혈관주행이 굴곡·사행하고 있으며, 혈관벽의 일부가 굴곡되고 중첩된 소견이 확인됨. 이 부위를 천자바늘이 통과하기 때문에 저항·통증이 있는 것으로 판단되었고, 천자부위를 변경하여 천자 곤란이 개선됨.

PTA 전	PTA 후

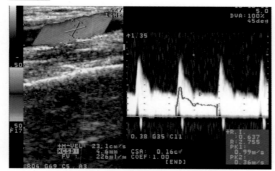
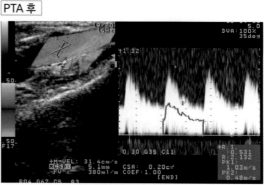

FV (flow volume) 220 ml/min RI 0.637 | FV 380 ml/min RI 0.531

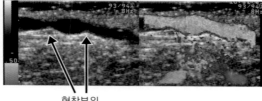

협착부위

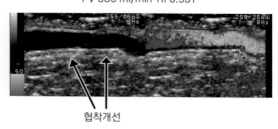

협착개선

그림 8-101 혈류불량(혈관성형술 부위 재협착)으로 천자곤란이 생긴 증례

위: PTA 후에는 상완동맥(brachial artery) 혈류량(FV)이 증가하고 혈관저항지수(RI)는 감소하였다.
아래: PTA 후 협착부위가 확장되어 있다.

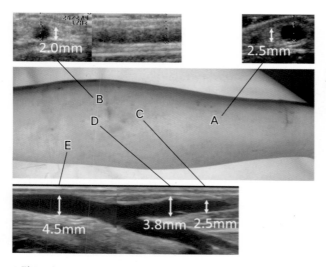

2.0mm
2.5mm
B
D C A
E
4.5mm 3.8mm 2.5mm

그림 8-102 동정맥루 조성 초기에 천자곤란을 보였던 증례

기능평가에서 혈류량 347 ml/min으로 낮았고, 동정맥루가 충분하게 성숙되지 않았다. A, B, C 부위에서 천자가 어려워, 비교적 두꺼운 D, E 부위에 천자하였다.

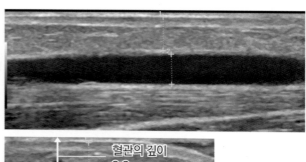

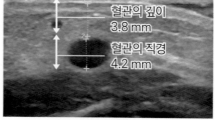

혈관의 깊이
3.8 mm

혈관의 직경
4.2 mm

그림 8-103 혈관이 깊게 주행하기 때문에 천자곤란을 보인 증례

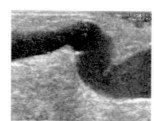

그림 8-104 굴곡·사행하는 혈관주행으로 천자가 어려운 증례

혈관이 굴곡되어 중첩된 부위를 천자바늘이 통과하였기 때문에 천자가 어려웠다(← 천자의 방향).

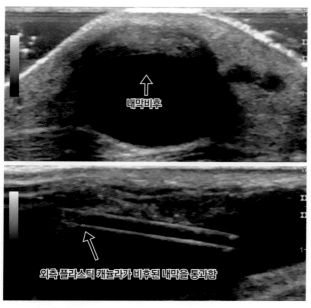

그림 8-105 내막비후로 천자곤란이 생긴 증례

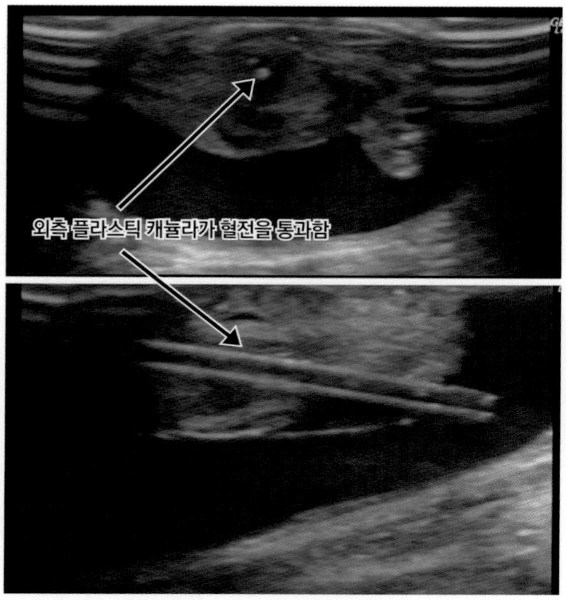

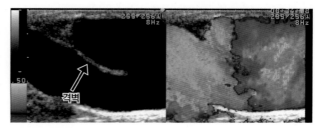

그림 8-106 혈관 내에 생긴 혈전으로 천자가 어려웠던 증례

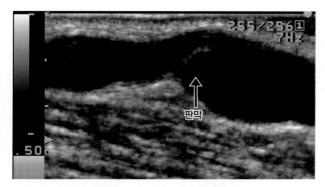

그림 8-107 정맥 판막으로 천자가 어려웠던 증례

그림 8-108 혈관 내 격벽으로 천자가 어려웠던 증례

④ 혈관내막 비후(그림 8-105)

62세 남성. 혈액투석기간 18년. 왼쪽 전완 동정맥루(혈관통로 사용기간 18년). 천자 시 저항이 있고 외측 플라스틱 캐뉼라를 진행시킬 때에도 저항이 있어 검사 의뢰됨. 천자부위 혈관내강에 내막비후를 확인함. 천자부위를 변경 후 천자곤란 개선됨.

⑤ 혈전(그림 8-106)

80세 남성. 혈액투석기간 27년. 왼쪽 전완 동정맥루(혈관통로 사용기간 27년). 혈관성형술의 기왕력 있고 최근 바늘 및 캐뉼라 삽입 시 저항이 있어 검사 의뢰됨. 천자부위 혈관내강에 혈전이 확인되어 혈전용해 요법으로 혈전을 제거한 후 천자곤란이 개선됨. 상완동맥(brachial artery) 혈류량은 493 ml/min이고 혈관성형술 부위의 재협착 소견도 없었기 때문에 천자 및 지혈과 연관되어 혈전이 형성된 것으로 판단됨.

⑥ 정맥 판막(그림 8-107)

83세 남성. 혈액투석기간 2년. 오른쪽 전완 동정맥루(혈관통로 사용기간 2년). 외측 플라스틱 캐뉼라가 진행되지 않아 검사 의뢰됨. 천자부위 근방에 정맥 판막이 확인됨. 천자부위를 변경하고 천자곤란 개선.

⑦ 혈관 내 격벽(그림 8-108)

60세 여성. 혈액투석기간 11년. 왼쪽 팔오금부위 동정맥루(혈관통로 사용기간 11년). 외측 플라스틱 캐뉼라가 진행하지 않아 검사 의뢰됨. 혈관 내 격벽을 확인함. 천자부위를 변경하고 천자곤란 개선.

⑧ 석회화(그림 8-109)

a: 67세 남성. 혈액투석기간 35년. 왼쪽 전완 동정맥루(혈관통로 사용기간 35년)

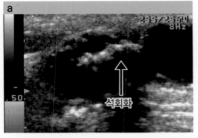

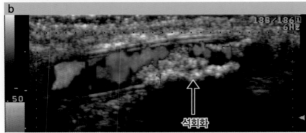

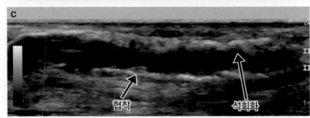

그림 8-109 석회화에 의한 천자곤란을 보인 증례

a: 동정맥루 (AVF)
b: 인조혈관 (AVG)
c: 표재화한 상완동맥의 석회화 (후벽손상에 의한 협착 동반)

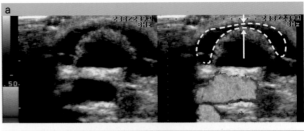

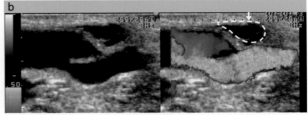

그림 8-110 혈종에 의한 천자곤란을 보인 증례(a: 단축상, b: 장축상)

혈관전벽이 분리되어 혈종(점선부분)이 관찰됨. 컬러 도플러를 이용하여 혈종 속에는 혈류가 없음을 확인함.

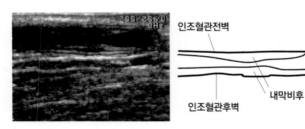

그림 8-111 인조혈관 천자구역 협착에 의한 천자곤란을 보인 증례

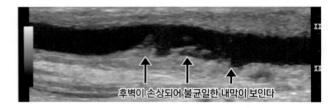

그림 8-112 표재화 상완동맥(brachial artery)의 후벽손상에 의한 천자 곤란을 보인 증례

b: 73세 남성. 혈액투석기간 8년. 오른쪽 전완 인조혈관 (인조혈관 조성 후 5년)

c: 87세 여성. 혈액투석기간 27년. 표재화 상완동맥(brachial artery) (혈관통로 사용기간 6개월)

천자 시 저항이 있고, 천자바늘의 혈관 내 진입이 어려워 검사 의뢰됨.

천자부 주변에 석회화를 확인함. 천자부위를 석회회가 적은 부위로 변경하고 천자곤란 개선.

⑨ 혈종(그림 8-110)

77세 남성. 혈액투석기간 7년. 왼쪽 전완 동정맥루(혈관통로 사용기간 4년). 외측 플라스틱 캐뉼라가 부드럽게 삽입되었으나 혈액유입이 되지 않아 의뢰됨. 혈관전벽이 분리되어 있고 분리된 낭에 혈전이 확인됨. 외측 플라스틱 캐뉼라가 분리된 혈관벽 내로 삽입된 것으로 생각되어 천자부위를 변경함.

⑩ 인조혈관내 천자부 협착(그림 8-111)

67세 여성. 혈액투석기간 3년. 오른 전완 인조혈관(혈관통로 사용기간 3년). 외측 플라스틱 캐뉼라가 인조혈관에 부드

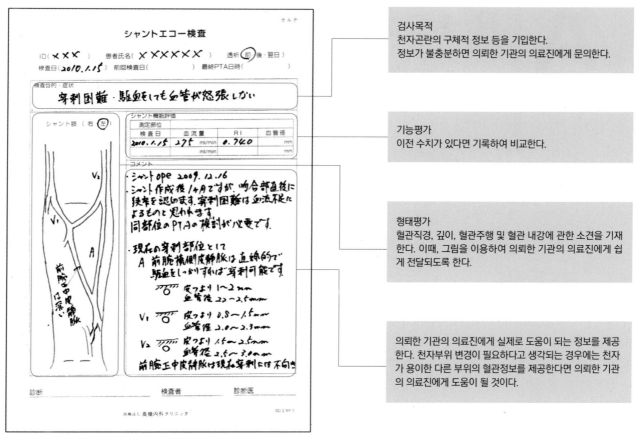

그림 8-113 초음파검사 보고서

검사목적
천자곤란의 구체적 정보 등을 기입한다.
정보가 불충분하면 의뢰한 기관의 의료진에게 문의한다.

기능평가
이전 수치가 있다면 기록하여 비교한다.

형태평가
혈관직경, 깊이, 혈관주행 및 혈관 내강에 관한 소견을 기재한다. 이때, 그림을 이용하여 의뢰한 기관의 의료진에게 쉽게 전달되도록 한다.

의뢰한 기관의 의료진에게 실제로 도움이 되는 정보를 제공한다. 천자부위 변경이 필요하다고 생각되는 경우에는 천자가 용이한 다른 부위의 혈관정보를 제공한다면 의뢰한 기관의 의료진에게 도움이 될 것이다.

럽게 삽입되지 않아 의뢰됨. 인조혈관의 천자부위에 내막비후로 인한 협착이 확인됨. 천자부위 변경 후 천자곤란은 개선되었고, 협착부위에 대해서는 혈관성형술을 시행함.

⑪ 표재화 동맥의 후벽손상에 의한 내강협착

69세 남성. 혈액투석기간 6개월. 표재화 상완동맥(brachial artery)(혈관통로 사용기간 6개월). 외측 플라스틱 캐뉼라가 진행하지 않아 의뢰됨. 손상된 동맥의 후벽에 외측 플라스틱 캐뉼라가 걸려서 진행하지 않았던 것으로 생각됨. 천자부위를 변경하고 천자곤란개선.

ONE POINT ADVICE

천자곤란으로 초음파검사 의뢰되었을때 보고서 작성방법

보고서는 의뢰한 의료진이 이해하기 쉽고 유용하도록 기록하는 것이 필요하다. 문장과 그림을 병용하여 보다 이해하기 쉽게 한다. 또 천자곤란의 원인만을 파악하는 것이 아니라, 천자가 용이한 다른 부위의 혈관정보도 기입하여 의뢰한 의료진에게 도움을 주는 것이 바람직하다.

● 참고문헌

1) 大谷正彦ほか：穿刺困難例の原因と対策―シャントエコーを用いた解析より―. 腎と透析69巻別冊アクセス, 254〜255, 2010.
2) 太田和夫：さらばシャントラ. 東京医学社, 東京, 2002, 29.

1 개념과 병태

동정맥루나 인조혈관 수술 후에는 동맥혈이 지속적으로 단락(shunt)을 통해 모세혈관계를 우회하여 정맥으로 직접 흘러가게 된다. 대부분의 증례에서는 혈관통로의 혈류가 증가함에 따라 동맥혈류도 증가한다. 말초혈류가 저하된 정도를 정확히 측정할 수는 없으나, 원래 동맥경화에 의해서 말초의 동맥저항이 큰 환자는 말초에 공급되어야할 혈류가 저하되는 경우가 있다. 이러한 상태가 동반되어 손가락에 허혈증상이 나타나는 것을 도류(스틸) 증후군이라고 한다. 도류증후군의 발생 여부는 혈관통로의 혈류량과 말초동맥의 저항에 의해서 결정된다.

보통의 radio-cephalic arteriovenous fistula (요골동맥-요측피정맥 동정맥루)에서 도류증후군의 병태를 알아보자.

혈관통로에는 요골동맥(radial artery)에서 공급되는 순행성 혈류와 척골동맥(ulnar artery)으로부터의 역행성 혈류가 혼재되어 있다. 척골동맥(ulnar artery)으로부터 손가락에 공급되어야 할 혈류가 수장동맥궁(palmar arch)을 매개로 혈관통로 문합부로 흘러들어간다(그림 8-114). 수술 후 시간이 경과함에 따라 혈관통로 유입동맥의 저항이 작아지고 말초동맥의 저항이 높아지면 손가락으로 공급되어야 할 동맥의 혈류량이 저하된다. 그림 8-114는 도류증후군의 전형적인 병태인데, 반드시 역류하는 혈류가 있지 않아도 도류증후군이 생기는 경우도 있다. 상완동맥(brachial artery)을 이용하여 조성된 동정맥루(AVF)와 인조혈관(AVG)에서 혈관통로 혈류량이 과다하게 증가되어 상완동맥의 대부분의 혈류가 혈관통로로 유입되면 말초에 공급되는 혈류의 양이 감소하여 도류증상이 나타날 수 있다. 특히 여러 차례 혈관통로 수술을 시행한 증례는 요골동맥(radial artery)이 폐색되어 있는 경우도 있다. 이와 같은 증례에서 팔오금(cubital fossa) 부위에 혈관통로를

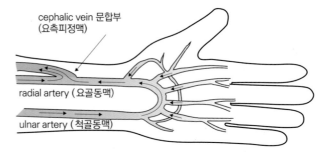

그림 8-114 도류증후군의 병태

표 8-7 도류증후군의 원인

말초동맥 저항증가	혈관통로 혈류량과잉
동맥협착	상완의 동정맥루
동맥경화	인조혈관
당뇨병	문합직경 과대
고령	
여성	
SLE (systemic lupus erythematosus)	

만들게 되면 도류증후군이 발생하기 쉽고, 임상적으로 종종 볼 수 있는 경우이다.

도류증후군은 혈관통로 혈류량과 말초동맥저항의 관계로 결정된다(표 8-7). 팔오금부위에 조성된 동정맥루나 상완동맥(brachial artery)에 문합한 인조혈관의 조성 직후에는 과잉혈류에 동반되어 도류증후군이 발생할 수 있다. 또 당뇨병이 있거나 고령의 환자 등 말초혈관저항이 높은 환자에서는 혈류과잉을 동반하지 않더라도 혈관통로 수술 뒤 도류를 동반할 위험이 있다. 특히 앞에서 언급한 기저질환이 있는 환자는 혈관통로에 과잉혈류가 흐르면 도류증후군의 발생 빈도가 높아지기 때문에 주의가 필요하다.

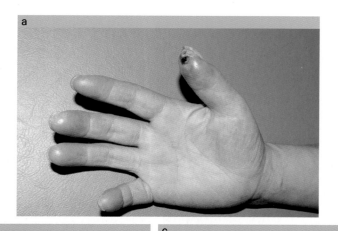

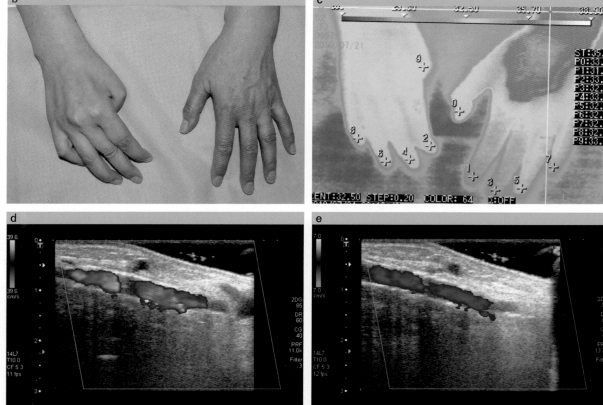

그림 8-115 도류증후군의 증상

a: stage IV. 손가락의 통증과 저림을 주소로 진찰. 손끝이 전체적으로 암적색이고 혈류저하가 있다. 엄지손가락의 일부가 괴사되고 있다.

b: satge III. 손가락의 냉감·통증을 증상으로 진찰. 왼쪽 손가락의 색조가 비정상적이다.

c: 체열 스캔영상(thermogram) 소견. 혈관통로(왼쪽)가 있는 팔의 손가락 끝의 온도가 저하되어 있다. 문합부부터 하류는 오히려 피부온도가 상승되어 있다.

d.e: 동정맥 문합부보다 말초 측의 요골동맥(distal radial artery) 컬러 도플러 소견. d에서는 중추 측 요골동맥(proximal radial artery)방향으로 역류하는 혈류가 관찰된다. 혈관통로를 압박하면 요골동맥(radial artery)은 순행성으로 변화한다(e).

2 증상과 진단

도류증후군의 병태는 중증도에 따라서 stage I부터 stage IV로 분류한다(표 8-8). 경도의 증례는 손가락의 경한 냉감이 있지만, 중증의 경우에서는 궤양 및 괴사를 동반하는 경

표 8-8 도류증후군의 중증도 분류

Stage	증상
I	손가락이 차갑고 창백하지만, 통증은 없음
II	투석이나 운동 시의 통증
III	안정 시에도 손가락에 통증이 있음
IV	궤양 및 괴사

우도 있다.

진단은 자각증상과 진찰소견을 종합하여 시행하며, 현재로는 초음파검사가 유효한 진단도구이다.

말초순환혈류를 객관적으로 평가하는 방법으로 손가락의 맥파분석 산소포화도(SaO2), 열 스캔영상(thermogram), 피부조직 관류압(SPP: skin perfusion pressure) 측정법 등이 있다. 이러한 검사법들은 도류증후군의 진단보다는 치료효과 판정에 사용되는 경우가 많다.

도류증후군과 감별해야 할 질환은 수근관증후군(carpal tunnel syndrome), sore thumb 증후군이 있다. 수근관증후군은 정중신경을 압박하여 생기는 저림이나 동통이 주요한 증상이고 손가락의 냉감을 동반하지 않는다. sore thumb 증후군은 궤양이 생기고 통증을 동반하기 때문에 도류증후군과의 감별이 곤란한 경우도 있다. 도류증후군은 허혈이 원인이지만, sore thumb 증후군은 울혈이 원인이기 때문에 두 질환은 완전히 다른 혈행동태를 갖는다.

도류증후군은 혈관통로 조성 직후에 생기는 경우가 많지만 혈관통로 조성 이후 시간이 경과한 증례에서도 혈관통로의 혈류량증가와 동맥경화의 악화에 의해서 순차적으로 도류증상을 동반하는 경우가 있다. 혈관통로 조성 직후 발생한 도류증후군은 급속하게 발병하고 증상도 심한 것이 특징이다.

3 치료

도류증후군의 치료는 긴급도, 중증도, 혈행동태에 따라 결정되는 데, 그 중에서도 긴급한 치료가 필요한 증례를 파악하는 것이 중요하다. 특히 조성술 후에 혈행동태가 급속하게 변하여 조성 후 24시간 이내에 도류증후군이 발생하는 경우가 있으며, 혈관통로가 있는 팔의 손가락 통증이나 저림, 심한 냉감을 동반하는 경우에는(3단계 이상), 긴급하게 혈관통로를 폐색해야한다.

만성적으로 진행하는 증례라도 3 또는 4단계의 증상이 있다면, 수술적 치료가 필요하다. 그림 8-115의 증례는 통증과 냉감뿐만 아니라, 엄지손가락에 궤양이 형성되었기 때문에(4단계), 혈관통로를 결찰하였다. 과잉혈류의 경우에는 혈관통로의 banding 수술(PTFE 인조혈관이나 봉합사를 이용하여 혈관을 축소하는 방법)이 효과가 있어 이 방법을 첫 번째로 고려할 수 있다. 그림 8-115-b는 stage III의 증례로 통증과 저림 증상을 호소하였다. 손가락에 궤양은 없지만 양손의 색이 다르다. Thermogram을 시행하면 혈관통로가 있는 왼팔의 손가락 끝의 피부온도는 낮지만, 혈류가 있는 부위는 피부온도가 높다(그림 8-115-c). 또한 도플러검사에서 문합부보다 말초의 요골동맥의 혈류가 역행하여 문합부 방향으로 흐르는 것이 확인되는 데, 혈관통로를 탐촉자(probe)로 압박하면 순행성의 혈류로 변화한다(그림 8-115-d-e). 이론적으로는 말초의 요골동맥(radial artery)을 결찰하면 역류하는 혈류가 차단되고 척골동맥(ulnar artery)에서 손가락 쪽으로 동맥혈을 증가시킬 수 있지만, 향후에 척골동맥(ulnar artery)의 혈류가 감소하는 경우에는 대처하기가 어려워진다. 이 증례는 과잉혈류가 원인이기 때문에 혈관통로에 banding시술을 시행하여 혈관통로 혈류량을 감소시켜 허혈증상을 개선시킬 수 있었다.

8 초음파검사를 이용한 합병증의 진단

5 도류증후군(steal syndrome)
② 초음파진단

1 도류증후군의 초음파검사

　도류증후군이 의심되는 경우, 우선 상완동맥 혈류량(인조혈관이라면 인조혈관의 혈류량도 측정)을 측정한다. 앞에서 서술한 것처럼 과잉혈류의 유무에 따라 치료가 다르다. 측정한 혈류량이 1,000 ml/min 이상이라면, 혈관통로의 banding 시술이 효과가 있기 때문에 혈관통로의 혈류량이 가장 중요한 정보이다. 과잉혈류가 없이 발생한 도류증후군은 동맥경화로 인한 말초순환장애가 있는 경우가 많다. 이러한 경우에는 쇄골하동맥부터 순차적으로 동맥을 조사하여 유입동맥의 협착 유무를 검사한다. 드물지만 중추의 동맥협착이 말초순환장애의 원인이 되는 경우가 있다. 이러한 경우에는 동맥의 혈관성형술(PTA)이 효과적이기 때문에 동맥협착의 유무를 확인하는 것도 중요하다. 오랜기간 투석치료를 받은 환자 및 당뇨환자는 동맥의 석회화가 심하고, 상완동맥(brachial artery)·요골동맥(radial artery)·척골동맥(ulnar artery)의 석회화로 인하여 동맥협착이 생기는 경우가 많다. 이러한 증례에서는 혈관통로로 인한 영향뿐 아니라 동맥경화로 인한 말초순환장애가 주요한 원인이 되어 도류증후군이 생긴 것으로 생각할 수 있으며, 혈관통로의 혈류량은 정상 범위이거나 오히려 적은 경우도 있다. 혈관통로의 혈류량은 많지 않지만 도류증상을 동반하는 경우에는 혈관통로를 막아도 도류증상이 개선되지 않는 경우가 있다. 문합한 동맥의 혈류량과 혈류방향을 문합부의 중추 측과 말초 측에서 모두 검사하는 것도 중요하다. 도류증후군에서는 말초순환혈류가 저하되어 있기 때문에 보통의 혈관통로 검사법과는 달리 말초동맥의 혈류를 정밀하게 조사할 필요가 있다. 요골동맥-요측피정맥 동정맥루(radio-cephalic AVF)에서는 문합부보다 말초 측의 요골동맥에서 혈류 정보를 얻는다. [병태와 증상]에서 설명한 바와 같이 문합부 말초의 요골동맥에서 문합부로 역류하는 혈류가 관찰되는 경우가 많

다. 이와같은 경우 혈관통로를 압박하면 역행하는 혈류가 순행성으로 변화한다(그림 8-116). 하지만, 말초동맥의 역행성 혈류가 도류증후군에 특징적인 소견은 아니고, 요골동맥-요측피정맥 동정맥루의 70-90%에서 관찰할 수 있다는 보고도 있다. 또한, 도류증후군이 있더라도 반드시 요골동맥에 역행성 혈류가 관찰되는 것은 아니다. 수장동맥궁(palmar arch)의 개통성이 불완전한 경우에는 척골동맥에서 요골동맥으로의 혈류가 확인되지 않는 경우가 있다(그림 8-117). 이러한 증례에서는 제1,2 손가락에 혈류장애가 나타나는 경우가 많다. 또, 기존의 척골동맥에 혈류부전이 있는 경우에는 순행성의 요골동맥 혈류가 있더라도 제4, 5번째 손가락에 허혈증상이 나타나는 경우도 있다(그림 8-118). 그림 8-117,-118의 혈행동태에서는 요골동맥의 말초는 순행성의 혈류가 된다. 따라서, 말초 요골동맥의 역행성 혈류는 도류증후군의 진단에 필요조건도, 충분조건도 아니라는 것을 알고 있을 필요가 있다. 하지만, 초음파검사로 얻어진 혈행동태는 치료방침을 결정하는데 많은 참고가 되기 때문에 도류증상이 있는 증례에서는 초음파검사가 유용하다. 특히, 팔오금(cubital fossa)에 조성된 혈관통로에서는 말초 동맥의 역류하는 혈류가 없어도 도류증후군이 생길 수 있다. 이러한 경우 문합부보다 말초의 동맥혈류는 순방향이지만 혈류량이 비정상적으로 적고, 혈관통로를 압박하면 말초동맥의 혈류가 증가한다(그림 8-119). 이러한 증례는 과잉혈류 상태인 경우가 많기 때문에 혈관통로 결찰술이나 혈관통로 혈류량을 감소시키는 시술이 효과가 있다.

　실제로 말초에 도달하는 혈류를 추정하는 방법도 있다. 요골동맥으로 혈류가 역류하는 경우에는 이론적으로 척골동맥 혈류량과 역류하는 요골동맥 혈류량의 차이 만큼이 손가락으로 공급된다고 할 수 있다(골간동맥(interosseous artery)에서 손가락으로 공급되는 혈류를 무시한다고 가정할 경우). 또한, 상완동맥 혈류량과 혈관통로 혈류량의 차이도 말초순환 혈류량이 된다. 하지만, 혈관통로와 말초동맥에서 측정한 혈

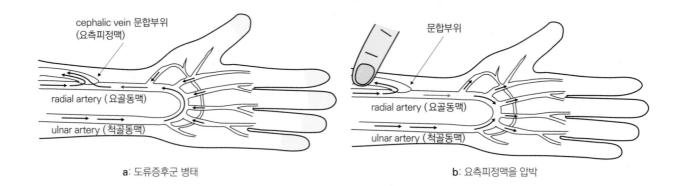

a: 도류증후군 병태

b: 요측피정맥을 압박

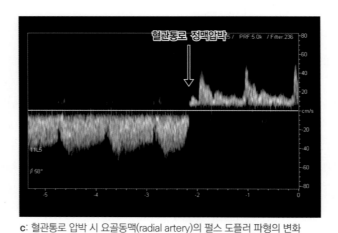

c: 혈관통로 압박 시 요골동맥(radial artery)의 펄스 도플러 파형의 변화

그림 8-116   요골동맥(radial artery)으로 역류하여 동정맥루로 유입되는 증례

동정맥루를 압박하면, 일시적으로 혈관통로 혈류가 차단되고, 문합부 말초의 요골동맥 혈류방향이 순방향으로 변화한다.

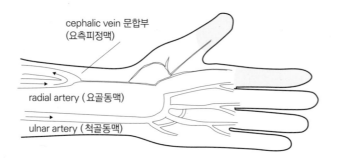

그림 8-117   불완전한 수장동맥궁(palmar arch)

수장동맥궁이 불완전한 경우, 제1,2번 손가락은 요골동맥(radial artery)에서만 혈류가 공급된다. 문합부보다 말초의 요골동맥 혈류량이 감소하면 제1, 2 손가락엔 순환장애가 생기지만, 제3~5 손가락에는 척골동맥(ulnar artery)으로부터 혈류가 공급되어 허혈증상이 생기지 않는다.

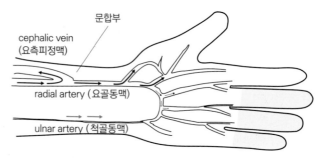

그림 8-118   척골동맥(ulnar artery) 혈류부전

기존의 척골동맥(ulnar artery)에 혈류부전이 있고, 손가락혈류의 대부분이 요골동맥(radial artery)으로부터 공급되는 경우, 요골동맥에 동정맥루를 조성하면 요골동맥 말초의 혈류가 저하되어, 요골동맥으로부터 멀리있는 제3~5 손가락에 순환장애가 발생할 수 있다.

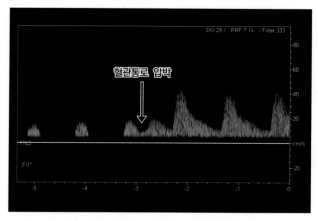

그림 8-119 혈관통로 압박 후 상완동맥(brachial artery)의 변화

상완에 조성된 혈관통로에서 문합부보다 말초의 상완동맥의 혈류 변화. 혈관
통로를 압박하기 전엔 혈류가 비정상적으로 작지만, 혈관통로를 압박하면 말
초로의 동맥혈류가 증가된다. 이러한 증례에서 혈류량과잉이 있다면 혈관통로
banding 수술을 통해 허혈증상을 개선시킬 수 있다.

표 8-9 도류증후군의 초음파소견과 치료법 선택

초음파소견			치료법
중추에 동맥협착 있음			동맥의 혈관성형술(PTA)
중추에 동맥협착 없음			
과잉혈류(+)			혈관통로 banding
과잉혈류(-)	전완 말초의 동정맥루(AVF)		
	요골동맥(radial artery)의 역류(+)		문합부보다 말초의 요골동맥 결찰
	요골동맥(radial artery)의 역류(-)		약제치료(stage I,II), 수술적 치료(stage III, IV)
	팔오금부위 보다 중추의 동정맥루(AVF)		
	상완동맥(brachial artery)의 역류(+)		DRIL*
	상완동맥(brachial artery)의 역류(-)		약제치료(stage I.II), 수술적 치료(stage III, IV)

* DRIL: distal revascularization-interval ligation의 약자. 혈관통로 문합부 직후의 말초 동맥을 결찰하고, 문합부보다 중추의 동맥과 결찰한 동맥의 말초부위를 우
회(bypass)하여 연결시키는 방법. 혈관통로 혈류와 말초순환혈류를 유지하면서, 혈관통로로 향하는 말초동맥의 역류성 혈류를 차단하는 것이 목적이다.

류량은 오차가 큰 경우가 흔하기 때문에, 이러한 방법으로 추
정한 혈류량은 어디까지나 참고자료 정도로만 활용해야 한
다. 도류증후군에서 초음파검사는 치료방법을 결정하는데
대단히 중요한 정보를 제공한다(표 8-9). 역행하는 요골동맥
의 혈류가 원인인 경우에는 혈관통로 말초의 요골동맥을 결
찰하는 것이 효과적일 수 있다. 다만, 도류증후군은 복합적

인 원인으로 생기는 경우가 많기 때문에 각각의 정보를 종합
하여 치료방법을 결정하는 것이 중요하다. 특히, 동맥경화로
인한 말초동맥의 저항증가와 혈관통로의 과잉혈류가 공존하
는 경우가 많기 때문에, 과잉혈류가 있다는 것만 확인하고 검
사를 종료해서는 안되고, 말초동맥의 혈류 방향 및 동맥경화
의 정도를 반드시 확인해야 한다.

8 초음파검사를 이용한 합병증의 진단

6 감염

① 병태와 증상·치료

개요

혈관통로(vascular access)의 합병증 중에서도 감염은 진단 및 치료시기를 놓치면 패혈증으로 진행하여 생명이 위험할 수 있기 때문에 가장 주의해야 할 합병증의 하나이다.

투석의료 종사자들은 감염예방을 위해 일상에서 혈관통로를 주의깊게 관찰해야 하며, 매 투석 시에 관찰해야 할 것은 아래와 같다.

① 혈관통로의 관찰(청진음 변화, 부종, 발적, 동통, 혈종)
② 혈류가 충분히 유입되어 나오는가
③ 정맥압이 평소대로 유지되는가

특히 ①에서 혈관통로의 소리가 이전과 같은지, 협착소리는 아닌지, 부종은 없는지, 발적 및 동통의 감염 징후 유무, 혈종 형성의 유무 등을 확인하는 것이 대단히 중요하다. 또한, ②, ③ 항목을 추가하면 혈관통로 문제의 약 80%를 찾아낼 수 있다고 생각된다.

혈관통로에 관련된 발열, 발적, 동통이 있다면 감염을 의심해야 하며, 감염의 범위(국소적 또는 전신적)에 따라서 치료방침이 달라진다. 본원에서는 동정맥루의 감염이 의심되는 경우 **그림 8-120**(혈관통로 감염의 치료방침)의 순서도에 따라 진단하고 치료하고 있다. 즉 자가혈관 동정맥루의 감염, 인조혈관의 감염, 표재화한 상완동맥의 감염, 혈관통로에 생긴 동맥류의 감염으로 분류하여 진단 및 치료를 시행하고 있으며, 각각의 진단과정에서 비침습적 진단도구인 초음파검사를 적절히 활용한다.

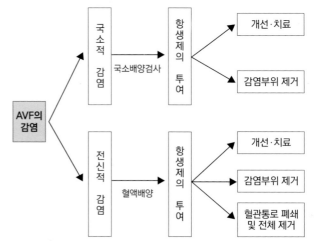

그림 8-120 동정맥루(AVF) 감염의 치료방침

1 자가혈관 동정맥루의 감염

초기 증상은 발열, 발적, 동통이다. 주의해야할 점은 국소적 감염과 전신적 감염을 감별하는 것이다. 감염이 있고 SIRS (Systemic Inflammatory Response Syndrome)의 기준을 만족시킨다면 전신감염으로 치료해야한다. 반면, 국소감염만 있다면 배액(drainage)과 항생제투여로 치료가 가능한 경우가 많다. 어느 경우이든 항상 국소적인 농(pus)이 있다면 세균배양검사를 시행해야 하고, 전신적인 발열이 있다면 혈액배양검사를 시행해야 한다.

초음파검사는 감염부위가 주변에 퍼져있는 정도를 평가하는데 유용하다.

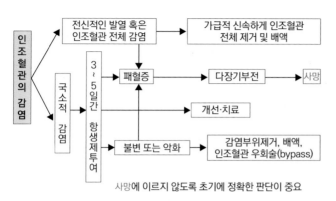

사망에 이르지 않도록 초기에 정확한 판단이 중요

그림 8-121 인조혈관(AVG) 감염의 치료방침

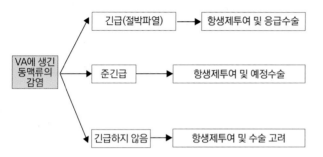

그림 8-123 감염된 혈관통로(VA) 동맥류의 치료방침

2 인조혈관의 감염

치료시기를 놓치면 사망할 수 있기 때문에 매우 신속하고 정확한 치료가 필요하다. 본원에서는 **그림 8-121**(인조혈관 감염의 치료방침)에 따라 치료하고 있다. 초음파를 이용하여 감염의 범위 및 상태를 평가하는 것이 매우 효과적이다. 다음의 증례에서 그 유용성을 설명하도록 하겠다. 인조혈관의 감염과 자가혈관 동정맥루의 감염은 증상이 유사하지만, 인조혈관의 감염은 출혈이 동반되는 경우가 흔하고 MRSA (Methicillin Resistant Staphylococcus Aureus) 감염이 많다. 배양검사 결과가 나오지 않은 상태라도 MRSA 감염이 의심되면 수술 시 반코마이신 1 g을 투여하는 것이 바람직하다.

3 표재화 동맥의 감염

일반적인 혈관통로 감염의 진단 및 치료와 같지만, 감염부위 말초의 혈류장애도 고려하여 치료해야한다. 상완동맥(brachial artery)의 중추 측 1/3 정도까지 상완동맥의 곁가지동맥(collateral branch)이 기능을 하고 있다면 최악의 경우 상

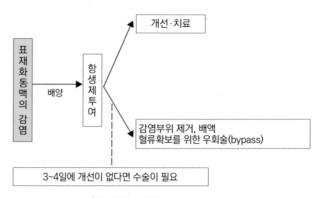

그림 8-122 감염된 표재화 동맥의 치료방침

완동맥을 결찰하는 경우도 있지만, 곁가지동맥의 발달이 미약한 증례의 경우 **그림 8-122**(감염된 표재화 동맥의 치료방침)처럼 말초로 혈류를 확보하고 치료해야 한다.

4 혈관통로에 생긴 동맥류의 감염

우선, 긴급한 상태인지 판단하는 것이 중요하다. 동맥류의 표면이 얇고 광택을 띠는 경우에는 급성파열(절박파열)의 가능성이 매우 높다. 초음파에서 표피가 얇고 내부가 불균일한 에코를 보이는 경우라면 긴급수술이 필요하다. 또한 도플러를 병용하여 동맥류 내의 혈류의 유무를 확인하는 것도 매우 중요하다. 표피가 어느 정도 비후되어 급성파열의 위험이 적다고 판단되더라도, 감염된 동맥류는 보존적 치료가 어렵다고 판단하고 수술로 제거해야한다. **그림 8-123**(감염된 혈관통로 동맥류의 치료방침)은 진단 및 치료의 순서도이다.

5 증례

80세 여성, 임신신병증(nephropathia gravidarum)에 의한 말기신장병으로 투석시작, 투석기간 13년, 상지 혈관은 수차례의 혈관통로 수술로 적당한 혈관이 없음. 2009년 8월 왼쪽대퇴부에 인조혈관(PTFE)을 이식받음. 사용 2개월 후 인조혈관이 감염되어 부분치환수술을 시행함.

2010년 6월 39℃의 발열과 7 cm 크기의 혹을 주소로 입원하였다. 입원 시 시행한 초음파검사에서 PTFE에 5 cm 크기의 내부에 균일한 에코를 가진 혈청종과 부분적으로 무에코의 액체성분이 저류된 소견을 관찰하였다(**그림 8-124**).

수술 전 모식도는 **그림 8-125**와 같았고, 감염부위를 폴리

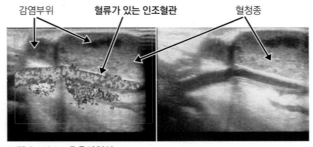

감염부위   혈류가 있는 인조혈관   혈청종

그림 8-124   초음파영상

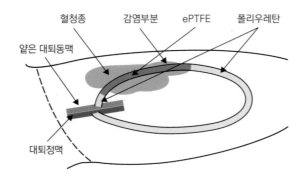

혈청종   감염부분   ePTFE   폴리우레탄

얕은 대퇴동맥

대퇴정맥

그림 8-125   수술 전 모식도

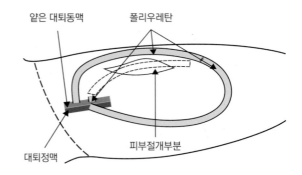

얕은 대퇴동맥   폴리우레탄

피부절개부분

대퇴정맥

그림 8-126   수술 후 모식도

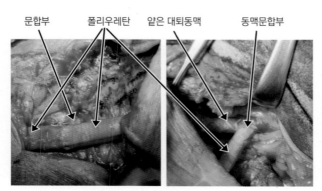

문합부   폴리우레탄   얕은 대퇴동맥   동맥문합부

그림 8-127   폴리우레탄을 이용한 인조혈관 치환

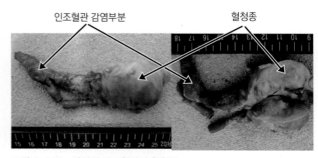

인조혈관 감염부분   혈청종

그림 8-128   감염된 인조혈관과 혈청종

우레탄 재질의 인조혈관으로 우회하였고 감염부위와 혈청종을 제거하였다. 그림 8-126은 수술 후의 모식도이고, 우회술 후가 그림 8-127이다. 그림 8-128은 혈청종 및 감염부위 사진이다.

마치면서

혈관통로의 감염은 생명이 위험 할 수 있다는 것을 명심하고 가급적 신속하게 진단하고 치료해야 한다.

● 참고문헌

1) 副島一晃：バスキュラーアクセスの合併症と修復法─(H)感染. バスキュラーアクセス─その作製・維持・修復の実際, 中外医学社, 160～167, 2007.
2) 浜田弘巳ほか：ブラッドアクセス感染の治療. 腎と透析51巻別冊アクセス, 13～16, 2001.
3) 平中俊行ほか：人工血管内シャントの感染と対策. 腎と透析59巻別冊アクセス, 24～26, 2005.
4) 新宅究典ほか：感染を生じたシャントグラフトの管理についての検討. 腎と透析61巻別冊アクセス, 56～60, 2006.
5) 塩田　潤ほか：鎖骨下動脈─上腕動脈バイパスを余儀なくされた, 腋窩動静脈ループグラフトMRSA感染の1症例. 腎と透析63巻別冊アクセス, 254～255, 2007.
6) 副島一晃ほか：敗血症化したグラフト感染症例の治療成績. 腎と透析61巻別冊アクセス, 50～55, 2006.

8 초음파검사를 이용한 합병증의 진단

6 감염

② 초음파검사

개요

혈관통로의 감염은 자가혈관 동정맥루(AVF)보다 인조혈관(AVG)에서 빈도가 높다. 또 동정맥루의 감염은 보존적 치료로 치료되는 경우가 많지만, 인조혈관의 감염은 완치가 곤란한 경우가 많기 때문에 혈액투석 환자에서 인조혈관을 포기해야하는 중요한 원인이며 생명예후에 영향을 미치는 중대한 합병증이다. 최근 당뇨신병증환자의 증가와 혈액투석 치료가 필요한 환자의 고령화로 인조혈관(AVG)을 사용하는 환자가 증가하고 있기 때문에 향후 인조혈관 감염증도 증가할 것으로 예상된다. 본 장에서는 인조혈관으로 투석 중인 환자의 혈관통로 감염 시 초음파검사에 대해서 알아보고자 한다.

1 인조혈관 감염에서 초음파검사의 역할

히라나카 등은 인조혈관(AVG)의 감염에 대하여 [인조혈관 감염 중에서 가장 빈도가 높은 곳은 인조혈관 천자부의 감염이고, 천자와 관련된 것으로 생각된다]고 보고하였다. 천자부와 인조혈관 주변의 발적, 열감, 압통 등의 국소적인 소견이 있는 경우와 국소적 소견은 경미하더라도 전신적 증상을 보이는 경우엔 인조혈관의 감염을 의심하고 초음파검사를 시행해야 한다(표 8-10).

인조혈관의 감염은 환자의 임상적 증상과 원인균의 동정으로 진단하는 것이기 때문에 초음파검사로 진단을 내리는 것은 아니지만, 초음파검사로 농양의 확인, 감염부위의 추정, 인조혈관 감염의 내과적 치료의 효과판정 및 외과적 치료선택의 보조적 수단으로써 매우 중요하다고 생각한다.

2 초음파진단

초음파를 시행하기 전에 반드시 전신적 소견의 확인과 천자구역을 중심으로 혈관통로의 시진 및 촉진을 시행하고 국소소견의 유무를 확인한다. 초음파검사를 이용하여 농양을 확인하고 감염의 범위에 대해서 평가한다. 감염은 국소적 또는 광범위하게 존재하기도 하고, 인조혈관 주위를 감싸고 있거나 전·후벽 중 한곳에 편재되어 있을 수 있다. [만성 혈액투석용 혈관통로(vascular access)의 조성 및 치료에 관한 가이드라인]에서는 '인조혈관의 감염에 대해서, 천자부위 국소감염으로 전신적 감염이 동반되지 않은 경우에서는 인조혈관의 부분적 제거가 가능하지만, 전신적인 감염을 동반한 경우에는 문합부를 포함하여 인조혈관 전체를 제거하는 것이 필요하다'라고 권고하고 있으므로 초음파검사로 천자부위를 포함하여 인조혈관의 전체를 평가하고 감염이 문합부까지 미치지 않았는지 확인할 필요가 있다. 또 농양이 천자부위 혈종 등과 감별이 어려울 수 있기 때문에 주변조직의 염증을 시사하는 간접소견에 대해서도 평가하고 감별할 필요가 있다.

표 8-10 인조혈관의 감염

호발 부위	국소적 소견	전신적 소견
천자부	발적	발열
	열감	백혈구의 증가
	압통	CRP의 상승
	부종	
	경결	
	배농	
	그 외	

(일본투석의학회의 만성 혈액투석용 혈관통로의 조성 및 치료에 관한 가이드라인 중)

1 농양의 초음파영상

농양은 경계가 약간 불명료하고 저에코의 물질이 채워진 영상으로 보이는 경우가 많은데 감염증의 기간에 따라 내부의 에코 성상도 함께 변화하기 때문에 다양한 에코상을 보인다.

농양의 내부에코는 융해괴사와 함께 저하되고 혼재성 영역과 무에코 영역으로 변화한다. 또 서서히 농양벽이 형성되고,

농양의 경계가 명료해진다(표 8-11, 그림 8-129~133).

표 8-11 농양의 초음파소견 (초기~시간 경과 후)

경계	형태	성상	내부의 에코	후방의 에코
불명료~ 명료	부정형~ 원형에 가까운 형태	저에코~ 무에코 영역 존재	균일~ 불균일	불변 ~ 경도의 증강

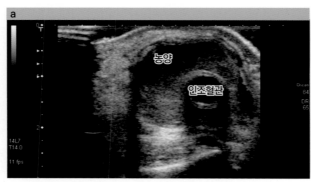
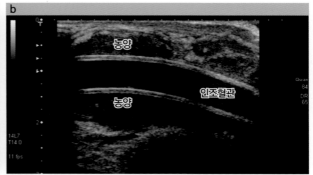

그림 8-129 인조혈관 주위 농양(a: 단축상, b: 장축상)
인조혈관의 주변에 경계가 거의 명료하고 내부에 불균일한 저에코 영역이 관찰되는 농양이 있다.

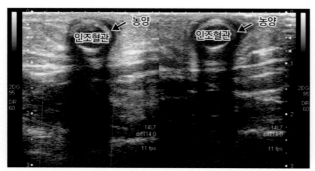

그림 8-130 인조혈관 주위 농양
인조혈관의 주변에 경계가 불명료한 저에코 영역이 관찰된다.

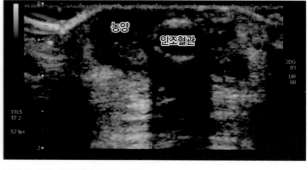

그림 8-131 인조혈관 주위 농양
인조혈관의 주변에 형태가 불분명하고, 경계의 일부가 불명료하고, 내부에 불균일한 무에코~저에코 영역이 있는 농양이 관찰된다.

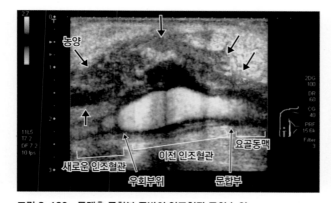

그림 8-132 동맥측 문합부 근방의 인조혈관 주위 농양
인조혈관과 동맥측 문합부에 경계가 불명료하고 내부가 불균일한 저에코 영역이 관찰된다.

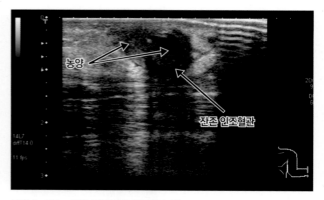

그림 8-133 잔존 인조혈관 주변의 농양
인조혈관 주변에 경계가 불명료하고 내부가 불균일한 저에코 영역이 관찰되고, 잔존 인조혈관 내부에도 저에코 영역이 보인다.

2 │ 농양 주변의 초음파영상

농양 주변에서는 피하조직이나 피하지방층의 비후, 또는 혈류의 증가 소견 등이 보인다. 이러한 주변조직의 염증을 시사하는 간접소견도 동시에 평가한다(표8-12, 그림8-134~137).

표 8-12　간접소견

- 피하조직의 비후
- 피하지방층의 비후
- 부종
- 농양 또는 인조혈관 주변의 저에코 영역의 혈류증가

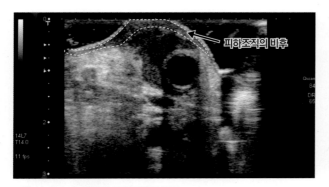

그림 8-134　농양주변 피하조직의 비후
인조혈관의 농양에 접하고 있는 피하조직이 비후된 영상이 보인다.

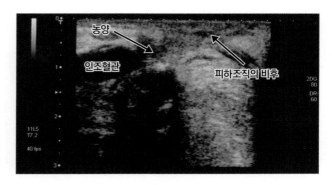

그림 8-135　천자부 피하조직의 비후
인조혈관 주위 농양에 인접하는 피하조직의 비후(천자부위 바로 아래)를 관찰할 수 있다.

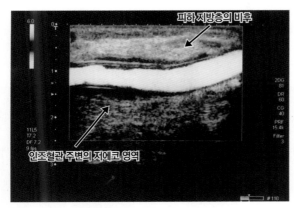

그림 8-136　피하지방층의 비후
인조혈관 주변에 저에코 영역이 관찰되고, 주변의 피하지방조직이 비후되어 있다.

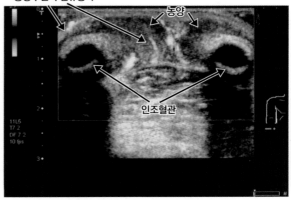

그림 8-137　농양주변의 혈류증가
농양의 주변조직에서 인조혈관과 연속성이 없는 혈류의 증가를 확인한다.

ONE POINT ADVICE

인조혈관 조성 후 이식편과 주위조직이 완전히 유착이 되기 전까지 인조혈관 주위에 저에코 영역이 보일 수 있으므로 감별이 필요하다. 수술 후에 보이는 인조혈관 주위의 저에코 띠는 그대로 잔존하는 경우도 있지만, 추후에 흡수되어 사라지는 경우가 많다. 반면, 국소적 · 전신적 증상이 나타나고, 천자부위에 인접하는 저에코 영역이 인조혈관 주위에 새롭게 나타나고, 저에코 영역 주변의 혈류증가가 동반되는 것은 염증이 진행하여 감염이 악화되고 있는 소견일 가능성이 크기 때문에, 이전의 초음파사진 등을 참고하여 저에코 영역이 주변부로 확대되지 않았는지를 평가할 필요가 있다(그림 8-130).

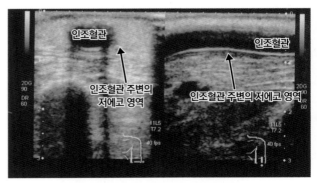

그림 8-138　인조혈관 주변의 저에코 영역(단축상·장축상)
인조혈관 이식 5개월 후, 인조혈관 주변에서 편재성의 저에코 띠가 관찰되었다. 주변조직에 염증을 시사하는 간접소견은 없었다.

상지 전체에 부종과 발적이 관찰되어 초음파검사에 의뢰되는 경우가 있다. 감염 외에도 인조혈관 이식 후 · 정맥고혈압 등으로 상지의 피하조직 · 피하지방층의 비후 및 부종 등의 간접소견이 나타나는 경우가 있다. 초음파검사로 농양이 보이지 않는 경우에는 간접소견의 범위와 측부정맥의 유무 등을 고려하여 부종이나 발적의 원인을 조사할 필요가 있다(표 8-13, 그림 8-139,140).

표 8-13 간접소견의 원인조사

	인조혈관 감염	인조혈관 이식술 후	정맥 고혈압
농양	있다	없다	없다
간접소견의 범위	국소	이식부 상지 (수술 후 수일~수 주간)	협착부보다 말초 측 상지
그 외		문합부 및 만곡부에 혈종 · 혈청종이 있는 경우도 있다.	협착이 원인이며, 협착부보다 말초 측에 정맥이 확장되고 측부혈관이 발달된다.

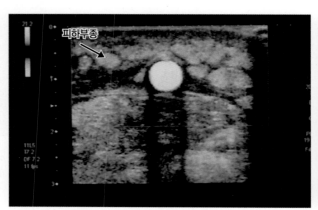

그림 8-139 인조혈관 이식술 후 피하부종
인조혈관 이식술 후 2주째, 수술 부위에 피하부종이 보인다.

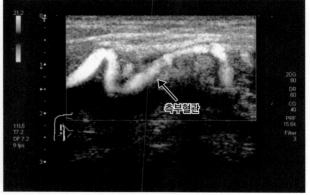

그림 8-140 측부혈관의 발달
상완에 확장·사행하는 측부혈관이 관찰된다.

표 8-14 혈종 및 혈청종(seroma)의 초음파소견

	혈종	혈청종
경계	명료~불명료	명료
형태	불규칙한 형태	원형에 가까운 형태
성상	무에코에서 고에코까지 다양	무에코에서 고에코까지 다양
내부의 에코	균일~불균일	균일~불균일
후방의 에코	증강	불변~증강
측방음영	없음	있음

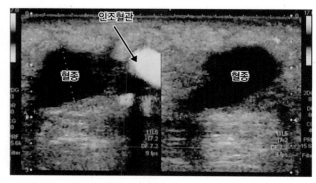

그림 8-141 인조혈관 이식술 후 혈종(단축상, 장축상)
인조혈관 이식 후 3주째, 동맥측 문합부에 불규칙한 형태의 무에코 영역이 관찰된다.

표 8-15 인조혈관 감염증 감별진단

	농양	수술 후 혈종	천자부 혈종	혈청종(seroma)
호발부위	천자부	문합부·만곡부	천자부	문합부·만곡부
발적·부종	국소	수술부위 ~ 상지 전체	없음	없음

3 감별진단

농양은 혈종 또는 혈청종(seroma)과의 감별이 어려운 경우가 있다. 혈종이나 혈청종도 시간경과에 따라 내부에코가 변화하고 다양한 초음파소견을 보이기 때문에, 신체검사 소견 · 국소적 소견 · 염증 소견의 유무, 위치 등을 참고하여 감별한다. (표 8-14,-15, 그림 8-141~143)

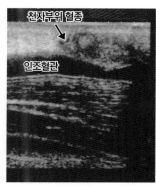
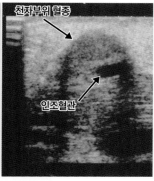

그림 8-142   천자부위 혈종(장축상, 단축상)
천자부위에 경계가 불명료하고, 내부가 불균일한 저에코 영역이 관찰된다. 주변 조직에는 염증을 시사하는 간접소견이 없다.

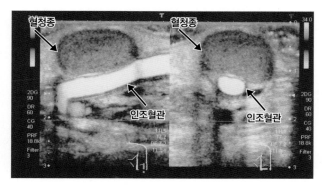

그림 8-143   동맥측 문합부 근방의 혈청종(장축상, 단축상)
인조혈관 주변에 경계가 명료하고 내부는 거의 균일한 저에코를 보이는 종괴가 관찰된다. 종괴 내부에 혈류는 확인이 되지 않고, 주변조직에 염증을 시사하는 간접소견도 확인되지 않는다.

 요약

인조혈관 감염은 혈관통로를 포기해야할 뿐만 아니라 투석환자의 생명에도 영향을 미치는 중대한 합병증이다.

초음파검사만으로 감염을 정확하게 진단하는 것은 어렵지만, 농양과 주변조직을 확인하는 것으로써 보조적 진단도구로 이용될 수 있다.

농양은 초음파검사 시기에 따라 형상이 다를 수 있다는 것을 염두에 두면서 세심하게 검사를 시행하도록 한다. 천자부위와 인조혈관 주변에 대해서 간접소견을 포함하여 가능한 자세히 관찰하여 정확한 판단과 감별진단을 해야한다.

감염의 조기발견 및 치료계획 수립에 있어서 초음파검사는 매우 중요한 정보를 제공하므로 반드시 시행해야하는 검사법이라고 생각된다.

● 참고문헌

1) 平中俊之ほか：人工血管内シャントの感染と対策. 腎と透析59巻 別冊アクセス, 24～26, 2005.
2) 日本透析医学会：慢性血液透析用バスキュラーアクセスの作製および修復に関するガイドライン. 透析会誌, 38(9)：1491～1551, 2005.

8
초음파검사를 이용한 합병증의 진단

9 초음파 유도 혈관성형술(PTA)

1 초음파 유도 혈관성형술(PTA)의 기초
장치와 배치, 장점과 단점

초음파를 이용하여 혈관성형술(PTA)을 시행할 때 필요한 초음파 및 중재시술장치(intervention device)들의 적절한 배치에 대해서 서술하고자 한다.

치료가 필요한 협착병변의 위치, 천자초(introducer 또는 sheath)의 삽입 방향 등에 따라서 시술자, 보조자, 초음파화면의 위치가 바뀌게 된다. 시술 중에 배치를 변경하는 것이 어려운 경우도 있기 때문에, 원활하게 시술이 가능하도록 준비해 두는 것이 좋다.

1 장치

1 초음파장치

① 탐촉자(probe)

혈관의 깊이에 따라 다르지만, 일반적으로 linear형 10~15 MHz 전후의 주파수를 가진 것을 사용하는 것이 바람직하다.

탐촉자의 표면에 초음파 gel를 충분하게 바르고 탐촉자커버에 넣고 탐촉자 주변을 멸균밴드로 고정시킨다. 피부에 멸균된 초음파 gel을 사용하는데 이것은 포비돈 gel이나 리도케인 gel로 대체 가능하다(그림 9-1).

② 인터벤션 기구(intervention device)

유도철사(guide-wire)
: 보통 0.014~0.035"(inch)를 이용하는 것이 초음파 유도에서 시인성(visibility)이 양호하다. 길이는 100~150cm 정도로 짧은 것이 사용하기에 편리하다.

풍선 카테터(balloon catheter)
: 3 mm 이상의 내경을 가진 것이라면 확장 전·후에 시인성이 양호하다. 협착병변 전후의 혈관직경을 고려하여 크기를 결정한다. 4~6 mm 풍선 카테터를 사용하는 것이 일반적이다.

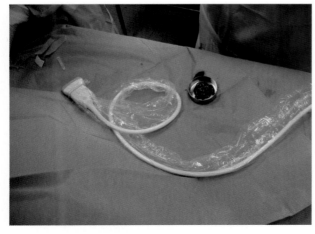

그림 9-1 멸균된 커버를 씌운 탐촉자

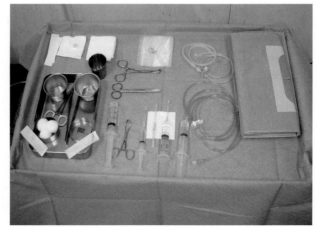

그림 9-2 시술 전 준비

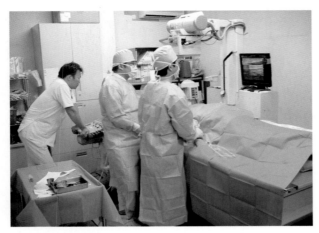

그림 9-3 시술장면 및 배치

ONE POINT ADVICE

　병변이 복잡한 경우 시술자가 초음파를 조작하는 것이 효과적이다. 익숙하지 않은 경우에는 보조자가 탐촉자를 조작해주는 것이 쉽다고 생각할 수도 있지만, 직접 시술자가 탐촉자를 조작하면 복잡한 병변에 적절하게 대응할 수 있기 때문이다. 장치·디바이스의 배치는 병변이 왼쪽인지, 오른쪽인지, 또는 순행천자인지, 역행천자인지에 따라 변하게 된다(그림 9-4,5). 시술자가 가장 치료하기 쉬운 위치에 보조자를 세우고, 여러 상황에 대응하기 쉬운 배치가 되도록 하는 것이 바람직하다.

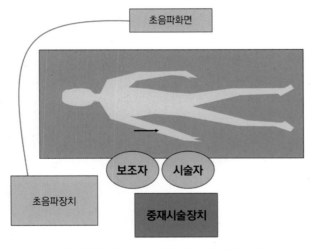

그림 9-4 오른팔에 혈관통로를 가진 환자에서 역방향 천자시의 위치
순행성으로 천자를 하는 경우에는 반대로 서는 것이 좋다.

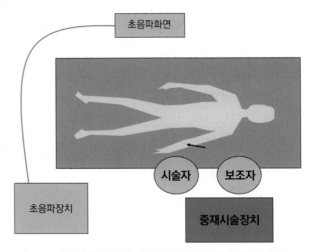

그림 9-5 왼팔에 혈관통로를 가진 환자에서 역방향 천자시의 위치
순행성으로 천자를 하는 경우에는 반대로 서는 것이 좋다.

인디플레이터, 압력계(indeflator)

: 생리식염수를 채운다. 확장 중 보조적으로 투시하 평가가 필요한 경우 수시로 희석한 조영제를 채워넣을 수 있다.

시술 전 준비

: 전용 시술준비대(instrumental table)를 사용하는 것이 좋다(그림 9-2).

2 배치 및 시야

　시술 부위는 투시하 시술과 같이 광범위 소독을 시행하고 소독포로 덮는다.

　초음파화면이 시술자의 정면에 오도록 하고, 시술자와 보조자가 나란히 선다(그림 9-3).

　시술자가 탐촉자, 카테터, 또는 유도철사 조작을 하고, 보조자는 인디플레이터, 유도철사, 또는 카테터를 조작할 수 있는 위치로 준비한다(시술자가 유도철사를 조작할 때는 보조자가 카테터를 잡고, 시술자가 카테터를 조작할 때에는 보조자가 유도철사를 잡는다).

3 장점

　초음파 유도 혈관성형술(PTA)의 장점 및 단점을 숙지하는 것은, 혈관성형술을 초음파를 이용해서 시행할지 투시하에서 시행할지를 선택하는데 큰 영향을 준다. 장점은 아래와 같다.

　① 환자, 시술자, 보조자의 방사선 피폭을 방지할 수 있다.

② 조영제를 사용하지 않고 시술할 수 있다.

- 혈관 내 조영제 투여가 필요하지 않으므로, 잔여신기능을 보존하고 싶은 증례, 조영제알러지가 있는 증례에서 유용하다.

- 인디플레이터에 조영제를 넣을 필요가 없다. 생리식염수는 조영제에 비하여 점성(viscosity)이 낮기 때문에 조작시간을 단축시킬 수 있다.

③ 병변을 3차원적으로 파악하는 것이 가능하다.

④ 혈관 이외의 조직을 실시간으로 확인할 수 있다. 혈관 외 유출에도 신속히 대응할 수 있다.

⑤ 조영제를 통과시키지 않아도 혈관의 내부를 확인할 수 있다. 폐색이나 매우 심한 협착 등 조영제가 통과하기 어려운 병변에서도 쉽게 혈관 내부를 확인할 수 있다.

4 단점

단점은 아래와 같다.

① 전체영상을 파악하기 어렵다(중심정맥 등).

② 초음파로 영상을 얻는 것이 어려운 병변이 있다(심한 석회화 병변이나 깊은 혈관).

풍선 확장 시 확장된 정도나 풍선 가운데가 잘록한 모양(waisting)을 초음파로 쉽게 관찰할 수 있지만, 동정맥 문합부 병변 등 굴곡이 심한 부위에서는 좋은 영상을 얻기 어려운 경우도 많다. 초음파를 통해 좋은 영상을 얻기 어려운 경우에는 적절히 투시법을 병용하는 것을 고려한다.

ONE POINT ADVICE

초음파 유도 PTA 시에는 전체상을 보기 어렵고, 시술 중 유도철사가 어느 정도 진행했는 지를 판단하기 쉽지 않은 경우도 있기 때문에, 체외로 나와 있는 유도철사의 길이를 이용하여 유도철사 앞쪽 끝의 위치를 추정하거나 표지자(marker)가 표시된 유도철사를 사용하는 등의 대책이 필요하다. 상황에 따라 초음파만 이용하는 것보다 투시를 병용하는 것이 바람직하다. 초음파 보조 PTA의 장점으로는 혈관 내외의 상태를 실시간으로(real-time) 확인 가능하다는 것을 들 수 있다. 특히, 혈관 외 혈액누출이 있는 경우에는 초음파를 이용하여 즉시 대응이 가능하다.

1 초음파의 특징을 활용한 효율적인 치료

초음파를 이용하여 혈관성형(PTA)을 시행함으로써 피폭량 및 조영제 사용량을 감소시킬 수 있다. 또한, 디바이스가 혈관 내로 진행하는 것을 실시간·입체적으로 확인할 수 있기 때문에 안전하게 시술할 수 있다는 것도 장점이다. 조영제가 통과하지 못하는 폐색병변에서는 특히 초음파 유도의 이점이 있다. 이외에도, 혈관벽의 상태를 자세히 파악할 수 있고, 혈관내막으로 직접적으로 접근가능하기 때문에 치료의 폭이 넓어진다.

본 장부터는 초음파 유도 혈관성형술(PTA) 치료를 시작하시는 선생님들, 시작은 했지만 매끄럽게 시행하지 못하여 어려움을 겪고 있는 선생님들에게 초음파의 특징을 효과적으로 활용하는 방법과 효율적인 치료를 진행할 수 있는 방안에 관하여 설명드리고자 한다.

중요한 사항은 아래와 같다.

① 투석 시의 문제점 및 예상되는 원인을 바탕으로 혈관성형술의 적응증을 판단하고, 중재시술이 필요한 병변을 신체검진과 초음파검사를 병용하여 결정한다.

② 협착부위, 풍선크기 등을 초음파소견을 참고하여 결정한다.

③ 시술의 종료시점을 영상에만 의존하지 않는다.

동정맥루의 문합부 병변과 인조혈관의 정맥측 문합부 병변의 치료방법에 대해서 증례를 이용하여 설명하고자 한다.

2 증례

증례1 – 45세 남성(투석기간 11년, 기저신질환: 당뇨병)

증상

: GPI(혈액반환부위 정적정맥내압/동맥압) 상승.

혈관통로는 현재 오른쪽 전완의 인조혈관을 사용 중인데, 2009년 11월, 상완동맥(brachial artery)-척측피정맥(basilic vein)간에 4-6 mm tapered ePTFE를 이식받은 상태이다. 이후 GPI 모니터링을 하면서 0.8 이상을 기준으로 혈관성형술을 반복적으로 시행했는데, 이번에도 GPI가 0.82로 상승하여 의뢰되었다.

신체검사소견

: 촉진에서, 인조혈관 내압상승(강한 박동이 촉지되었다.)이 있고 정맥문합부 근방에서 강한 떨림(thrill)이 촉진되었다. 초음파검사에서 정맥문합부 바로 아래 하류의 유출정맥에 협착과 난류가 확인되었다.

MEMO

GPI (graft pressure index)
혈액반환부위 정적정맥내압/동맥압으로, 인조혈관 정맥문합부 협착에 대한 검사방법의 하나. 정적정맥압의 측정부위를 일정하게 하면서 동맥압과의 비를 구하면 재현성이 높고, 각 환자에서의 시간에 따른 정맥협착 정도의 변화를 추측하는 방법으로 사용이 가능하다.

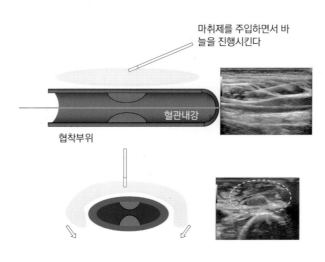

마취제를 주입하면서 바늘을 진행시킨다

혈관내강

협착부위

그림 9-6   초음파 유도 국소마취
유도철사로 직선화된 혈관의 외막을 향하여 마취 주사침을 진입시킨다.

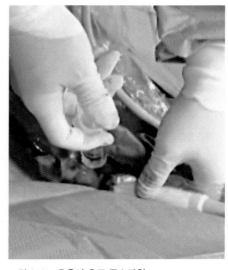

그림 9-7   초음파 유도 국소마취
초음파를 이용하여 장축 및 단축 영상을 보면서 마취를 한다.

그림 9-8   유도철사 삽입
보조자는 카테터를 잡는다.

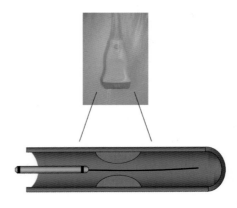

그림 9-9   장축영상

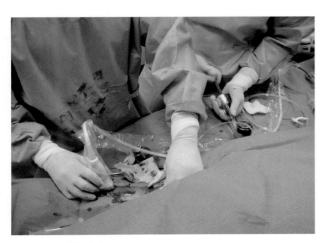

그림 9-10   풍선확장

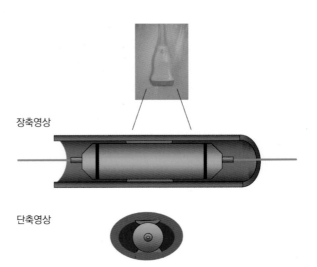

장축영상

단축영상

그림 9-11   장축·단축으로 확장정도를 확인

9

초음파 유도 혈관성형술(PTA)

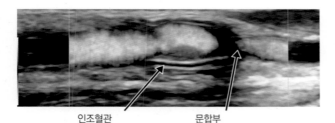

그림 9-12   혈관성형술(PTA) 전

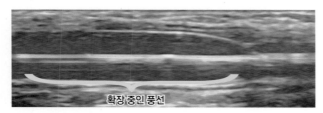

그림 9-13   풍선확장 중

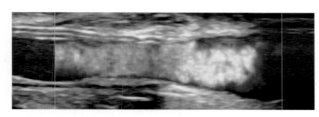

그림 9-14   혈관성형술(PTA) 후

혈관성형술(PTA) 순서

① 인조혈관의 정맥문합부를 향하여 4F short-sheath를 삽입한다.

② 0.016 inch 유도철사를 초음파 유도로 병변을 통과시킨다.

③ 협착부위에 초음파 유도 국소마취를 한다(그림9-6,-7).

④ 초음파 유도로 6 mm × 4 cm 풍선 카테터를 병변부에 통과시킨다(그림 9-8,-9).

⑤ 초음파의 장축 및 단축영상을 확인하면서 병변을 확장하였다. 18기압 15초, 3회의 확장으로 완전하게 확장시킬 수 있었다(그림9-10,-11).

⑥ 초음파를 이용하여 혈관 외 혈액누출이 없는 것을 확인하고 시술을 종료한다. 그림9-12,~14는 혈관성형술 전후의 초음파영상이다.

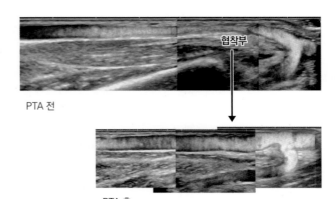

PTA 전

PTA 후

그림 9-15   혈관성형술(PTA) 전후의 초음파영상

증례2 − 74세 여성(투석기간 5년, 기저신질환: 만성사구체신염)

증상: 혈액유입불량(arterial insufficiency)

자가혈관 동정맥루를 사용하고 있다. 혈액유입불량·투석효율의 저하로 문합부 주변의 협착이 의심되어 의뢰되었다.

내원시 소견:

촉진에서 동정맥루의 떨림(thrill)이 저하되어 있고, 혈관은 충분하게 확장되어있지 않았으며, 협착의 진행이 원인으로 판단되어 치료를 시행하였다. 초음파검사에서 동정맥루 문합부 바로 하류에서 협착과 난류를 확인하였다.

혈관성형술(PTA) 순서

① 전완부 동정맥루에서 문합부를 향하여 역방향으로 4F short sheath 를 삽입(시술 전 초음파를 시행하여 정맥판막의 영향에 대해 device의 역방향 진행이 가능한가를 미리 확인한다).

② 0.016 inch 유도철사를 초음파 유도로 병변부위를 통과시킨다.

③ 혈관성형술 예정부위에 초음파 유도 국소마취를 시행한다.

④ 초음파 유도로 6 mm × 4 cm 풍선 카테터를 병변부위로 통과시킨다.

⑤ 초음파 장축·단축영상을 확인하면서 병변부위를 확장 시킨다. 18기압 15초 3회의 확장으로 완전하게 확장 시킬 수 있었다(그림 9-15).

⑥ 초음파를 이용하여 혈관 외 혈액누출이 없는 것을 확인하고 종료한다.

이상의 시술에서, 모두 시술자가 왼손으로 탐촉자를 고정하고 오른손으로 카테터 혹은 유도철사를 조작하였다. 보조자는 indeflator 조작 또는 카테터나 유도철사를 조절하였다.

3　풍선확장술 효과의 판정

확장된 혈관은 혈관연축, 내막부종등으로 일시적으로 혈관내강이 좁아질 수 있다. Elastic recoil에 의해 좁아질 가능성도 있기 때문에 확장 직후의 형태로 효과를 판정하는 것은 곤란하다. GPI 수치도 혈관성형술 직후에는 감소하지 않는 경우가 있기 때문에, 이후의 경과(정적정맥압수치, 초음파검사 확인 등)로 recoil의 유무나 재협착 여부를 판단한다. 혈관성형술의 적응은 투석 시의 문제(혈액유입불량, 지혈불량, 재순환에 의한 투석효율저하, 천자곤란 등) 혹은 혈관통로의 기능부전이 예상되는 경우이다.

ONE POINT ADVICE

국소마취는 유도철사(guidewire)로 직선화된 혈관을 장축으로 묘출하여 시행하는 것이 좋다. 외막의 외측은 결합조직이 가장 성글기 때문에, 이곳에 마취약을 주사하면 혈관을 둘러싸며 마취할 수 있다. 유도철사를 삽입하기 전에 국소마취를 하면 마취약의 주입으로 부풀어 오른 피하조직이 혈관을 눌러서 유도철사를 통과시키기 어려울 수도 있기 때문에 주의가 필요하다.

4　혈관성형술(PTA) 적응의 결정

초음파뿐만 아니라 조영검사 등의 영상 진단에서, 보이는 형태만으로 혈관성형술의 적응을 결정하는 것은 많은 혼란을 초래할 수 있다. 초음파로 병변을 찾아내는 것이 아니라, 신체검사와 투석 시 임상증상을 종합하여 치료가 필요하다고 의심되는 병변을 초음파로 식별·확인하는 것이다. 임상증상과 신체검사보다 영상에 의한 형태 상의 이상을 우선 시 하지 않는 것이 초음파 유도 혈관성형술을 이용한 효율적인 혈관통로 관리로 이어질 수 있다.

5　초음파 유도 혈관성형술(PTA) 훈련에 대하여

초음파 유도 혈관성형술을 원활하게 시행하기 위해서는 평소부터 초음파 유도 치료에 익숙해질 필요가 있다. 천자, 국소마취, 중심정맥 도관 유치 등의 치료에서 초음파를 이용한 훈련을 많이 시행하여 익숙해지는 것이 도움이 된다.

● 참고문헌

1) 若林正則：バスキュラーアクセスの評価　透析患者の合併症とその対策—バスキュラーアクセスの管理—. 透析医会誌, (17)：94～102, 2008.

개요

보통 조영제를 이용한 혈관성형술(PTA)은 시술자 혼자서 시행하는 것이 가능하지만, 초음파 유도 혈관성형술을 할 때에는 시술자가 탐촉자를 잡고 시술을 해야하기 때문에 시술자 혼자서 시행할 수 없고, 대개는 보조자가 필요하다. 또, 투시하에서 유도철사(guidewire) 조작에 익숙해져 있기 때문에 갑자기 초음파 유도로 유도철사를 조작해야 하는 새로운 시도에 대한 저항감도 적지 않다. 따라서, 초음파를 보조적으로 병용하여 투시하 혈관성형술을 시행하는 것은 완전히 초음파 유도만으로 시술하는 것에 익숙해지기 위한 준비과정인 측면이 있다. 초음파 보조 PTA의 장점으로는, 조영제 사용량의 감소 또는 미사용, 방사선 피폭량의 감소(환자 및 시술자), 그리고 협착부위의 3차원적인 평가가 가능하다는 것이 있다. 보통 혈관성형술 전후의 혈관통로에 대한 평가는 초음파로 시행하고, 유도철사 조작은 투시하에 시행한다. 대개 투시를 참고로 초음파 하에서 작업을 많이 하므로, 조영제는 기본적으로 풍선의 확장에만 사용된다. 따라서, 조영제의 약물이상반응을 고려할 필요가 없고(풍선이 파열된 경우에는 고려해야 함), 유도철사의 조작 및 풍선의 확장상태만을 투시로 확인하기 때문에 그 만큼 방사선 피폭량을 감소시킬 수 있다. 또, 혈관성형술을 시행한 부위의 평가는 조영제 없이 초음파를 이용하여 평가하기 때문에 3차원적 평가가 가능해진다. 단점으로는, 초음파 유도가 익숙하지 않은 경우에 유도철사나 풍선 카테터가 병변부위를 통과하지 못하거나, 병변 주위에 주사한 국소마취의 영향으로 초음파영상이 명료하지 않을 수 있다는 것이다. 익숙해지기 전까지는 시술시간이 길어지는 것도 단점이라고 할 수 있다. 또한 표면에 너무 가깝게 주행하는 혈관은 오히려 초음파영상을 얻는 것이 어려울 수도 있으며, 탐촉자에 의한 혈관의 압박으로 혈관의 직경을 정확하게 평가하기 어려운 경우도 있다. 하지만, 어느 정도 익숙해지면 조영제와 방사선 피폭을 줄이면서 빠르고 정확하게 시술할 수 있게 된다. 실제의 순서는 다음과 같다.

1 초음파 보조 투시하 혈관성형술 (PTA) 실제

1 유도철사(guidewire) 혹은 풍선 카테터의 삽입

촉진 및 초음파검사로 원인병변을 확인하고 병변부에 접근하는 방법을 선택한다. Sheath를 투시하에서 삽입하고, 이어서 유도철사를 삽입한다. 유도철사가 협착부위를 통과하지 않는 경우에는 초음파 유도로 협착부위를 통과시킨다. 풍선 카테터의 삽입도 투시하에서 시행한다 (그림 9-16).

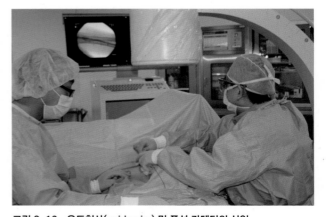

그림 9-16 유도철사(guidewire) 및 풍선 카테터의 삽입

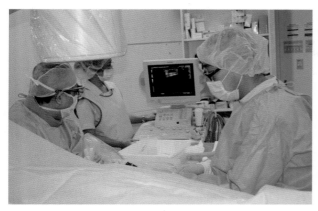

그림 9-17 병변부의 확장

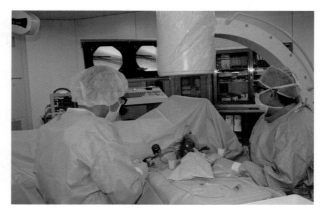

그림 9-18 확장시킨 풍선을 투시하에서 확인

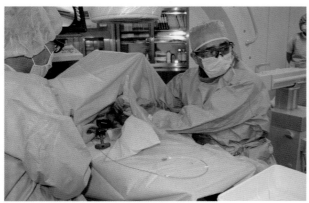

그림 9-19 초음파로 확장부위 확인

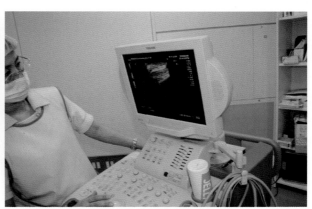

2 병변부의 확장

원인병변의 확장은 초음파 유도로 시행한다. 시술자는 초음파를 왼손에, 풍선 카테터를 오른손에 잡고, 보조자는 in-deflator를 조작한다(그림 9-17). 보조자는 가압 시 1기압을 높힐 때마다 소리내어 말해주고 시술자는 초음파화면을 보면서 풍선 및 병변의 확장상태를 항상 확인한다. 충분하게 확장되어 압력을 유지하는 시점에서 투시영상을 병용하여 풍선의 상태를 확인한다(그림 9-18).

3 확장부위의 평가

다음으로, 혈관성형술을 시행한 부위를 초음파를 이용하여 확인한다(그림 9-19). 먼저 확장에 동반된 혈관손상(출혈)의 유무를 확인한다. 문제가 없다고 판단된 경우에는 혈관성형술을 시행한 부위를 평가한다. 조영검사를 병용해도 문제는 없지만, 술기에 익숙해지면 조영검사를 시행하지 않고 초음파검사만으로 평가하게 되어 조영제를 사용하지 않게 된다. 환자에게 사용하는 조영제의 양을 줄일수 있고 그 만큼 피폭량도 감소시킬 수 있다. 이런 조작들을 반복하면서 협착부위의 확장을 충분히 시행한다. 마지막으로 혈관통로 전체를 초음파로 다시 확인하고 시술을 종료한다. 초기의 증례에서는 조영검사를 병용하여 초음파검사와 비교해보는 것도 필요하다.

9 초음파 유도 혈관성형술(PTA)

2 초음파 유도 혈관성형술(PTA)의 실제
③ 초음파만을 사용한 혈관성형술(PTA)

개요

혈관통로의 문제는 일반적으로 X-선 투시하(이하 투시하)에서 혈관성형술로 치료해왔다. 조영제에 과민반응이 있는 환자 등 극히 일부의 환자에서 초음파 유도 혈관성형술(PTA)이 시행되었는데, 최근에는 초음파 유도 혈관성형술의 간편성 및 유용성 등으로 널리 시행되고 있다. 본 장에서는 투시를 사용하지 않고 초음파만을 이용한 초음파 유도 혈관성형술의 실제에 대해서 설명하고자 한다.

1 초음파 유도 혈관성형술(PTA)의 적응

2005년 7월에 일본투석의학회에서 출간한, [만성 혈액투석용 혈관통로의 조성 및 치료에 관한 가이드라인]에서 협착의 임상증상은 ① 혈류부전, ② 정맥압상승, ③ 재순환으로 인한 투석효율의 저하를 예로 설명하고 있다(제10장 GL-1). 이러한 증상은 혈관통로에 문제가 있는 것이고 혈관성형술의 적응이 된다. 본원에서는 초음파 유도 혈관성형술을 겨드랑부위보다 말초의 혈관을 대상으로 시행하고 있고, 상지전체의 부종 등 중심정맥의 협착이 의심되는 경우에는 투시하 혈관성형술을 시행하고 있다. 또 혈전성 폐색과 비혈전성 폐색도 혈관성형술의 대상인데, 나중에 서술하겠지만 투시하 혈관성형술에 비해서 초음파 유도 혈관성형술이 이런 병변에선 더욱 효과적이라고 생각한다.

MEMO

GL : guideline

2 초음파 유도 혈관성형술(PTA)의 실제

1 초음파 유도 혈관성형술(PTA)에 필요한 재료

그림 9-20은 초음파 유도 혈관성형술을 시행할 때에 필요한 재료들이다. 시설에 따라 차이가 있겠지만, 기본적으로 투시하 혈관성형술과 동일하다. 본원에서는 초음파장치로 아로카(Aloka)사의 SSD-3500SV, linear형 탐촉자 (UST-5546 : 주파수 8.5 MHz, 유효시야 38 mm)를 사용하고 있다. 수술 시와 동일하게 피부 소독을 시행하고, 멸균된 젤리, 탐촉자 커버, 소독포를 이용하여 무균적 시술을 한다.

2 초음파 유도 혈관성형술의 술기(표 9-1)

① 혈관성형술 시행 전 초음파를 이용하여 문합부 및 협착부, 폐색부위를 포함하여 가능한 한 전체적인 모양을 파악하는 것이 중요하다. 이때 혈액유입불량 및 폐색·부종 등 주증상에 따라 병변부위를 추정하고 촉진을 시행한다. 협착부위보다 하류쪽에서는 약해진 thrill이 느껴지고, 협착부의 상류에서는 thrill의 박동성 변화를 느낄 수 있다.

② 전체적인 모양을 파악한 후 접근(sheath 삽입부위) 부위를 결정한다. 투시하에서와 같이 다수의 협착부위가 있을 때는 가장 하류 측(중추 쪽)의 협착부위를 파악하는 것이 중요하고, 그 협착방향으로 sheath를 삽입한다.

③ 문합부 및 sheath 삽입부위를 포함하여 넓은 부위를 소독하고 멸균 소독포를 덮는다. 투시하와는 달리 탐촉자 조작으로만 병변의 영상을 얻을 수 있기 때문에 넓은 부위를 노출시킨다.

④ ②를 기초로 접근하여 sheath를 삽입하는데, 초음파 유도 천자를 병용하는 경우도 있다. 특히 팔오금부위 근처

① 천자바늘(sheath 용)

② 유도철사(guidewire, sheath 용)

③ Sheath introducer

④ 유도철사(guidewire, PTA용) 0.035"

⑤ 풍선 카테터(balloon catheter)

⑥ 인디플레이터(indeflator)

⑦ 헤파린을 섞은 생리식염수

⑧ 국소마취약(1%리도카인)

⑨ 20 ml syringe (⑦)

⑩ 1 ml syringe (⑧)

⑪ Mosquito

⑫ 멸균초음파 gel

⑬ 탐촉자

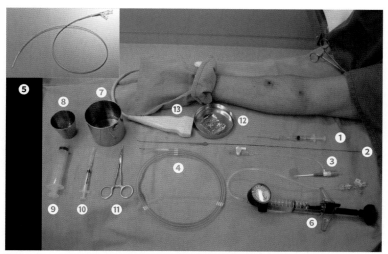

그림 9-20　초음파 유도 혈관성형술 (PTA) 시 필요한 재료

표 9-1　초음파 유도 혈관성형술 (PTA) 의 수기

① 혈관성형술 시행 전, 초음파를 이용하여 문합부, 협착부를 포함하여 가능한 한 전체 모양을 파악한다. 증상(혈액유입불량, 폐색, 부종 등)에 따라 병변부위를 추정한다.

② 혈관성형술의 설계 및 접근방법(sheath 삽입방향 등)을 검토한다.

③ 문합부 및 sheath 삽입부를 포함하여 넓게 소독하고 멸균 소독포를 덮는다.

④ Sheath를 삽입한다(팔오금부위에서는 관통정맥으로 삽입되는 경우가 있기 때문에 주의가 필요하다).

⑤ 헤파린(2,000단위)을 전신투여한다. 증례에 따라(체중, 혈관의 상태 등) 투여량을 조절한다.

⑥ Sheath 안쪽으로 유도철사를 삽입하고, 협착부, 폐쇄부, 문합부를 통과시킨다.

⑦ 풍선 카테터를 이용하여 확장한다.
- 전완·상완에서는 주로 직경 4~6 mm의 풍선을 사용
- 30~60초/회, 수 차례 시행
- 풍선의 변형(waisting)이 없어지고, thrill이 잘 만져질 때까지 반복한다.
- 혈관박리·파열 또는 elastic recoil 시에는 보다 장시간(120~180초/회) 확장한다.

⑧ 비폐색병변에 비해 폐색병변에서는 초기 및 장기 성적이 불량한 경향이 있으므로, 협착의 단계에서 치료하는 것이 바람직하다.

폐색증례: 혈전을 제거하기 위해서 유로키나제 12만~24만단위, 헤파린 3,000~5,000 단위를 혈관통로 내에 주입하고 혈관성형술을 시행한다(혈관통로 폐색증례에서 이와 같이 혈관통로에 혈전용해제를 주입할 때에는 혈관통로 내 압력의 증가로 인해 혈전의 일부가 동맥문합부를 통해 말초의 동맥으로 흘러들어서 색전증을 초래할 수 있으므로 특별히 주의해야한다).

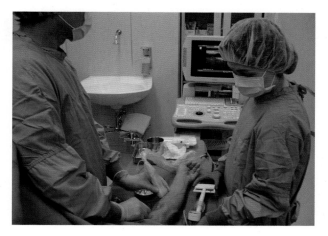

그림 9-21　초음파장치 (ALOKA社SSD-3500SV)와 탐촉자 (linear 형 UST-5546 : 주파수 8.5 MHz , 유효시야 38 mm)

에서는 관통정맥으로 삽입되는 경우가 있기 때문에 주의해야 한다.

⑤ 본원에서는 헤파린을 전신투여(2,000단위)하는데 체중이나 혈관상태 등 증례에 따라 투여량을 조절한다.

⑥ 유도철사를 삽입하고 협착부·폐색부·문합부를 통과시킨다. 본원에서는 시술자가 왼손으로 탐촉자를 잡고 오른손으로 유도철사 또는 풍선 카테터를 조작한다. 보조자는 indeflator를 조작한다(그림 9-21). 탐촉자를 이용하여 혈관의 입체적인 위치관계를 파악하는 것이 가능하고, 특히 투시하시술에 비해 혈관의 상하(배쪽 · 등쪽) 관계의 파악이 더 용이하다.

초음파 유도에서는 혈관의 직경보다 영상이 확대되어 작은 혈관에서도 조작이 쉽고, 치료가 필요한 혈관에 유도철사가 있는지 확인하는 것도 용이하다.

⑦ 풍선 카테터로 협착부, 문합부 등을 확장시킨다. 사용하는 풍선 카테터의 직경 및 확장시간, 혈관성형술의 종료기준 등은 기본적으로 투시하 혈관성형술과 동일하다. 다만, 동

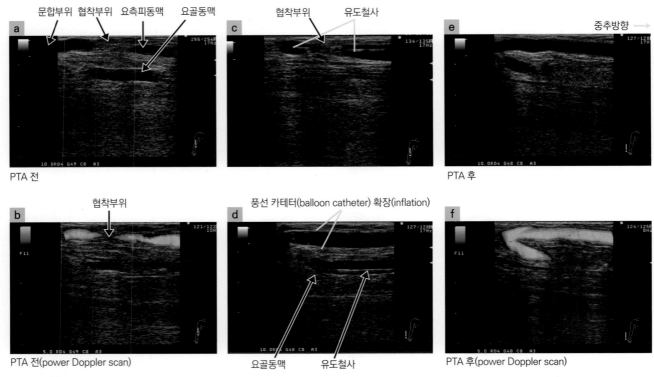

그림 9-22 왼쪽 전완 동정맥루의 혈액유입불량 증례

일한 단면으로 영상을 얻기 힘든 문합부 등의 부위에서는 확장의 정도를 초음파영상으로 파악하기 곤란한 경우도 있기 때문에 충분하게 확장이 되었는지 주의깊게 확인해야 한다.

⑧ 폐색증례는 비폐색증례에 비하여 초기 및 장기 성적이 불량하기 때문에 협착의 단계에서 혈관성형술을 시행하는 것이 바람직하다. 초음파 유도 혈관성형술은 폐색된 동정맥루 및 인조혈관에서도 협착부위, 문합부위 등의 관찰이 가능하고 투시하에 비하여 유도철사의 조작이 쉽다는 것도 장점 중의 하나이다.

3 | 초음파 유도 혈관성형술의 영상

① 혈관통로 혈액유입불량에 대한 초음파 유도 혈관성형술 (PTA)

투석기간 1년의 67세 여성, 왼쪽 전완 동정맥루에서 원활한 혈액유입이 어려워 초음파 유도 혈관성형술을 시행하였다. 문합부에서 하류쪽 2 cm 부위 요측피정맥(cephalic vein)에 협착이 확인되었고(그림 9-22a), 초음파검사에서 혈류저하가 확인되었다(그림 9-22b). 협착부위의 하류에서 문합부 방향으로 요측피정맥에 sheath를 삽입하고 유도철사를 협착부, 문합부, 그리고 중추 측 요골동맥(radial artery)내로 진입시켰다(그림 9-22c). 요골동맥 문합부, 요측피정맥을 직경 5

mm 풍선을 이용하여 확장시켰다(그림 9-22d). 그 후 협착부위는 확장되었고(그림 9-22e), 혈류도 개선되었다(그림 9-22f).

② 투시하 및 초음파 유도 시술 시에 확인 가능한 영상(그림 9-23)
 ① 유도철사의 문합부 통과
 ② 유도철사의 반전(역회전)
 ③ 문합부위의 확장
 ④ 풍선의 변형(balloon waisting)
 ⑤ X-선 비투과 표지자 (radiopaque marker) 확인

① 유도철사의 문합부 통과 시, 투시하에서는 control image나 roadmap image를 보면서 문합부라고 생각되는 부위에서 유도철사를 조작하여 진입시키는 것이 일반적이지만, 초음파 유도에서는 직접 문합부를 실시간으로 확인하면서 유도철사의 끝이 문합부 혹은 말초의 동맥(그림 9-23a), 상류의 동맥(그림 9-23-b)에 있는 것을 확실하게 알 수 있다.

② 투시하에서는 유도철사의 일부가 반대방향으로 회전된 상태를 바로 알 수 있지만, 초음파 유도에서는 이러한 상태를 파악하기 위해서는 훈련이 필요하다. 초음파화면으로 유도철사의 방향을 예상하여 탐촉자를 이용하여 반대방향으로 회전된 유도철사를 확인할 수 있어야 한다(그림 9-23-c). 유도철

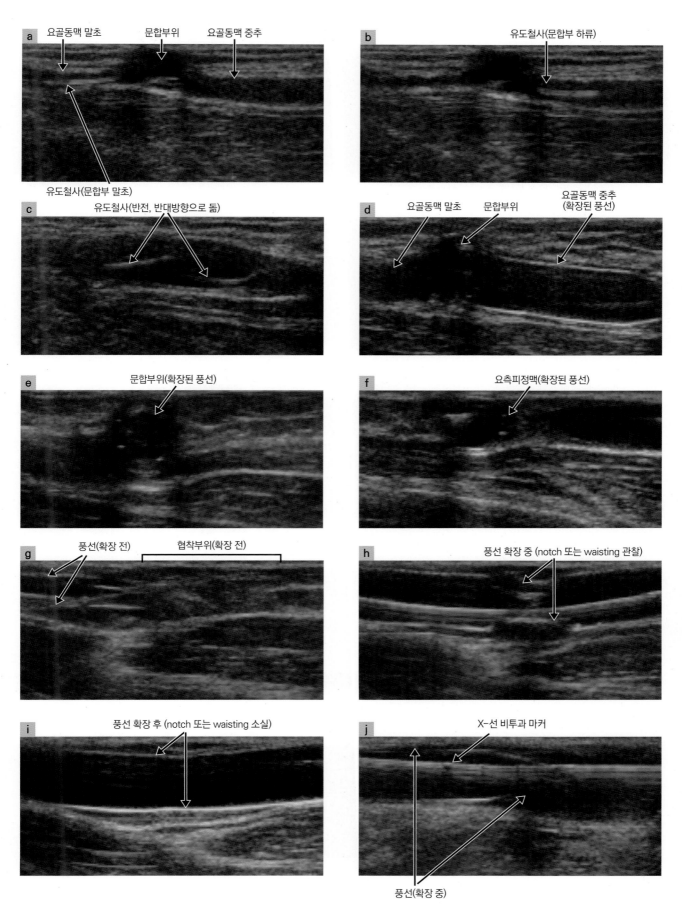

그림 9-23 투시하 및 초음파 유도 시에 확인 가능한 영상

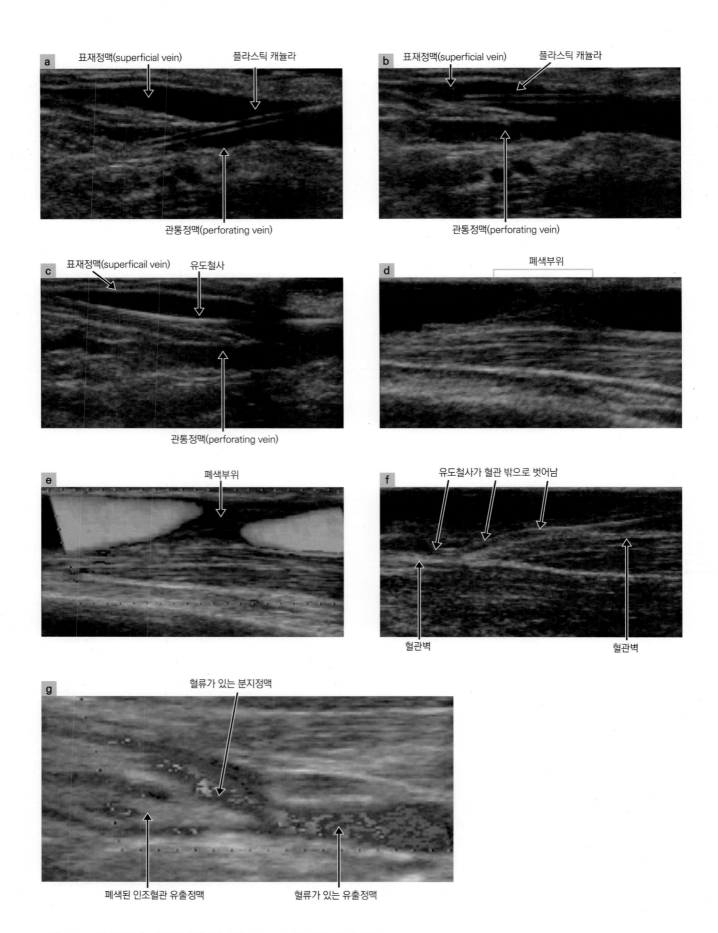

그림 9-24 투시하에서는 확인이 어렵지만, 초음파 유도 시에는 확인 가능한 영상

사의 방향이 반대로 되었다면, 유도철사를 서서히 당겨서 역방향으로 회전된 부위를 정방향으로 만들 수 있다.

③ 일반적으로 초음파의 한 화면에 동맥, 문합부, 그리고 정맥을 함께 묘출할 수 있는 경우는 적다. 하지만, 탐촉자를 적절하게 조작하면 확장된 풍선이 동맥(그림 9-23-d), 문합부(그림 9-23-e), 정맥(그림 9-23-f) 내에 있는 영상을 얻을 수 있고 문합부의 확장을 확인할 수 있다.

④ 정맥협착부(그림 9-23-g)의 확장 시 풍선 변형(notch 또는 waisting)의 존재(그림 9-23-h) 및 소실(그림 9-23-i)은 초음파 유도에서도 확인이 되고, 확장 전후의 혈관내강의 비교가 가능하다.

⑤ X-선 비투과 표지자는 초음파 유도에서도 확인이 가능하고(그림 9-23-j), 풍선 카테터의 방향(orientation)을 확인하는데 유용하다.

③ 투시하에서는 확인이 어렵지만, 초음파 유도에서는 확인 가능한 영상(그림 9-24)
   ① 팔오금부위 관통정맥(perforating vein)내로 삽입된 천자초(sheath)
   ② 폐색된 정맥에서 유도철사의 혈관 외 이탈
   ③ 폐색된 인조혈관에서 유출정맥의 혈류개존상태 파악

① 관통정맥(perforating vein) 주변에는 정맥지가 많고, 천자 시 각도 상 천자바늘이 관통정맥으로 향하기 쉽다(그림 9-24-a). 투시하에서는, sheath를 삽입해야 할 표재정맥과 관통정맥의 위치관계를 파악하기 어렵다. 하지만, 초음파 유도하에서는 관통정맥으로 삽입된 천자바늘을 초음파로 확인하면서 바늘의 위치를 수정하여(그림 9-24-b), 유도철사를 삽입하는 것이 가능하다(그림 9-24-c).

② 완전히 폐색된 정맥(그림 9-24-d,e)에 혈관성형술을 시행할 때, 유도 카테터(guiding catheter) 등을 이용하여도 유도철사가 폐색부를 안전하게 통과하지 않고 혈관 밖으로 이탈하는 경우도 있다. 투시하에서는 유도철사 끝의 모양과 저항감을 통해 간접적으로 알 수 있지만, 초음파 유도에서는 유도철사와 혈관벽을 직접 관찰하여 유도철사의 혈관 외 이탈을 파악할 수 있다(그림 9-24-f). 하지만, 초음파 유도하에서도 이러한 상황에서 초음파영상을 이용하여 유도철사를 폐색병변으로 진행시켜 통과시키는 것은 쉽지 않다.

③ 투시하에서 폐색된 인조혈관 유출정맥의 혈류상태를 확인하는 것은 쉽지 않다. 초음파 유도에서는 도플러를 병용하면 유출정맥 하류의 개통여부를 확인할 수 있고(그림 9-24-g), 그 부위까지 확장하여 폐색된 인조혈관의 혈류를 개통시킬 수 있다.

마치면서

초음파 유도 혈관성형술은 겨드랑 부위를 포함한 중추 측 혈관보다는 말초의 혈관통로 문제에서 투시하 혈관성형술(PTA)에 필적할 수 있는 치료법이라고 생각하며, 투시하보다 더 많은 정보를 얻을 수 있는 경우도 있다. 초음파 유도하 혈관성형술의 장점 및 단점을 바탕으로 혈관통로 혈관성형술에서 투시 하 PTA와 함께 초음파 유도 PTA의 역할을 기대해본다.

● 참고문헌

1) 日本透析医学会 : 慢性血液透析用バスキュラーアクセスの作製および修復に関するガイドライン. 透析会誌, 38(9) : 1491～1551, 2005.
2) 佐藤純彦ほか : バスキュラーアクセストラブルに対するエコーガイド下PTAの検討. 腎と透析64巻別冊腎不全外科, 78～81, 2008.
3) 佐藤純彦ほか : バスキュラーアクセストラブルに対するエコーガイド下PTA. 腎と透析65巻別冊アクセス, 107～110, 2008.
4) 佐藤純彦ほか : VAトラブルに対するエコーガイド下PTA. 腎と透析66巻別冊腎不全外科, 111～115, 2009.

개요

조영제가 통과할 수 없는 혈관통로의 폐색병변은 초음파 유도 혈관성형술(PTA)이 효과적이다. 자가 및 인조혈관에서 혈전성폐색으로 혈전흡인술을 시행할 때, 가능한 한 색전증을 유발하지 않고 혈류를 재개통시키는 것이 중요하다. 동정맥루의 경우 혈관 내에 혈전의 양이 많지 않으면 혈전을 흡인하여 제거하는 것도 가능하지만, 혈전의 양이 많은 경우에는 외과적 혈전제거술을 고려해야 한다. 인조혈관이 혈전으로 폐색되면 인조혈관 내(**그림 9-25**), 혈액이 유입되는 동맥문합부, 혈액이 유출되는 정맥문합부(**그림 9-26**), 그리고 중추측 유출정맥까지 혈전의 유무를 확인해야 한다. 탐촉자를 이용하여 혈전을 압박해서 확인하거나 도플러를 병용하여 혈전을 확인한다. 이 장에서는 혈전으로 폐색된 인조혈관의 혈전흡인제거술에 대해서 본원에서 시행하는 순서대로 설명하고자 한다(역자 주: 탐촉자를 이용한 혈관압박으로 혈전을 확인하는 경우에는 혈관 내 압력의 증가로 혈전이 유입동맥 등으로 이동하여 색전증을 일으키지 않도록 주의해야한다. 또한, 혈관통로 혈전제거술에는 다양한 술기와 기구들이 있고 새로운 방법이나 도구도 계속 소개되고 있으므로, 여기에 제시된 방법은 하나의 예로서 참고하는 것이 바람직하다).

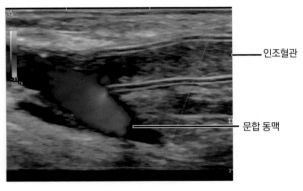

그림 9-25 동맥측 문합부
동맥 내에는 혈류가 있지만, 인조혈관 내에는 도플러신호가 보이지 않아 혈류가 없는 것을 알 수 있다.

인조혈관

문합 동맥

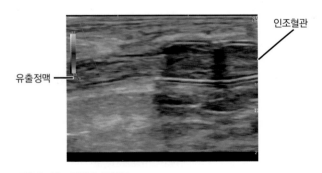

그림 9-26 정맥측 문합부
문합부와 유출정맥 내에 기질화된 혈전이 보인다. 혈류가 없기 때문에 도플러신호를 확인할 수 없다.

인조혈관

유출정맥

1 흡인 카테터(aspiration catheter)를 이용한 혈전흡인제거술의 순서

① Sheath의 삽입 (**그림 9-27**)
② 정맥지 흡인
③ 동맥지 흡인, 멸균토니켓의 장착, 기질화 혈전제거 카테터의 사용(**그림 9-35, 36**), 혈전흡인제거

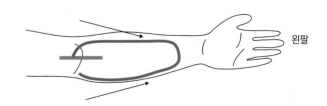

그림 9-27 Sheath introducer의 삽입방향

왼팔

④ 혈관확장

⑤ 혈류확인

1 Sheath의 삽입

동맥 및 정맥측 문합부를 향해서 sheath를 삽입한다(그림 9-27). 혈류가 있다면 천자바늘로 역류되어 나오는 혈액을 확인하여 바늘이 혈관 내에 위치한 것을 예상할 수 있지만, 혈전으로 폐색된 혈관에는 혈류가 흐르지 않기 때문에 천자 시 주의해야 한다. 초음파를 이용하여 천자를 시행하는 것이 안전하다. 또, 한 방향의 천자가 성공한 후 흡인 카테터를 이용하여 인조혈관 내 혈전을 흡인하면 혈관 내 압력이 감소하여 인조혈관이 허탈되고 납작해질 수 있는 데 헤파린을 섞은 생리식염수를 조심스럽게 주입하여 작은 혈전이라도 더 흡인하여 제거하도록 한다. 흡인제거 후 헤파린이 섞인 생리식염수를 인조혈관 내로 서서히 주입하여 허탈되었던 혈관이 원래 형태가 되도록 하면 두 번째 sheath의 삽입이 용이해진다.

정맥 및 동맥의 양방향으로 sheath를 삽입 후, sheath로 가능한 한 많은 혈전을 흡인하여 제거한다. 헤파린이 섞인 생리식염수를 사용하여 주입과 흡인을 반복함으로써 혈관벽에 달라붙어 있는 혈전도 제거할 수 있다. 다만, 혈전제거 시 동맥으로의 색전이 발생하지 않도록 주의해야 한다.

2 정맥 측 혈전 흡인제거

정맥 측부터 혈전을 흡인하여 제거한다(그림 9-28). 혈류 재개 시 중추 측으로 혈전이 유입되지 않도록 주의하면서 인조혈관의 유출정맥 내 혈전을 흡인하여 제거한다. 초음파를 이용하면 혈류가 없더라도 실시간으로 혈전을 확인하면서 흡인하는 것이 가능하며, 혈전을 좀더 선택적으로 제거할 수 있으므로 실혈(blood loss)을 줄일 수 있다. 정맥문합부부터 순차적으로 유출정맥의 하류까지 초음파로 남아있는 혈전을 확인한다. 혈관을 압박하거나 도플러 스캔을 함께 이용하면 혈류가 있는 혈관과 폐색된 혈관의 구별이 가능하다(그림 9-30).

유출정맥의 혈전제거 후 인조혈관 내의 혈전을 흡인하여 제거한다. 인조혈관은 분지하는 혈관이 없기 때문에 디바이스를 통과시키는 것이 용이하다. 예외적으로 흡인 카테터의 흡인효과를 증대시킬 목적으로 유도철사를 사용하지 않고 시행하는 경우도 있지만, 가능한 유도철사는 시술이 종료될 때

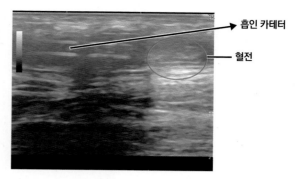

그림 9-28 정맥문합부 혈전의 초음파영상

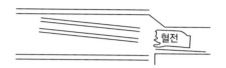

그림 9-29 인조혈관 정맥문합부
인조혈관 내에 혈전과 흡인 카테터가 관찰되고 있다.

까지 제거하지 않는 것이 바람직하다. 인조혈관의 유출정맥인 자가혈관 내의 혈전을 흡인하여 제거할 때에는 반드시 유도철사를 유지해야 한다.

남아있는 혈전을 제거하기 위해서 탐촉자를 사용하여 **그림 9-31**과 같이 초음파로 확인하면서 흡인 카테터를 이용하여 혈전을 흡인·제거한다. 탐촉자를 혈전의 방향에 따라서 직상부 및 경사면에서 조작하여 혈전을 흡인 카테터의 입구로 유도한다(그림 9-32,-33). 탐촉자 외에 손을 이용한 압박으로 흡인 효과를 높일 수도 있다.

ONE POINT ADVICE

탐촉자 압박과 도플러 스캔으로 혈전 확인 후 혈전을 목표로 흡인 카테터를 접근시켜 선택적으로 제거한다.

3 동맥 측 혈전 흡인제거

정맥 측 혈전을 제거한 후 동맥 측 혈전을 제거한다. 인조혈관 내 혈전의 제거방법은 정맥 측과 동일한데, 혈류재개의 타이밍을 고려하여 흡인제거를 시행할 필요가 있다. 혈류가 있을 경우 혈액이 함께 흡인되어 많은 양의 혈액이 제거될 수 있으므로 주의해야 한다. 필요이상의 실혈을 방지하기 위해 손가락을 이용하여 흡인 카테터를 누르면서 흡인제거를 제어하는 것이 도움이 된다.

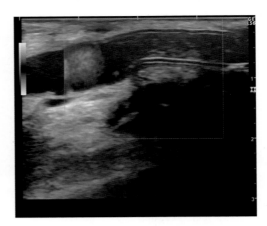

그림 9-30 혈류가 있는 곳은 도플러 신호가 있지만, 폐색혈
관에서는 혈전으로 인해 도플러 신호가 없다.

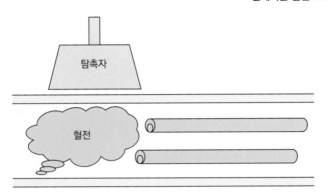

그림 9-31 목표혈전을 흡인제거

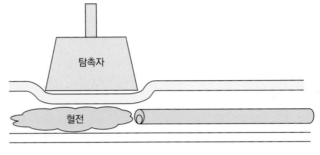

그림 9-32 흡인이 어려운 경우 탐촉자를 이용하여 혈전을 흡인 카테터
의 입구로 유도한다.

그림 9-33 경사면에서 접근하여 혈전을 흡인제거

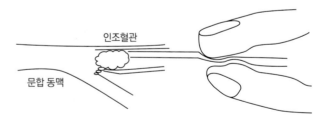

그림 9-34 동맥측 문합부의 기질화 혈전의 제거

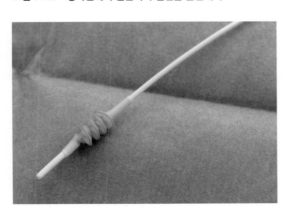

그림 9-35 기질화 혈전제거 카테터의 조작 시

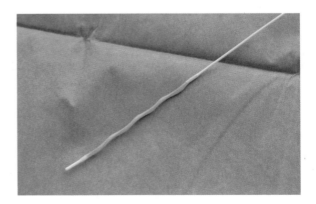

그림 9-36 기질화 혈전제거 카테터의 삽입 시

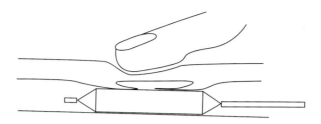

그림 9-37 혈관외 누출(leak) 시 풍선을 이용한 지혈방법

① 멸균토니켓

　본원에서는 동맥측 혈전을 흡인하기 전에 혈류를 차단할 목적으로 토니켓을 사용한다. 동맥문합부 직전까지 흡인을 시행하여 어느 정도 흡인이 종료되면 혈류가 재개되기 전에 토니켓을 중추 측(하류 쪽)에 감아둔다. 혈류재개 시 혈전이 유출정맥으로 유입되는 것에 대한 예방대책이다.

② 기질화 혈전제거 카테터의 사용(그림 9-34~36)

　이 카테터는 외과적 처치가 준비된 상태에서 사용하는 것이 바람직하다. 기질화된 혈전은 인조혈관벽에 단단히 붙어 있어 흡인만으로는 제거하기 어렵다. 동맥문합부의 단단한 혈전을 제거하는 데 사용하는 용도인데, 사용에 앞서서 미리 준비한 토니켓으로 혈류를 일시적으로 차단한다. 토니켓으로 혈류를 차단한 상태에서 기질화된 혈전을 혈관벽에서 분리시킨 후 흡인·제거한다. 구혈대 또는 손을 이용하여 혈관을 압박해서 혈류를 차단할 수 있지만, 혈류를 완전히 차단하기 위해서는 구혈대와 손을 함께 이용하기도 한다.

③ 혈전흡인

　동맥문합부에서 분리된 기질화 혈전을 sheath를 통하여 흡인하여 제거한다. 기질화된 혈전은 흡인이 곤란한 경우가 있기 때문에 흡인 카테터의 흡인성을 높이기 위해서 유도철사 없이 시행하는 경우가 있다.

ONE POINT ADVICE

혈전흡인 시의 주의할 점

　심장내 우-좌 단락이 있는 환자가 의외로 많기 때문에, 혈전이 중심정맥에 유입되지 않도록 최대한 노력해야한다(성인의 25~30%에서 난원공개존 (patent foramen ovale)이 존재한다).

　심장내 단락이 의심되는 경우에는 수술적 혈전제거술을 고려한다.

4 │ 혈관확장

　인조혈관 혈전성 폐색의 가장 흔한 원인은 정맥문합부와 유출정맥에 발생한 협착이다. 초음파 유도하에서 시행하는 경우에는 중추 측으로 유도철사를 통과시킨 후 중추 측부터 차례로 협착부위에 대해 혈관성형술을 시행한다. 혈관 벽에 다소의 잔존혈전이 확인되더라도, 풍선확장 시 분쇄되어 확장 후 초음파영상에서 관찰되는 혈전은 적다.

5 │ 혈류확인

　혈전흡인과 풍선확장술 후에는 혈류를 확인해야 한다. 여기서 주의해야 할 것은 혈액의 혈관 외 누출이다. 혈전제거 직후에는 정맥 측 혈전의 흡인에 따른 혈관연축(spasm)과 잔존혈전에 의해서 정맥압이 높은 경우가 많고 혈액누출이 확대되기 쉬우므로, 혈류 재개통 후 혈류의 급격한 유입과 동시에 일어나는 혈관 외 혈액누출을 반드시 확인해야 한다. 만약 혈관 외 혈액누출이 확인되면 초음파를 이용하여 누출구를 확인하고 즉각 풍선과 손을 이용하여 누출구를 압박하여 막는다(그림 9-37). 대개는 5~10분간의 압박으로 지혈된다. 누출구를 실시간으로 확인할 수 있고, 신속하게 대응할 수 있는 것도 초음파 유도 시술의 장점이다.